Fr

Né en 1973 à Annecy, Franck Thilliez, ancien ingénieur en nouvelles technologies, vit actuellement dans le Pas-de-Calais. Il est l'auteur de 18 romans dont *La Chambre des morts*, adapté au cinéma en 2007, prix des lecteurs Quais du Polar 2006 et prix SNCF du polar français 2007, *Puzzle* (2013), *Rêver* (2016) ou bien encore *Le Manuscrit inachevé* (2018). Il est également connu pour avoir donné vie à deux personnages emblématiques, Franck Sharko et Lucie Henebelle, qui sont réunis pour la première fois dans *Le Syndrome [E]* (2010) et qu'on retrouve notamment dans les récents *Sharko* (2017) et *Luca* (2019) chez Fleuve Éditions. Son recueil de nouvelles, *Au-delà de l'horizon et autres nouvelles*, a paru en 2020 aux éditions Pocket.

Ses titres ont été salués par la critique, traduits dans le monde entier et se sont classés à leur sortie en tête des meilleures ventes.

Retrouvez l'auteur sur sa page Facebook :
www.fr-fr.facebook.com/Franck.Thilliez.Officiel

TRAIN D'ENFER
POUR ANGE ROUGE

FRANCK THILLIEZ

TRAIN D'ENFER
POUR ANGE ROUGE

*Avant-propos
de l'auteur*

© Éditions Pocket, un département de Univers Poche,
pour la présente édition
ISBN : 978-2-266-20499-6

À Esteban

Avant-propos

Cher lecteur,

L'écriture part souvent d'une envie. Celle de raconter une histoire, de mettre à plat des images fortes, d'enflammer des personnages nés de notre imaginaire et de les porter vers de riches destinées. On dit que le romancier écrit les histoires qu'il aurait aimé lire, et je crois que c'est ce qui m'a poussé à prendre une première fois la plume, en 2002. Après la rédaction d'un coup d'essai, un premier roman publié sur Internet, *Conscience animale*, je me suis attaché à un récit qui, je crois, restera celui qui m'aura le plus marqué, de par sa noirceur et le peu de place qu'il laisse à l'espoir. *Train d'enfer pour Ange rouge*, publié en 2003 dans une petite collection, « Rail noir », a été le travail d'une année de recherche, de documentation, et d'écriture éprouvante. Ce roman traite de sujets dont je ne soupçonnais même pas l'existence et qui, pourtant, existent bel et bien, en arrière-plan de notre société. Des milieux dans lesquels il est préférable de ne pas s'aventurer... Les difficultés rencontrées pour que cette histoire devienne un vrai livre ne m'ont pas freiné, bien au contraire. La fièvre de l'écriture était désormais si brûlante que, quatorze mois plus tard, je terminais *La chambre des morts*. Une histoire serrée, dure, sociale, un hommage à ma région aussi, le Nord. L'ouvrage qui m'a définitivement fait prendre conscience que, plus jamais, je ne lâcherai l'écriture. Le virus m'habitait.

Plus d'un an et demi après sa naissance, Sharko, personnage tourmenté de *Train d'enfer pour Ange rouge*, ne m'avait pas vraiment laissé en paix. Je le sentais là, au fond de moi, il me réclamait, un peu comme ces fantômes qui viennent hanter leurs vivants. Alors je me suis dit : « Allons-y ! » Sharko est un dur, très humain mais très dur, il lui fallait une histoire à la hauteur, une trame diabolique qui mettrait à l'épreuve ses qualités les plus solides. Et les plus vulnérables. Ainsi ai-je écrit *Deuils de miel*, déjà publié chez « Rail noir » en 2006 et qui paraîtra aux éditions Pocket en 2008.

Voilà qui situe un peu le contexte de l'ouvrage que vous tenez entre les mains. Avant que vous ne plongiez entre ses pages, que les crissements de ses feuilles vous apportent le frisson, je voudrais vous mettre en garde contre ceci : bien souvent, la réalité dépasse la fiction.

Franck THILLIEZ

Prologue

La pluie chaude d'un orage d'été attaque avec caractère les pavés glissants du Vieux Lille. Plutôt que de chercher un abri, je préfère contempler les traits d'eau qui s'engagent dans les sillons des tuiles ocre, s'accrochent aux gouttières en perles d'argent pour ensuite venir danser au creux de mes oreilles. J'aime humer ces odeurs de briques anciennes, de greniers et de fourre-tout. Ici, dans ce silence de bulle d'eau, tout me rappelle Suzanne, cette ruelle que je remonte, forme le couloir du temps qui me mène à elle. Je tourne rue des Solitaires et, juste après l'angle, m'engouffre dans le Némo où je commande une bière blanche de Brugges. Des braises de feu mal éteint brillent au fond des yeux du patron, une lueur de celles qui remuent les souvenirs, les mettent en branle jusqu'à faire émerger des instants de vie que l'on croyait morts. Sa bouche se serre, on dirait que cette gymnastique intellectuelle le brûle intérieurement. Je crois qu'il m'a reconnu.

Il est vingt-trois heures, ce soir-là. Je me tourne et me retourne dans mon lit, les yeux rivés vers les chiffres blessants du radio-réveil. La place de Suzanne, trop vide, me contraint à me lever et à appeler sur son téléphone portable. Une voix douce me répond, celle

11

d'une femme, un robot qui distribue les messages standard d'absence. Je compose le numéro du laboratoire expérimental où elle travaille, le poing serré contre mes lèvres. Le veilleur de nuit me répond qu'elle a terminé voilà presque une heure. Dix minutes suffisent pourtant pour aller de L'Haÿ-les-Roses à notre cinq pièces de Villejuif...

« Je vous connais ? » me demande le patron en perdant un regard dans mon bouc.

« Non », lui réponds-je platement en emmenant ma bière sur une table tranquille, dans un recoin du café où l'obscurité chasse la lumière.

Dehors, deux amoureux se serrent l'un contre l'autre sous une tonnelle de la terrasse. Les longs cheveux auburn de la fille vibrent dans le vent comme les franges accrochées parfois aux poignées des vélos et tous deux écoutent la pluie tomber, silencieux, bavards dans leurs gestes attentionnés. Je devine en la jeune fille la Suzanne d'il y a vingt ans, mais, à bien y réfléchir, je crois que je vois Suzanne partout, quelle que soit la fille, quel que soit son âge...

La peur me serre la gorge comme un lasso de barbelé. Je sais qu'ils traînent partout, les sadiques au long couteau, les violeurs de vieilles dames et d'enfants. Dans les bureaux de la PJ au 36, j'en ai vu défiler des centaines, brushings impeccables, tous plus cravatés les uns que les autres. Ils se déversent dans les rues comme la vermine, se confondent si bien avec la nuit qu'il devient presque impossible de sentir leur odeur. Je les hais, je les haïrai toute ma vie.

Au sous-sol, dans le parking, l'estomac manque de me passer par la bouche lorsque je découvre les minuscules éclats de verre éparpillés sur le sol. La caméra de surveillance est brisée. Elle pend au bout de son fil, immobile, témoin muet du pire. Je me précipite vers le

box trente-neuf, accompagné par le seul bruit de mes
pas résonnant dans ce cercueil de béton... Un petit
morceau de métal m'arrache le cœur comme une balle
explosive : une pince à cheveux, de celles que Suzanne
glisse d'ordinaire au niveau des tempes, gît contre le
mur. Je cours le long du parking souterrain, m'es-
souffle à monter, dévaler les différentes cages d'esca-
liers, frappe aux portes des locataires comme un
dernier rempart à ce que je crains. Lorsque je saisis
mon téléphone pour appeler le patron de l'OCDIP
– l'Office Central pour la Disparition Inquiétante de
Personnes – une voix mauvaise me dit qu'il est déjà
trop tard...

J'ai connu Suzanne ici, dans ce café, au milieu des
arabesques de fumée et du brouhaha incessant des mili-
taires attachés au quarante-troisième régiment d'infan-
terie. Nous étions tous deux des gens du bassin minier,
avec nos vêtements à l'odeur des corons et nos chaus-
settes sales de poudre de charbon. Nos parents nous
ont élevés dans la douleur du trop peu, sous la grisaille,
riches dans leurs cœurs des plus beaux trésors. J'adore
ces terres brunes, leurs gens simples et généreux, et je
crois que je les aime encore plus maintenant que
Suzanne ne dort plus à mes côtés.

Quelque part, au fond de moi, un brin de conscience,
immuable, me murmure sans cesse qu'elle est morte,
qu'il ne peut en être autrement après tant de mois et de
si douloureuses journées...

Six mois plus tard, je recherche toujours ma femme.
Elle vient souvent me rendre visite, dans mes rêves.
Elle descend de tout là-haut, devancée par son parfum
qui caresse mes cheveux comme le feraient des mains
d'enfant. Mais à chaque fois, lorsque son regard
embrasse le mien, des lames de rasoir coulent de ses
yeux, des serpents aussi fins que des pailles tombent

de sa bouche et de son nez et, de l'orifice béant qui troue sa poitrine, jaillit l'odeur pestilentielle de la mort.

Je reprends mon sac, sors mon téléphone cellulaire d'une pochette et me décide à l'ouvrir, avec l'espoir qu'aucun message ne m'y attende et me prive de mon avant-dernier jour de congé.

Chapitre un

Martin Leclerc, mon divisionnaire, me demandait de rentrer d'urgence au 36. Un corps sans vie avait été découvert, mutilé d'une façon atroce...

Le grand Martin Leclerc devait peser à peine plus lourd qu'un paquet de chips vide et ce qui lui manquait en chair contribuait à faire ressortir le réseau de ses veines, de façon si intense qu'il aurait attiré sur lui tous les vampires de la planète. Mais cet aspect de personnage de train fantôme renforçait l'impact de ses propos cinglants et personne, à ma connaissance, n'avait un jour essayé de le contredire. Jamais, de tous les suspects passés entre ses mains, je n'en vis ressortir un seul avec l'ombre d'un début de sourire.

« Commissaire Sharko, cette affaire-ci ne sent pas bon », m'annonça-t-il en tapant du crayon sur un dossier. « Il n'y a rien de classique dans la façon dont a été perpétré le crime. Bordel, ces assassins sont pires que les virus ! Tu en combats un, un autre prend le relais, deux fois pire que le premier. Regarde la peste noire, puis la variole, le choléra et la grippe espagnole juste derrière. On dirait que le Mal s'auto-alimente de ses propres défaites.

— Si vous me parliez de la victime ? »

Mon divisionnaire me proposa un chewing-gum à la chlorophylle que je refusai. Il se mit à mâchouiller bruyamment, vibrant d'une telle nervosité que son os zygomatique battait à tout rompre sous la veine saillante – une autoroute – de sa tempe droite.

« Martine Prieur, trente-cinq ans, liquidée chez elle. Son mari, notaire, est mort d'une tumeur au cerveau l'année dernière. Elle a touché un sacré paquet avec l'assurance-vie qu'il a laissée derrière lui. Elle vivait de ses rentes, bien tranquillement dans le calme champêtre de son village. Une fille sans histoires, apparemment.

— Une vengeance, un cambriolage qui a mal tourné ?

— Le criminel a de toute évidence suivi un rituel peu commun, un procédé qui pourrait exclure la vengeance. À toi de me dire... Elle habite... habitait dans un endroit isolé, ce qui risque de ne pas faciliter l'enquête. » Il cracha son chewing-gum à peine mâché dans un cendrier vide, avant d'en plier un autre entre les dents. « Ils ont décidé de mettre le paquet au DCPJ. Avec les attentats aux US, Toulouse, des gangs comme les Expéditeurs et autres gaillards, nos chères têtes pensantes ne veulent pas que notre pays devienne un putain de terrain de jeux pour les détraqués en tous genres ! On a le feu vert du procureur de la République. Le juge saisi de l'instruction est Richard Kelly. Tu le connais, ce n'est pas un tendre, mais n'hésite pas à le solliciter pour obtenir les moyens qu'il faudra... » Il jeta un plan sur le bureau. « Rendez-vous à Fourcheret, au nord-est de Paris. Sibersky, Crombez et le commissaire de la ville voisine t'y attendent. Trouve-le-moi rapidement...

— Ce n'est pas un peu trop brutal pour Sibersky ? Il est cent fois plus efficace derrière un ordinateur que sur le terrain, et vous le savez.

— Crois-moi, Shark, ce meurtre-là va le dégraisser un peu... »

Les tentacules bétonnés de la capitale disparurent lorsque je m'engageai à travers la forêt d'Ermenonville. Après Senlis, je pris la nationale 330 puis la départementale 113 pour finalement tomber, un paquet de kilomètres plus tard, dans la tranquillité lunaire de Fourcheret. Devant moi, le soleil jetait des flots de lumière dorée sur les ballots de paille dans un tableau sépia, magnifique, arraché à l'instantanéité. Un dernier jour d'été somptueux, un automne qui s'annonçait tendre...

Une ambiance de veillée aux morts balayait les rues serrées et désertiques du village. Guidé par les indications du plan, j'arrivai, après trois bornes en rase campagne où même les vaches faisaient office d'exception, devant le pavillon de Martine Prieur. Des techniciens de la police scientifique courbaient le dos vers d'éventuelles traces de pneus, bris de verre ou empreintes de pas, accompagnés par les inspecteurs de la DCPJ qui s'attelaient à la délicate et fastidieuse enquête de proximité. Ma carte tricolore présentée aux plantons, je rejoignis près de l'entrée les deux officiers de police judiciaire qui encadraient ce qui ressemblait à une quille de bowling devenue chair : le commissaire Bavière. Les stalactites froides de la peur flétrissaient l'éclat de ses yeux. Il me fit immédiatement songer au pompiste ventru, paumé au milieu d'un champ d'éoliennes en plein cœur des États-Unis. Après un court protocole de présentations, j'entrai dans le vif du sujet.

« Alors commissaire, qu'avons-nous sur les bras ? »

Bavière s'éclaircit la gorge avant de parler. Un étau de glace, une terreur rouge, écrasait sa voix. « Le corps sans vie de Martine Prieur a été découvert ce matin à 5 h 30 par un livreur de journaux, Adam Pirson. La porte d'entrée était grande ouverte, mais les lumières éteintes. Il a crié, puis est entré en l'absence de réponse, inquiété, a-t-il révélé, par le silence et l'obscurité. Il est monté, toujours en criant. Et c'est là qu'il l'a vue... » La violente bourrasque d'une pensée l'emporta ailleurs.

Je le ramenai dans la conversation.

« Continuez, commissaire, je vous en prie.

— Mes hommes sont arrivés les premiers sur les lieux, rejoints par les techniciens de la police scientifique, le légiste, ainsi que vos inspecteurs. La levée du corps a eu lieu aux alentours de 12 h 00.

— Si tard ?

— Vous allez vite comprendre pourquoi... suivez-moi. »

Il collecta d'un mouchoir la couche grasse de sueur qui lui collait aux tempes. Une plaquette de beurre suintant le hamburger et les frites. *Le paumé de la pompe à essence...* Il ajouta : « Seigneur... Même sans le cadavre, la chambre mérite de figurer dans le prochain film de Wes Craven. »

Le lieutenant Crombez sortit diriger les opérations à l'extérieur, dont l'enquête de proximité. Alors que nous montions l'escalier, je dis à Sibersky : « Ça va aller ?

— Le commissaire Bavière a raison. Je n'ai jamais vu une chose pareille, même à la télé... »

J'ai tout essayé. Le saut en parachute, à l'élastique, les pires manèges de foire, les élans fulminants à moto et pourtant, rien ne me secoue autant que l'explosion d'une scène de crime sur le film cristallin de la rétine. Je me sens, aujourd'hui encore, incapable d'exprimer ce qui me retourne à ce point. Peut-être la peur ou,

tout simplement, le réflexe humain de ne pouvoir supporter le visage de l'horreur dans sa plus fracassante
expression.

Je ne racontais jamais à Suzanne ces éruptions san-
guinolentes, les gardant pour moi comme les pages
noires du livre de mon existence. Lorsque je rentrais,
tard le soir la plupart du temps, j'essayais de faire abstraction de ma journée une fois le seuil de ma porte
franchi. Mais on ne se débarrasse jamais des mauvaises herbes que l'on arrache par les tiges.

Et, chaque nuit, une fois mon esprit abandonné aux
vastes territoires du sommeil, les cauchemars débar-
quaient comme des cavaliers lourdement armés pour
me malmener jusqu'au lendemain matin.

Et mon couple en pâtissait, comme tous les couples
dans lesquels le travail prend le dessus sur les sentiments...

Au centre de la pièce, sous les lueurs diaprées du
crépuscule, huit crochets en acier, suspendus à l'extrémité de cordes regroupées à la base en un faisceau
unique, vibraient dans l'air telles les branches d'un
mobile d'enfant. Par un système complexe de nœuds
et de poulies-freins, la levée du système et par conséquent, celle de la masse embrochée au métal, se
contrôlait en tirant sur une corde plus grosse qui pendait et s'enroulait sur le sol. La chair ferme du corps
que j'imaginais suspendu, avait dû craquer comme un
fruit trop mûr et, sous chaque pointe encore foison-
nante de fragments de peau déchirée, luisaient des lar-
michettes miroitantes. Un panache rougeâtre, un élan
de fougue artistique éclaboussait le mur ouest jusqu'au
plafond, comme si le sang avait fui la terreur de son
propre corps.

Le technicien chargé des photographies interrompit

son travail de fourmi pour me fournir les premiers constats.

« Le corps nu de la victime était retenu à deux mètres du sol par les crochets enfoncés dans sa peau et une partie de ses muscles dorsaux et jambiers. Deux crochets au niveau des omoplates, deux au niveau des lombaires, deux à l'arrière des cuisses et deux dans les mollets. Elle se trouvait de surcroît ligotée avec plus de quinze mètres de corde en nylon, dans un jeu d'enchevêtrements si alambiqués que je ne pourrais vous l'expliquer simplement. Vous verrez par vous-même sur les épreuves photographiques et le film vidéo.

— Dans quel état se trouvait le corps ?

— Le légiste a relevé quarante-huit entailles sur l'ensemble du corps, de la poitrine au dessous des pieds, en n'omettant ni les bras ni les mains. Réalisées probablement au cutter industriel ou avec une lame extrêmement tranchante. La tête a été déposée sur le lit, le visage tourné vers son propre corps. Tranchée à la scie électrique, suppose-t-on pour le moment. D'où ces espèces de traînées, projetées par la rotation de la lame. Il avait réarrangé une partie des draps autour du crâne, comme pour former une coiffe ou une capuche... »

Je m'accroupis au niveau du lit, le regard frôlant la surface du matelas. Sur ma droite, le sang séché s'accrochait au mur comme des larmes rouges. « La tête s'orientait dans cette direction ?

— Exactement. Le légiste vous confirmera, mais il semblerait que les yeux aient été arrachés de leurs orbites puis remis en place, de manière à orienter les iris vers le plafond. La bouche était maintenue ouverte par deux morceaux de bois glissés entre les mâchoires supérieure et inférieure, comme des leviers. Plusieurs longues incisions joignaient les lèvres aux tempes. Le légiste a aussi relevé une contusion à l'arrière du crâne, au niveau de l'occiput, ce qui laisse supposer que la victime a été assommée ou tuée par un coup violent. »

Les jets lumineux du soleil couchant s'étiraient sur les murs en blessures oblongues. Une inspiration gonfla mes poumons d'amertume. Dans les mousselines opaques de la nuit, un démon tapi dans l'ombre, une bête furieuse affamée de cruauté avait officié, n'abandonnant dans son sillage que la désolation d'une terre brûlée par sa furie.

« Il y a eu viol ? » demandai-je pour confirmation.

« À première vue non, aucune trace de pénétration. »

Gifle de surprise en pleine figure. La chambre empestait la souffrance sexuelle à des kilomètres. Victime nue, ligotage, torture et... pas de viol ?

« Vous êtes certain ?

— C'est à confirmer... Mais aucune marque évidente de pénétration. »

Je me tournai vers le lieutenant Sibersky. « A-t-on relevé des traces d'effraction ?

— Non. La serrure comme les fenêtres ne présentent aucun dommage particulier.

— Qu'a-t-on découvert à l'extérieur ?

— Les hommes ont mis la main sur un indice. Une coquille d'escargot écrasée, ainsi que divers insectes, fourmis, minuscules araignées, piétinés derrière un laurier. Ce qui laisse supposer que l'assassin s'était embusqué à cet endroit.

— OK. Nous verrons avec l'enquête de proximité. Quoi d'autre ?

— L'ordinateur de Prieur a été effacé. Impossible d'accéder à la moindre information. Le disque dur est parti au labo.

— Intéressant. Qu'a pu nous apporter la police scientifique ? »

Je vis le commissaire tendre l'oreille. Des croûtes de sueur se greffaient sur le pain de sucre de son crâne. Aussi répugnant qu'une poubelle en plein soleil.

« C'est la foire de l'invisible, ici », dit le technicien. « Il y a autant d'empreintes en ces lieux que sur la Vierge de Lourdes. Sur les rebords du lit, la commode, le parquet, les cadres. Par contre, nous n'avons pas décelé de cheveux, de fibres ou de fragments de peau apparents sous les ongles de la victime, ni ailleurs. »

Il désigna, de la pochette plastifiée roulée dans sa main, le mobile métallique. « L'ensemble qui a servi à la torturer, cordes, poulies, vis, crochets, part pour le labo dès que j'aurai terminé la cartographie de la scène.

— Très bien. Tes premières conclusions, Sibersky ? »

Le lieutenant profita de la question pour s'approcher de moi, éloignant ainsi le nez du nuage pénétrant qui s'exhalait du commissaire *Ventru*. « Le tueur a préparé le terrain avec une attention toute particulière. Victime isolée, célibataire, seule au moment de son intervention. Il n'a pas lésiné sur le matériel à emporter. Perceuse, vis, chevilles, cordes, bref, le kit complet pour mettre en place son *terrain de jeu*. De l'outillage encombrant, pas aisé à transporter, ce qui renforce le caractère exceptionnel du crime. L'organisation, le contrôle et la précision ont rythmé son intervention.

— Pour quelles raisons ?

— Parce qu'il a pris son temps et rares sont les assassins qui peuvent se le permettre. L'installation d'un pareil système, la façon dont il a ligoté la victime, prouvent qu'il maîtrise à pied d'œuvre ses sensations, qu'aucune pulsion particulière ne le pousse à précipiter les choses ou à commettre des erreurs.

— Comme les pulsions sexuelles par exemple... » Je fis crisser les poils de mon bouc. « Pourquoi penses-tu qu'il a laissé la porte ouverte ?

— Dans un cas classique, je dirais que la précipitation ou une maladresse pourrait en être la cause. Mais pas ici. À mon avis, il voulait que le corps soit découvert le plus tôt possible.

— Exactement. Pour quelles raisons ?

— Je... je n'en sais rien. Pour nous prouver qu'il n'a pas peur de nous ?

— Connais-tu Vanloo, un peintre du XVIIIe siècle ?

— Pas plus que ça, non...

— Charles Amédée Vanloo éternisait sur toile les éléments éphémères de notre quotidien, comme des bulles de savon, des châteaux de cartes, la flamme mourante d'une lanterne. Il rendait précieux ces objets communs en les piégeant dans leur si belle instantanéité. Que trouve-t-on de merveilleux dans un château de cartes écroulé, une bulle de savon éclatée ou une lanterne éteinte ? »

Je m'écartai de la fenêtre où s'acharnaient à briller les dernières flèches de lumière.

« Si nous avions découvert le corps quelques jours plus tard, l'insupportable odeur nous aurait retourné l'estomac. La putréfaction aurait dévoré le corps jusqu'à le rendre horrible à regarder et, peut-être même, la dépouille se serait-elle décrochée et écrasée sur le sol. Je crois que l'effet souhaité par notre *artiste* aurait été gâché.

— Vous voulez dire qu'il... a signé son crime comme une espèce d'œuvre d'art ?

— Disons qu'il a apporté un soin particulier à l'agencement de la scène du crime. »

Ventru me donnait l'impression d'un étranger débarquant d'une contrée sans eau ni montagnes, privée de verdure et de ciel bleu. Un enfant ébahi qui, soudain, découvre les origines profondes de la vie.

« Commissaire, de combien d'hommes disposez-vous ?

— Cinq.

— Quelle armée ! » soupirai-je. « Bon... Vous allez vous charger en grande partie de l'enquête de voisinage. Je veux tout savoir sur cette femme. Où elle sortait, qui elle rencontrait, si elle fréquentait des hommes et lesquels. Se rendait-elle à la bibliothèque, à l'église, à la piscine ? Vérifiez ses lectures, ses factures téléphoniques, ses abonnements, bref tout ce qui se rapporte à elle. Vous allez aussi me dire où l'on peut se procurer ce genre de matériel, en particulier les poulies-freins et les mousquetons, ainsi que ce type de cordage et ces crochets en quantité importante. Faites le tour des clubs d'escalade de la région. Interrogez les caissières de supermarchés, de quincailleries, de drogueries du coin. Sait-on jamais, peut-être notre tueur possède-t-il une caractéristique physique particulière qui attire les regards. Il ne faut rien négliger. Vu votre peu d'expérience en matière criminelle, quelqu'un de chez nous supervisera les opérations. Vous vous sentez d'attaque, commissaire ? »

Les pans inclinés de sa moustache frémirent comme les extrémités d'une baguette de sourcier. « Tout à fait !

— Quant à nous, Sibersky, allons grignoter un morceau avant de rendre visite au légiste. Le divisionnaire m'a signalé que Van de Veld nous attendait dans son antre à 22 h 00...

— Je... suis obligé de vous accompagner ?

— Il est grand temps de mettre le nez hors de ton

PC et de tes données informatiques... La première autopsie à laquelle tu assistes, c'est comme la première fois où tu te fais arracher une dent. Tu t'en souviens toute ta vie... »

* * *

L'autopsie débute par un examen minutieux du cadavre déshabillé, qui amènera à noter l'état des vêtements, les principales caractéristiques physiques ainsi que les signes visibles de la mort. La procédure rigoureuse exige l'examen de la face postérieure du cadavre, y compris le cuir chevelu...

Chaque fois que je pénétrais dans une salle d'autopsie, je sentais mon être se dissocier, comme si une onde invisible vibrait en moi et séparait l'homme du policier, le croyant du scientifique.

L'homme, silencieux, écœuré, observe ce praticien aux mains gantées, cuirassé d'un visage mauvais et mû par des gestes trop mécaniques, trop formels. L'homme sait qu'il n'a rien à faire là, que cet ultime affront envers le corps, envers l'humanité, le souille et l'accompagnera dans ses pensées, dans son sommeil, jusqu'aux tréfonds de sa propre mort.

... Après l'examen externe se déroule l'autopsie proprement dite.

Cuir chevelu : incisé selon une ligne allant d'une région rétro-auriculaire à l'autre en passant par le vertex ; tiré de part et d'autre en avant et en arrière. Voûte crânienne sciée selon une ligne circulaire joignant front, tempes et occiput, avec dégagement des deux parties d'encéphale. Examen complété par le décollement de la dure-mère : vue directe de l'os, recherche de fractures, de disjonctions ou, plus difficilement détectables, traits de fêlures ou fissures...

L'homme a envie de serrer dans ses bras l'être de chair étalé sur le métal inoxydable, de lui baisser doucement les paupières, de passer une main apaisante sur ses lèvres pour le faire sourire une dernière fois. Le croyant rêve de le couvrir d'une étoffe damassée, puis de lui murmurer à l'oreille des paroles douces avant de l'emmener loin, quelque part à l'ombre d'une forêt d'érables et de chênes.

... Longue incision médiane partant de la pointe du menton jusqu'au pubis. Peau et muscles écartés de chaque côté du thorax et de l'abdomen, clavicules et côtes coupées au costotome. Muscles du cou : disséqués plan par plan... Langue tirée précautionneusement vers le bas. Œsophage, trachée et éléments vasculaires sectionnés...

Le policier se pose des œillères, essaie d'ignorer les pèse-organes aux formes acérées, les marbres émeraude damés sur l'abdomen du cadavre, le carnage opéré par le légiste sur ce qui fut vie. Par la magie des antiseptiques, derrière la pellicule du latex ou le papier du masque, il adoucit la vérité, la rend plus tolérable. Puis il écoute la Mort lui parler, prend des notes, pose les questions techniques qui feront avancer l'enquête. Le corps devient un objet d'étude, un volcan éteint, une surface vallonnée qui dissimule dans chacun de ses plis l'histoire effrayante de ses dernières minutes. Les plaies chuchotent, les meurtrissures, les ecchymoses forment d'étranges reflets, comme si, en observant avec attention, on y devinait les yeux noirs du meurtrier ou l'éclat de sa lame tranchante.

... Pesée de tous les organes avant leur dissection. Prélèvements de sang destinés aux recherches toxicologiques : réglementairement dans les gros vaisseaux de la base du cœur...

Mais alors, l'homme et le flic songent à Suzanne et, comme une image subliminale glissée devant leurs yeux, la découvrent soudainement là, nue et blanche comme l'os, étalée à la place de cette fille égarée. Peut-être, pas loin ou à l'autre bout du pays, dans un ravin ou au travers du cristal d'une rivière, son corps attend-il qu'on le libère de ses souffrances, qu'une main de bonté lui rende sa dignité en le couchant délicatement dans un lieu de repos et de sérénité.

Le flic et l'homme essaient de se rappeler la chaleur intense de son corps, son parfum et l'infinie fraîcheur de ses baisers, mais des barreaux filtrants refoulent le meilleur pour laisser passer le pire. Ici, l'air empeste la charogne consumée, l'atmosphère écrasante empêcherait un papillon de s'envoler. Ici, le mal appelle le mal, la cruauté engendre la bestialité, la science bafoue la foi et ce qui fait que l'homme est avant tout un homme. Ici, au travers de ces aiguilles de lumière artificielle, tout est noir comme au fond d'un cercueil.

... Troisième temps. Ouverture de l'estomac le long de la grande courbure pour examen et conservation de son contenu. Prélèvements : foie, rate, pancréas, intestins, reins.

Inspection des organes génitaux internes chez la femme... Après éviscération, examen de l'ensemble du squelette à la recherche de toutes les lésions osseuses...

À bien y réfléchir, quand je me surprenais à espérer que le cadavre apporterait un point final à mes propres tourments par ses révélations, je ne valais pas mieux que le pire des criminels...

* * *

Les hommes se posaient beaucoup de questions sur la vie privée de Stanislas Van de Veld, l'un des légistes – le meilleur – de l'Institut médico-légal de Paris. Certains le soupçonnaient de fantasmer sur les cadavres qui se succédaient sur sa table de dissection, d'éprouver l'attirance du nécrophile pour le morbide et les chairs putréfiées, alors que d'autres, à le voir enfermé dans son caveau de faïence nuit et jour, le considéraient comme un animal des Ténèbres, une bête repliée dans les profondeurs lugubres de la science poussée à l'extrême.

Personnellement, en dépit des langues de vipère, je le regardais, avec ses billes noir de jais plantées sur son visage buriné, sa barbichette aux angles parfaits, comme un professionnel en quête de vérité, un inquisiteur des temps modernes qui dépouillait les apparences pour en extraire la moelle cachée. Un scientifique aux mêmes motivations que moi.

Le lieutenant Sibersky se rangea à mes côtés, la base des narines blanche d'antiseptique, le visage ramifié d'inquiétude jusque dans ses plus insignifiantes ridules. La nudité bourgeonnante du cadavre, les eaux usées qui coulaient le long de la table jusqu'au plateau inférieur d'évacuation, le couvraient d'une pelisse d'effroi.

Un autre médecin, voûté au fond de la salle, marmonnait dans un dictaphone, la joue écrasée dans une main. Il nous salua d'un geste empreint d'une profonde fatigue.

Je déposai à proximité d'une balance pèse-organes un paquet de graines de sésame. « C'est pour vous. Vous les mangerez plus tard... »

Van de Veld me décocha un sourire de légiste, presque glacial. « Merci. Messieurs, j'ai une tonne de bonnes choses à vous annoncer. Ce cadavre est une mine d'or. »

La comparaison me parut déplacée. Un peu comme un type qui arrive à un enterrement avec un costume vif en lançant un truc du genre, *je lui avais pourtant dit de ne pas prendre la route ce soir-là.*

« Nos oreilles sont grandes ouvertes, docteur », dis-je d'une voix monocorde. « Racontez-nous l'essentiel, essayez d'éviter les longueurs.

— Très bien. Allons-y », répliqua Van de Veld avec un hochement de tête. « Le processus de rigidité cadavérique n'a pas pu se dérouler normalement, étant donné que les cordes qui entravaient la victime, maintenaient le corps dans une position forcée. Il m'est donc difficile de donner une heure précise de la mort, mais, au vu des lividités cadavériques ainsi que de la température rectale profonde relevée sur place, je dirais entre une heure et trois heures du matin. »

Il tourna autour de la table aspirante comme le champion de billard qui réfléchit sur la position de ses boules.

En roulant des yeux, je perçus des esquilles jusque sur le réflecteur dichroïque de la lampe du plafond. Sur les tablettes, en face, ciseaux, pinces coupantes, marteau-hache, burins de Mac Even et couteaux à cerveau renvoyaient des rais de lumière métallique étrangement bleutés. Je serrai les poings en cachette, alors que le légiste poursuivait, strict dans ses propos, rigoureux comme les arêtes d'une pyramide. « Le coup à la tête, asséné avec un objet à surface large, n'a pas causé la mort. Sur les lieux du crime, le sang de la carotide et de l'artère vertébrale a giclé jusque sur les murs. Par conséquent, la tête a été tranchée alors que le cœur battait encore. »

J'entendis Sibersky déglutir. « Tranchée de quelle façon ?

— J'y viens. Les infimes éclats de métal relevés au

niveau de l'os hyoïde, ainsi que sa coupe régulière, ne laissent nul doute quant au matériel utilisé : une scie à Charrière, ou une scie de Saterlee, exactement du même type que celles pour les autopsies. »

Il s'éloigna de la table, le temps de broyer les lamelles de cœur dans le vidoir en acier. Au passage, il avala une flopée de graines de sésame. Sibersky ne levait plus le nez de ses notes, cherchant à fuir ses fantômes. Mais j'étais persuadé que le corps mutilé venait au-devant de son regard, s'imprimait de façon indélébile sur sa rétine, quoi qu'il fît.

Je demandai au légiste en désignant la scie : « Et comment se procure-t-on ce type de matériel ? »

Des graines se rangèrent entre ses dents et au fondement de ses gencives. Il en chassa une bonne partie d'un claquement de langue. « Par des sociétés spécialisées, comme Hygéco. On peut acheter le matériel directement sur place, ou commander par téléphone et même Internet. »

Le médecin attendit que mon lieutenant terminât d'écrire sa phrase. J'en profitai pour glisser une question. « Faut-il de la pratique pour utiliser ces scies ?

— Pas spécialement, non. Il faut juste être bien couvert, parce que le sang éclabousse si on taille sur quelqu'un de vivant, surtout au niveau d'artères larges comme des fleuves... »

Le stylo de Sibersky ne suivait plus le rythme.

Je fis sur un ton sec : « Ne l'attendez pas ! Continuez, docteur ! »

Lorsque Van de Veld se pencha au-dessus du corps, son ombre se déploya comme la main d'un spectre sur le carrelage du sol.

« Ses glandes salivaires présentaient une importante atrophie, ce qui signifie que la victime a salivé anormalement pendant plusieurs heures. J'ai relevé des traces de polymères à coloration rouge sur les incisives et de la salive avait coulé sur le sol et sous ses lèvres, jusque dans son cou. Il a dû lui enfoncer quelque chose dans la bouche, un objet en plastique, pour la forcer à garder la bouche ouverte tout en l'empêchant de remuer la langue, donc de déglutir de façon normale.

— Un bâillon ?

— En effet. Mais un bâillon particulier. Les chiffons, le sparadrap ne font pas saliver. Une piste à creuser... » Lorsqu'il prononça le mot piste, une graine de sésame vola dans les airs et vint s'écraser sur la main de Sibersky, qui ne broncha même pas. Van de Veld poursuivit : « J'ai constaté des signes différents de réaction vitale autour des quarante-huit plaies. Décolorations, infections, cicatrisations à des degrés plus ou moins avancés, ce qui implique qu'elles ont été réalisées à des moments bien distincts. »

Je posai une main sur la table de dissection et la retirai aussitôt, comme brûlé par le givre du métal. « Combien de temps ?

— Plusieurs heures entre les premières et les dernières. Il est parti du bas du corps, puis est remonté jusqu'au visage. Une longue et douloureuse aventure... Sinon, aucun signe de pénétration, aucune mutilation des organes génitaux.

— Donc aucun échange sexuel ? Même avec préservatif ?

— Absolument aucun. Le lubrifiant laisse des traces. Je n'ai rien relevé, ni dans la bouche, ni dans le vagin, ni dans l'anus. »

Sibersky envoya un regard par-dessus son carnet, la bouche ouverte écumante de détresse et les yeux papillonnant. Quand il serra les dents, je compris qu'il retenait un vomissement.

« Passons aux yeux », poursuivit le médecin.

La tête reposait face tournée vers le plafond, à une trentaine de centimètres de son propre corps. Par l'orifice béant du cou, fuyaient tendons et ligaments, tiraillés à se rompre ou regroupés en fins serpentins bouclant tels de minuscules ressorts. Au cœur de ce lacis violacé poignait, entre deux parois de chair, l'obélisque blanc de la moelle épinière.

« Il a glissé une lame derrière les paupières pour trancher le nerf optique. Il a extrait les globes oculaires de leurs orbites, puis les a remis en place, de manière à diriger les pupilles, donc le regard, vers le haut.

— Pourquoi ne pas simplement forcer sur l'œil de manière à orienter les pupilles dans la direction souhaitée ? Pourquoi sortir le globe oculaire, puis le remettre ensuite ? » souffla Sibersky d'une voix taraudée.

Le légiste ôta un gant en nitrile jaune, glissa un ongle entre ses dents et propulsa d'un souffle sec une écorce de sésame sur le sol avant d'annoncer : « Il faut savoir que, lors d'une mort violente, les yeux se figent dans une certaine position et qu'il est pratiquement impossible de les changer d'orientation, à cause des muscles conoïdes et obliques qui durcissent comme la pierre. En arrachant l'œil de ces muscles, on libère les mouvements.

— Très intéressant », répliquai-je en glissant une main sous le menton. « Je suppose que c'est la même chose pour les morceaux de bois dans la bouche. Le seul moyen de la garder ouverte ?

— Exactement. »

Je me tournai vers Sibersky.

« Il voulait rester maître de ce visage, même après la mort. Il porte une attention toute particulière à la mise en scène. Et, à l'évidence, ces yeux orientés, cette bouche clamant, revêtent pour lui un sens particulier... » Le crayon du lieutenant crissait maladivement dans le calme polaire de la pièce.

Mon Vésuve intime explosa : « Cesse donc de prendre des notes ! Le docteur va te donner dès demain un rapport épais comme un annuaire ! Alors calmos, OK ? »

La pénible journée m'avait échauffé les nerfs au point de me rendre extrêmement irritable. Dans la matinée, je me trouvais encore à Lille auprès de la famille de Suzanne et, à présent, à minuit passé, s'offrait à mes regards une forme creuse, hideuse, recroquevillée, béante et dépecée de partout, déjà en proie aux armées de l'ombre.

« Ah oui ! » s'exclama le légiste. « Vous vouliez l'essentiel tout de suite, j'aurais peut-être dû commencer par là. J'ai récupéré une pièce de monnaie sous la langue. Une ancienne pièce de cinq centimes. Vous connaissez la signification de ce symbole, commissaire ?

— La pièce permet d'accéder au Paradis ou en Enfer », intervint Sibersky. « Du point de vue mythologique, le défunt offre sa pièce à Charon, le nocher du fleuve des Enfers, afin de pouvoir traverser le Styx. Sans pièce, le mort est condamné à errer pour l'éternité dans le Tartare, sous terre. »

Dead Alive – le mort vivant, comme les gars le surnommaient – parut bluffé par la réponse fusante du lieutenant.

« Oui, et c'est étrange, tout de même », ajouta-t-il. « Le tueur torture sa victime de la façon la plus cruelle qui soit et pense quand même à l'expurger de la douleur dans l'au-delà ? »

Le médecin terré au fond de la salle se joignit à nous, les mains dans les poches de sa blouse.

Il ressemblait à un épouvantail qui aurait eu peur de son propre reflet.

« La pièce dans la bouche pourrait très bien être une sorte de signature... Une distinction particulière qui lui permettrait de se démarquer », répondis-je avec une ample gestuelle.

« Elle pourrait aussi représenter un symbole caché, ou alors l'un des éléments essentiels de sa macabre mise en scène, un élément sans lequel il aurait une impression d'inaccompli. Nous pouvons y associer une foultitude d'explications. Le tout est de trouver la bonne. »

Les indices relevés par le légiste s'insinuaient en moi comme la cocaïne reniflée par le toxicomane. J'éprouvais une exaltation particulière en l'écoutant parler, lorsqu'il me dévoilait des détails que j'attendais comme des friandises ou des récompenses.

À cet instant, la honte me souleva de terre, m'envahit, m'entraîna au-dessus du corps et me pressa la mâchoire jusqu'à y enfoncer ses doigts terreux, pour me plaquer le visage à deux centimètres de celui du cadavre...

« *Regarde cette pauvre fille, sale enfoiré !* » hurlait une voix intérieure. « *N'a-t-elle pas assez souffert ? Fiche-lui la paix ! Fiche-lui la paix !* »

L'homme avait réussi à chasser le policier...

« Dernière chose, et je crois que nous aurons fait le tour de l'essentiel », conclut l'imperturbable médecin. « Son estomac contenait plus d'un litre d'eau, envoyée pour analyses au labo. Je crois que le précieux liquide nous révélera des choses intéressantes. Je vous appelle dès que je reçois les résultats, demain probablement. »

Je désignai une table chromée adossée au mur ouest. « Je peux emporter les épreuves photographiques ?

— Bonne soirée... »

Il me tendit le dossier et partit discuter avec le médecin assistant sans se retourner, continuant à propulser ses graines sur le sol comme un petit vieux qui cracherait ses dernières dents.

Sous le phare usé de la lune, Sibersky avait pris un teint ventre-de-biche, trop peu habitué à côtoyer la mort sous son vrai visage, loin des mots et des écritures.

J'avais repéré ce jeune policier en décembre 1998, au détour d'une sombre affaire d'esclavagisme sexuel mêlée à un meurtre. À l'époque, il travaillait au commissariat d'Argenteuil – un trou infect – en tant qu'inspecteur commis aux écritures, poste où il passait la majeure partie de son temps à préparer le café. Au cours de l'enquête, la qualité de ses rapports, la verve impertinente de ses analyses et surtout, ses compétences informatiques, me laissèrent une forte impression. Je le sortis de son cachot en appuyant son dossier à la préfecture de police de Paris et il rejoignit mon équipe, en tant qu'officier de police adjoint contractuel. Il s'occupait toujours de paperasse, mais plus de la préparation du café. Deux ans plus tard – soit quatre mois plus tôt, à peine – il réussissait son concours d'officier de police judiciaire. C'était un gosse de trente ans, un arpenteur de bibliothèques, un fouineur de dossiers poussiéreux, d'histoires oubliées et de fichiers informatiques. Une âme pensante, vive, réactive, presque allergique au métal froid de son Colt 11/48. Une pièce essentielle de mon équipe, un cavalier sur l'échiquier de la rue...

Nous longeâmes le quai de la Rapée accompagnés par l'odeur de la mort sous nos semelles, dans les plis de nos vestes, au cœur de nos pensées. Un chien aux côtes saillantes errait sans but précis devant nous puis s'arrêta, truffe contre chaussure, semblant deviner à quel point nos esprits tourmentés divaguaient dans le néant. Un bâtard commun aux oreilles cassées, une poubelle ambulante à la gueule fendue par les bris de verre et les bouteilles vides que lui lançaient les clochards. En le regardant se fondre dans la nuit, je dis soudain à Sibersky : « Parle-moi de l'un de tes fantasmes. Prends le premier qui te passe par la tête. »

Une bulle de surprise lui éclata en pleine figure. « Comment ça, commissaire ? Mais...

— Vas-y, lâche-toi. Je t'écoute... »

Je me plaçai face à la Seine, les mains dans les poches de mon pantalon, le regard tendu vers le fourmillement lointain des lumières scintillantes de la ville.

« Eh bien », répondit le policier d'un ton hésitant. « Euh... Vous connaissez Dolly Parton ?

— La chanteuse de country ? Nashville et ses cowboys ? *Some things never change ?* J'adore.

— Oui. Je... Non, je ne peux pas vous raconter ! » Il rougissait jusque dans sa voix.

« Très bien », continuai-je, « n'en dis pas plus. Alors imagine-toi face à la superbe Dolly Parton, prêt à réaliser ton fantasme. Toutes les conditions sont rassemblées et favorables. Tes souhaits peuvent devenir réalité, il te suffit d'agir. Mais il y a une condition, et non des moindres : tu dois te retenir d'avoir des rapports sexuels avec elle. Tu peux goûter, toucher, sentir, mais pas de rapports sexuels. Dans ce cas, ton fantasme pourrait-il être assouvi ? »

Il fit épaule commune à la mienne, penché sur le rebord du quai. Sur la surface de l'onde, les reflets lumineux se découpaient en vitraux mouvants.

« Non, c'est rigoureusement impossible. Je ne tiendrais pas.

— Réfléchis un instant et trouve-moi un seul fantasme où tu pourrais te passer de rapports sexuels. »

Il porta la main au front, puis glissa ses doigts dans les boucles ordonnées de sa chevelure brune. « Il n'y en a pas. Tous mes fantasmes ont une dominante sexuelle, comme les vôtres et ceux de monsieur Tout-le-Monde, d'ailleurs. Ce n'est pas ce que disait Freud ?

— Pas tout à fait et, vu tes connaissances littéraires, tu devrais le savoir. Il existe deux types de fantasmes. Les sexuels, comme les tiens, les miens et comme, tu as raison de le souligner, ceux de la plupart des gens. À ceux-ci viennent s'accoler les fantasmes dits de toute-puissance : le mythe de la performance, du pouvoir absolu, de la domination extrême. Les rêves de belles voitures, de déesses sur les plages, d'immenses richesses... »

Je fis face à mon collègue. « Mettons-nous dans le cas du tueur, à présent. J'aimerais que tu joues le jeu. Tu es ce tueur. Tu étudies les faits et gestes d'une jolie femme, Dieu seul sait de quelle façon pour le moment, pendant un certain laps de temps. Des jours, des semaines, des mois peut-être. Tu sens un désir brûlant monter en toi, n'est-ce pas ? Joue le jeu et réponds avec franchise.

— OK... Réfléchissons... Je la vois... Je la traque, je l'observe depuis longtemps... J'ai de plus en plus de mal à tenir. Elle est seule, désirable. Je sais que je peux me l'approprier, sans aucun risque. C'est moi qui décide de l'heure et de l'endroit.

— D'accord. À présent, tout est prêt. Un soir, donc, tu t'appropries cette fille. Tu en fais ce que tu veux, comme pour ta Dolly Parton...

— Oui. Elle est inconscience, devant moi. Je... J'ai franchi le pas. Trop tard pour reculer. Elle... est à ma merci...

— Elle est à toi... Tu la mets nue, en la déshabillant lentement, et tu la ligotes pour la plier à toutes tes volontés, même les plus folles. Que ressens-tu à cet instant ? »

Derrière ses paupières closes, son imagination forgeait presque instantanément un scénario.

Les mots coulèrent avec fluidité de ses lèvres.. « Je... je mets du temps pour l'attacher, parce que c'est un moment excitant... J'ai... envie d'elle. Mais... pas maintenant... Je dois aller jusqu'au bout...

— Au bout de quoi ?

— De... de mes désirs...

— Lesquels ?

— Je... Je n'en sais rien... J'agis, c'est tout.

— Que fais-tu ?

— Je la suspends, la lève en tirant sur la corde...

— Elle est réveillée ?

— Oui... Elle se réveille, lentement...

— Quelle est sa réaction ?

— La douleur qui s'accroche à son visage me rend fou. Elle sait qu'elle va mourir...

— Et là, tu commences à entailler... Une, deux, trois... quarante-huit entailles... Pendant plusieurs heures... Que se passe-t-il en toi ?

— Je... » Il secoua la tête. Ses pupilles s'étaient dilatées comme des soleils noirs. « Arrêtez, commissaire... Je n'en peux plus. Je... Je ne comprends pas ce salaud. Pourquoi vous me demandez tout ça ?

— Pour te prouver que ce type ne pense pas comme nous ! Aucun d'entre nous ne pourrait réaliser une horreur pareille avec tant de précision, en prenant tout ce temps, ces longues heures pendant lesquelles l'envie de la violer ne lui a même pas traversé l'es-
‑‑t » Sibersky recula de trois pas.

‑‑ s c'est impensable ! Il s'est certainement

retenu pour l'acte sexuel ! La peur de laisser des traces !

— En une situation pareille, à supposer que tu aies un goût prononcé pour le morbide, tu aurais pu te retenir de la violer, toi ?

— Non, je ne crois pas...

— J'ai lu pas mal de bulletins émis par la Société Psychanalytique de Paris. Il est clairement établi que les pulsions sexuelles ne sont pas contrôlables, au même titre que la douleur ou la peur. Quand quelqu'un se brûle avec une gazinière, que fait-il ? Il retire la main, parce qu'il ne peut pas se CONTRÔLER. Dans le pire des cas, notre assassin aurait enfilé un préservatif, mais il l'aurait violée quand même, avant ou après la mort. Non... Ce type agit sous d'autres directives, différentes de celles du simple acte de tuer.

— Par motif de vengeance, alors ? »

Je secouai la tête.

« La colère se manifeste toujours durant l'acte de vengeance. Un tueur sous l'emprise de la colère ne peut pas être organisé. N'oublions pas les aspects pré- et post mortem, la mise en scène, cette volonté de créer un impact fort... Je pencherais plutôt pour un fantasme de toute-puissance...

— Lequel ?

— Je n'en sais rien. Peut-être celui de faire souffrir, de se prendre pour un bourreau. Ou une volonté de domination telle qu'il n'atteint l'exultation que lorsqu'il ôte la vie... »

Sibersky possédait cette incroyable capacité de déchiffrer les lignes d'une explication avant même qu'elles fussent tracées. Il compléta : « Tous les psychanalystes affirment qu'un fantasme n'est jamais totalement assouvi, n'est-ce pas ?

— Exact. Continue...

— Dans l'accomplissement de l'acte, censé représenter la matérialisation du fantasme, on remarque toujours un petit quelque chose d'imparfait, un détail qui pousse à recommencer, encore et toujours, pour dépasser un idéal impossible à atteindre... Toujours exact ?

— Oui.

— Donc, si vous avez raison, s'il s'agit bien d'un fantasme de toute-puissance, notre tueur pourrait être amené... à réitérer ?

— Je n'ai jamais dit ça, malheureux ! Tu te rends compte de la portée de tes propos ? » Je me remis en route d'un pas de légionnaire et Sibersky me talonna. Il employa un ton moralisateur. « Je crois qu'au plus profond de vous-même, vous pensez comme moi, mais que la peur d'avoir raison vous noue la gorge. Je ne sais pas quelle force obscure engendre ces êtres démoniaques, ni si ce sont les lois de probabilités ou du hasard qui font que, à un moment ou un autre, on bascule du mauvais côté. Mais ce que je sais, par contre, c'est qu'ils existent, cachés derrière nos portes, aux coins de nos rues prêts à agir. Et une fois embarqués dans la spirale meurtrière, plus rien ne peut les arrêter. Il recommencera !

— Ne t'emballe pas, petit... Ne t'emballe pas... »

Dans ma Renault 21 exposée à la lumière feutrée d'un lampadaire, nous parcourûmes les photos sous un dôme de silence poisseux. Le virus épineux du dégoût s'accrochait au fond de ma gorge.

Sibersky balançait la tête, la bouche suturée, le visage comme entaillé par les tons tranchants des clichés.

Bien que harponné par la fatigue, je le briefai sur la marche à suivre pour les jours futurs. « Mets deux hommes sur l'histoire du fournisseur en matériel médical. Ça ne doit pas être tous les jours qu'on se procure ce genre de scie... Essaie aussi de trouver ce qui se fait actuellement en matière de sadomasochisme, de ligotage. Je crois qu'on va devoir fourrer les pieds dans ce sale milieu. Un fou comme toi d'informatique a déjà certainement utilisé le STIC ? » Le Système de Traitement de l'Information Criminelle offrait une gigantesque base de données composée de millions de lignes, permettant, à l'aide de recherches multicritères, d'établir des liens entre les différentes affaires criminelles enregistrées.

« Oui, bien sûr. Pour l'affaire du tueur de Nanterre, notamment. Mais aussi en plein d'autres occasions, pour culture personnelle.

— Bon. Alors interroge le fichier. Fais des requêtes croisées. Têtes tranchées, tortures, crochets, suspensions, yeux exorbités. Bref, donne à manger à l'ordinateur, nourris-le des données que nous connaissons. Ne néglige rien. Si tu trouves que dalle, vois avec Schengen, fais une demande auprès de Leclerc pour Interpol et le BCN[1]-France. Envoie des gars à la bibliothèque. Je veux en savoir plus sur cette histoire de pièce dans la bouche. Fais-les enquêter sur les mythes et rituels sanglants par la même occasion. Allez, va te coucher. Comment va ta femme ?

— L'accouchement approche à grands pas. Peut-être avant la fin de la semaine prochaine... Il est plus que temps, ça fait plus d'un mois et demi qu'ils la retiennent à l'hôpital et que je passe mes soirées seul. Sa grossesse aura été un véritable calvaire. Espérons que le bébé sera en bonne santé... »

---

1. Bureau Central National.

* * *

Le sang émeraude de l'Amazonie coulait dans les veines de Doudou Camélia, ma voisine de palier. De l'appartement de cette vieille Guyanaise de soixante-seize ans, s'exhalaient les parfums des épices créoles, du gingembre, des acras de morue et de la patate douce. Son mari, né d'une longue lignée d'orpailleurs, avait décroché le gros lot en dénichant un filon dans les méandres tortueux du Maroni, en Guyane française. Il avait arraché femme et enfants de la misère verte en venant s'installer à Paris, riche de ses pépites, pauvre de sa méconnaissance totale du monde occidental. Il avala son bulletin de naissance en 1983 entre Saint-Germain-des-Prés et Montparnasse, après trois coups de couteau dans le dos, pour avoir eu le malheur de sourire à des membres du groupe d'extrême droite Unité Radicale. Ce soir-là, les collègues avaient retrouvé Doudou Camélia tout de noir vêtue, à gémir, un crucifix serré contre la poitrine, alors qu'elle ignorait théoriquement le décès de son mari.

Chaque fois qu'elle entrait en transe, elle m'affirmait que ma femme était vivante, enfermée dans un endroit humide et pourrissant d'où radiaient des toiles d'ondes maléfiques. Elle sentait des odeurs de champignons, de moisissures, des effluves d'eaux stagnantes ou de mangroves, et je la voyais, assise en tailleur malgré ses vieux os, renifler l'air comme le ferait la truffe d'un fin limier. Je crois aux équations, au fil mathématique qui régit lois et pensées, aux lignes parallèles de la logique. Je ne peux concevoir de baser ma vie, le sort de ma tendre moitié sur des a priori ou les dires suspects d'une vieille femme à moitié timbrée.

Au moment où j'introduisis la clé dans la serrure de ma porte, exténué par ma journée, elle glissa les racines noueuses de ses doigts dans mes cheveux et je perçus comme une aura tiède me traverser tout le corps. « Tu sens la mo't, Dadou... Suis-moi ! », m'annonça-t-elle de sa voix aux fibres de chêne centenaire. Elle portait son ensemble de madras aux couleurs feu, serré autour de sa taille éléphantesque par une longue cordelette blanche. Son front d'ébène était purulent de sueur ; elle sortait à coup sûr d'une période de transe.

Un nuage bas d'encens à la fleur d'oranger flottait dans son séjour. Les langues jaunes des flammes de bougies dansaient dans l'air autour d'une cage de canaris posée sur la moquette. Les deux serins, perchés sur une tige de bois, semblaient figés dans le plâtre.

Elle m'invita à m'installer dans un fauteuil en moelle de rotin tressé.

« Je sens le mauvais dans ta chamb'e, Dadou, le t'ès mauvais. N'ent'e pas là-dedans ! »

Un sel piquant brûlait ses lèvres retroussées. Des moignons de dents apparurent, bien seuls au milieu du gouffre immense de sa bouche.

« De quel genre ? » interrogeai-je d'un ton curieux.

« Le Malin, Dadou, l'Homme sans visage ! Il est venu su' Te''e pou' p'opager le Mal ! » Elle embrassa son crucifix à en user le christ d'étain. Ensuite, elle souleva la cage et les oiseaux s'envolèrent dans un fouillis de plumes avant d'atterrir côte à côte sur un yucca. Leurs yeux brillaient dans la lumière tamisée telles des billes de carbone.

Sans raison, une fourmilière de frissons se propagea sur mes os, entre mes chairs.

« Et à quoi ressemble-t-il, ce malin, Doudou ? Pourquoi se cache-t-il dans ma chambre ? »

Elle s'envoya deux belles lampées de bourbon au goulot, du Four Roses à quarante-cinq degrés. Lorsqu'elle tressaillit, son cou gonfla comme celui d'une tortue qui rabat la tête sous sa carapace.

Dans son regard, je lus les pattes de tigres, les gueules ouvertes des serpents, les mandibules des mygales, j'y déchiffrai une peur sauvage, brutale, un mélange ocre de terreur et d'incompréhension. « Je peux pas di'e, Dadou. Je sais, c'est tout. N'ent'e pas là-dedans.

— Je ferai bien attention, Doudou, je te le promets. »

Je me levai et traversai les écharpes de brume d'encens en direction de la porte, quand elle éclata en sanglots. « Dadou... Je les entends hu'ler...

— Qui ça ? Les chiens ? Ils continuent à hurler ?

— Jou' et nuit, ils hu'lent, Dadou... Ils ne me laissent jamais en paix... Ils viennent jusque dans mes 'êves... »

Une gorgée d'alcool lui embrasa la voix. « Va, Dadou », gloussa-t-elle. « Va, mais fais bien attention ! »

Je fermai doucement derrière moi. J'avais beau ne pas y croire, je dégainai mon Glock avant de pénétrer dans mon salon. Pour ne rien changer, tristesse et calme se battaient dans un duel grotesque à coups d'éclairs de silence.

À me tourner et me retourner dans mon lit, je ne pus m'empêcher de faire le rapprochement entre ce terrible meurtre et les phrases terrifiantes de Doudou Camélia. J'avais décelé du soufre dans son regard, quelque chose d'impossible à simuler, un terrible pressentiment à la puissance du réel. Je pensai aux canaris, à ces plumes jaunes qui virevoltaient dans l'air, à la noirceur dérangeante de son séjour. Dans la chaleur des draps, mes poils se hérissèrent sous les assauts de la peur.

La conversation avec le lieutenant Sibersky trottait dans ma tête, soulevant bon nombre d'interrogations. Je ne me souvenais pas avoir découvert un corps mutilé dans de si atroces conditions. Outre les horribles sévices infligés à la victime, entraient aussi en considération la complexité de la mise en scène et son incroyable élaboration. La fantastique énergie qu'avait dû dépenser l'assassin pour construire son système de poulies et y accrocher le corps, me laissait pantois. Et que dire de tous ces détails, étudiés, abandonnés comme pour laisser un message ? La pièce dans la bouche, les yeux mutilés et renfoncés dans leurs orbites, ces morceaux de bois calés entre les mâchoires ?

Lorsque ce morbide cortège de pensées se décida à m'abandonner, le train du sommeil finit par m'emporter, alors que s'élançaient déjà au ciel les lueurs enfantées par l'aube.

Chapitre deux

À mon réveil difficile, j'entrepris de lire les courriers électroniques accumulés dans ma messagerie pendant mon séjour à Lille. Au travers de la technologie et de la puissance d'Internet, je m'étais constitué une tonne d'amis sans visages, lointains anonymes pourtant si proches de moi. Des noms d'internautes qui se demandaient le pourquoi du silence de Suzanne. Je n'avais jamais trouvé le courage de leur répondre, de leur avouer que ma femme avait disparu et que depuis un semestre, moi, commissaire à la DCPJ de Paris, ignorais toujours si elle était encore en vie.

L'intitulé du dernier courrier, *Alors, ça t'a plu ?* banalement signé *XXX*, m'injecta un raz de marée d'adrénaline. Lorsque je découvris, en tête de message, la photo numérique d'un fermier courbé sur sa terre, ramassant des betteraves d'une main usée, je pensai avoir affaire à un plaisantin.

Mais le texte, sous l'image, dépassa les limites de mon imagination.

Cher ami,
Je voulais juste te faire partager la lettre que je viens d'envoyer à la mère de la charmante demoiselle que tu as rencontrée très récemment. Cela me ferait

*beaucoup de peine si tu ne la trouvais pas à ton goût,
car il m'a fallu un temps fou pour la rédiger. Au plaisir de te revoir...*

« Ma chère madame Prieur,

*De nos jours, chez les aborigènes Pitta-Patta
d'Australie, lorsqu'une fillette atteint la puberté, l'ensemble de la tribu, hommes, femmes et enfants, se réunit. L'officiant, un homme âgé, élargit l'orifice vaginal
de la fillette en le déchirant vers le bas à l'aide de
trois doigts attachés par une ficelle d'opossum. Dans
d'autres régions, le périnée est déchiré à l'aide d'une
lame en pierre. Je vous épargnerai la vue des photos
que j'ai actuellement sous les yeux. Cette opération
est généralement suivie d'actes sexuels sous la
contrainte, avec de nombreux jeunes hommes, au
moins une dizaine... J'aurais pu suivre cet exemple
remarquable pour m'occuper de votre fille, mais j'ai
préféré procéder autrement avec ma méthode bien à
moi, que vous apprécierez, j'espère, à sa juste valeur.
Tout d'abord, si cela peut vous rassurer, sachez que je
n'ai pas baisé votre fille, mais que j'aurais pu si
j'avais voulu.*

*J'ai commencé par la déshabiller. Il m'a fallu plus
de deux heures pour la ligoter, l'entraver jusqu'à
contrôler le plus infime de ses mouvements. Ce fut un
honneur pour moi de travailler sur la toile d'un corps
si sublime, velouté, presque feutré. Bien sûr, vous vous
en doutez, j'ai attendu qu'elle fût réveillée pour enfoncer les crochets dans sa chair. Oh ! Si seulement vous
aviez pu voir comme elle se débattait ! Douleur et
plaisir sont comme deux corps liés à une seule tête, ils
se repoussent mais ne peuvent se passer l'un de
l'autre, et je crois qu'elle en a pris conscience avant
de mourir.*

Sa peau s'écartait d'une façon presque artistique

lorsque j'appuyais ma lame sur ses petits seins fermes, ses épaules, son nombril. À la lecture si méticuleuse de son corps, je trouvais toutes les réponses à mes interrogations, je savais pourquoi j'agissais et ce que je recherchais. Vous rendez-vous compte que j'ai pu distinguer les profondeurs des couches de sa chair, ressentir les aigrettes de douleur qui lui cambraient les reins ? Elle vibrait tout son saoul, des ondes incompréhensibles allaient et venaient sans cesse, pareilles à des vaguelettes, puis se brisaient dans un cri étouffé de bonheur. Ou de souffrance ?

Comme un bon soldat, elle a supporté ses blessures, pas seulement en les subissant, mais en les acceptant, consciente que toutes les difficultés sont une loi immuable de la nature. Elle nous a quittés en aimant l'entité pour qui elle est tombée. Soyez-en fière.

Elle sera bien accueillie là-haut, n'ayez aucune crainte. Les armures abîmées valent bien plus aux yeux de Dieu que le cuir neuf, et je reste persuadé qu'il essuiera toutes ses larmes. La mort ne sera plus, il n'y aura plus de deuil, ni cri, ni douleur. Elle sera bien...

Telles furent les dernières minutes rouges de votre fille, de cette femme dont nous pouvons dire, à présent, qu'elle a sûrement, dans son ultime râle, autant maudit ses parents que le jour de sa naissance...

Le bonheur doit être l'exception, l'épreuve est la règle.

Quelqu'un qui, désormais, compte pour vous plus que quiconque... »

Ces mots me figèrent dans les replis du dégoût, à la bordure des profondeurs rances de la colère, de la rage, de l'envie de presser le monde jusqu'à en extraire la substance immonde qui donne vie aux criminels. Je me sentis oppressé par l'impuissance, par cette facilité outrageante de propager le mal jusqu'à blesser sans même toucher. À ce moment, les mots de Doudou Camélia retentirent en moi comme le glas lointain du malheur annoncé : *Je sens le mauvais dans ta chamb'e, Dadou, le t'ès mauvais...*

Sans plus toucher à rien, dans les pénibles secondes qui suivirent, j'appelai Sibersky, l'exhortant à intercepter la lettre à tout prix, puis Thomas Serpetti, l'un des hommes les plus doués en informatique qu'il m'a été donné de connaître.

* * *

Thomas Serpetti avait surfé sur la vague Internet avec le glisser digne d'un dieu hawaïen. Début 2000, dans le sillage de l'effet start-up, il avait quitté son poste de responsable sécurité-réseau chez IBM, à la Défense, pour lever un million d'euros au premier tour de table avec des investisseurs séduits par ses idées novatrices et son business-plan en béton. À l'époque, il changeait deux fois de cravate par jour, serrait des dizaines de mains, s'affichait dans toutes les conférences où il fallait se montrer. Il avait loué des bureaux-placards du côté de l'Opéra de Paris, embauché à tour de bras des informaticiens nourris au hamburger et laissé le business ainsi que l'euphorie générale lui enfler les poches. Dans la foulée, il s'était acheté une vieille ferme au sud de Paris, à Boissy-le-Sec, un Yearling, Reine de Romance, aux Ventes de Deauville, puis s'était retiré des affaires, plein aux as, lorsque les châtaignes avaient commencé à se fendre sous les feux ardents de la Bourse. Depuis ce temps, il coulait des jours tranquilles sur les champs de courses, ou bien grillait des heures, des journées, à peaufiner son réseau de trains miniatures, bijou de patience, de joies d'enfants, de plaisirs du rail. Sa passion du modélisme ferroviaire m'avait même contaminé, enflammé... jusqu'à la disparition brutale de Suzanne...

Cet éternel adolescent avait le jeu dans la peau et je crois qu'il aurait tué frères et sœurs pour avoir le dernier mot face à une roulette. Je l'ai vu un jour s'acharner sur le numéro dix-huit, au casino d'Enghien-les-Bains, jusqu'à la fermeture des portes et y perdre une fortune. Mais peu importait. Il avait laissé en ces lieux une empreinte indélébile et, depuis ce jour, on l'appelait *Monsieur* chaque fois qu'il en franchissait le seuil. Voilà ce qui plaisait à Thomas Serpetti.

Notre première rencontre avait eu lieu virtuellement sur un forum Internet traitant de la schizophrénie. Le frère de ma femme, tout comme celui de Thomas Serpetti, était ce que l'on appelle un schizoïde paranoïaque.

Je me souviendrai toute ma vie des explications que mon beau-frère, Karl, m'avait données sur cette fracture de l'esprit, un soir d'automne où il allait déjà très, très mal : *L'Hydre se niche dans les sinuosités de mon intestin grêle. Sa tête plonge parfois dans mon estomac, où elle aime se repaître de longs moments. Elle se nourrit de ce dont je me nourris et évacue ses selles par ma bouche. C'est un serpent grotesque et venimeux dont je dois me débarrasser à tout prix.*

À vingt-deux ans, Karl se scarifiait l'abdomen de seize coups de cutter, trouvant dans l'automutilation le seul moyen de chasser l'Hydre en lui. À présent, il survivait dans une dimension parallèle, étranger à son propre corps, chargé comme une bombe biologique de Largactil, d'Haldol et de Droleptan, à l'hôpital psychiatrique de Bailleul, dans le Nord...

J'accueillis Thomas Serpetti avec la mine d'un croque-mort qui aurait assisté à son propre enterrement.

« C'est ici que ça se passe, Thomas. Je veux ton avis avant de mettre le SEFTI dessus. Comme je te l'ai dit au téléphone, je n'ai touché à rien. Il y a la photo de ce fermier et cette horrible lettre dessous. Dis-moi si on peut retrouver l'expéditeur. »

Cet ancien expert en sécurité informatique, ne supportant pas la délinquance ou la criminalité, menait une traque sans merci contre les pirates des temps modernes et travaillait en collaboration avec les ingénieurs du SEFTI, le Service d'Enquête des Fraudes aux Technologies de l'Information. Régulièrement, Serpetti transmettait à mes collègues scientifiques des adresses de hackers, des bandits de l'informatique qui volaient des fichiers de cartes bleues ou qui déposaient, par simple provocation, des messages à caractère pornographique sur des sites comme *Les Échos* ou le *Times*.

Sa main fondit sur la souris de mon ordinateur. Il remonta ses petites lunettes rondes en acier sur l'arête de son nez, passa une main dans sa coupe en brosse comme s'il s'apprêtait à accomplir un quelconque exploit sportif avant de se coller à l'écran. « Je... je peux lire ?

— Vas-y... Je compte sur toi pour l'aspect confidentiel de cette affaire...

— Tu sais que tu peux me faire confiance... »

Sa bouche s'ouvrait au fur et à mesure qu'il lisait. « Sacré bon sang ! » Il ôta ses lunettes et se frotta les yeux. « J'en ai déjà vu de belles sur Internet, mais là, on atteint un summum ! C'est... c'est réellement ce qui s'est passé ?

— Malheureusement oui », soupirai-je.

« Mais il s'adresse directement à toi ! Il te tutoie ! C'est quelqu'un qui te connaît ! Comment pourrait-il savoir que l'on t'a confié l'enquête ?

— Je n'en sais rien... Les nouvelles vont très vite dans ces villages, sans oublier les médias. L'information est peut-être d'une manière ou d'une autre, remontée jusqu'à lui. Cela reste flou. Mais nous allons enquêter, ne t'en fais pas pour ça. Alors, le mail ? »

Clics de souris, profusion de fenêtres sur l'écran. Serpetti ouvrit des fichiers aux noms barbares, se promenant dans mon ordinateur avec l'aisance d'une particule chargée dans un courant électrique, animé par la passion de la connaissance universelle, cette volonté d'arracher la solution à l'insoluble, comme un défi à lui-même et aux machines.

« Cette adresse e-mail est bien entendu bidon. Tu vas sur un site spécialisé, donnes un nom, n'importe lequel, et le site t'autorise alors à envoyer des e-mails avec une adresse que tu choisis toi-même, genre *JacquesChirac@elysees.fr*. Même pas besoin de logiciel spécial pour gérer les e-mails, le site s'occupe de tout. Parfaitement anonyme. Ou presque... »

Le détail qui différenciait le Serpetti de la masse grouillante des informaticiens, le *ou presque*...

« Ou presque ? Est-ce qu'il y a un moyen de mettre la main sur l'expéditeur ?

— Ça dépend ! Si le type s'y connaît, tu n'y arriveras pas. Sinon, les probabilités sont assez faibles et, crois-moi, le travail fastidieux pour y parvenir.

— Explique-moi ! Et vas-y doucement, s'il te plaît... »

Ses fossettes tranchantes reflétaient la lumière métallique de l'écran quand il se tourna vers moi. À presque trente ans, se creusaient encore sur son visage les stigmates de son acné d'adolescent.

« OK. Je vais simplifier au maximum », répondit-il d'un ton serein. « Tu imagines une gigantesque toile d'araignée, très complexe, de la taille d'une ville. Tu répands, à une extrémité de la toile, des milliers, des millions de petites araignées, toutes semblables. La plupart des araignées sont myopes, elles n'entendent ni ne sentent rien, mais elles savent, grâce aux vibrations, se diriger vers n'importe quel point sur la toile. Par contre, elles demeurent incapables de juger du chemin le plus court et, par conséquent, elles vont toutes emprunter une voie différente pour aller au même endroit. Tu me suis ?

— Oui. Ce n'est pas très compliqué...

— Alors écoute bien la suite ! Tu dois suivre des yeux l'une de ces araignées jusqu'à sa destination, puis me retracer son trajet entre les différentes intersections et fils de la toile, de mémoire. En serais-tu capable ? »

J'imaginai un immense territoire de soie orbiculaire, accroché aux plus hauts édifices de Paris sous un ciel de désolation, comme dans un film fantastique. « Ça me semble difficile », répliquai-je. « Les araignées interfèrent les unes avec les autres, se croisent et se ressemblent, je pourrais très bien à un moment donné suivre un autre individu sans m'en apercevoir. De plus, il faudrait une sacrée mémoire visuelle pour se rappeler le chemin dans un tel labyrinthe. »

Thomas agita sa paire de lunettes par l'une des branches, comme l'homme politique qui s'apprête à exposer un argument de poids.

« Tu as parfaitement cerné le problème ! Eh bien, pour Internet, c'est pareil. Remplace les croisements par des ordinateurs, et le fil lui-même par du câble électrique. Étends la toile à la dimension planétaire. Tu imagines la scène ?

— Parfaitement.

— Quand tu reçois un mail, même en provenance de ton voisin, ce courrier a transité par des dizaines, voire des centaines de relais différents répartis à travers le monde. Pour retrouver son berceau d'émission, il faut remonter la chaîne, maillon par maillon. Cela implique des coups de fil aux propriétaires des machines, des recherches dans les fichiers de traces des serveurs pour espérer passer au maillon précédent. Si un seul ordino est éteint entre-temps, ou si les traces du passage ont été effacées, c'est fichu, un peu comme si tu coupais un fil de la toile d'araignée. Contacte immédiatement les ingénieurs du SEFTI. Plus ils agiront tôt, plus la chance de remonter la filière sera importante. »

Identifier l'émetteur allait relever de la magie. Je demandai quand même : « Et si le gars s'y connaît ?

— Il aura utilisé un anonymiser. C'est un site particulier qui se charge pour toi de rendre l'origine de ton mail totalement anonyme. De plus, s'il est vraiment prudent, il aura transité par des milliers d'autres ordinateurs de particuliers, connectés à Internet en même temps que lui. Dans ce cas, la chance de le localiser est strictement nulle. »

Je nous servis un pur guatemala tassé, presque solide.

« Comment a-t-il récupéré mon adresse e-mail ?

— Tu ne peux pas savoir avec quelle facilité l'on peut glaner des informations sur toi, lorsque tu surfes sur Internet ! On connaît tes sites favoris, les heures de tes connexions, tu laisses des traces partout où tu vas. Il suffit que tu aies posté une fois un message sur un forum ou un groupe de discussion et ton e-mail peut alors être récupéré par un anonyme, des boîtes de pub ou d'autres colporteurs qui vendent ces adresses à des tiers. Tu te trouves certainement dans le carnet d'adresses de milliers de personnes sans le savoir... D'ailleurs, tu peux mesurer l'ampleur du phénomène rien qu'à regarder ces *spams* qui emplissent ta boîte aux lettres.

— En effet... Autre chose ? »

Je vis poindre dans son regard un rayon d'espoir. « La photo de ce fermier m'intrigue », me confia-t-il en écrasant son doigt sur l'écran. « D'une part, je ne vois pas bien le lien avec cette lettre et, d'autre part, la taille qu'elle occupe sur ton disque dur me paraît un peu élevée... Plus de trois cents kilos-octets. Il me semble que... Tu possèdes un logiciel de traitement d'images, genre Photoshop ou Paint Shop Pro ?

— Non, je ne crois pas.

— Aurais-tu une loupe ?

— Non plus... Mais je peux démonter l'une des lentilles externes de mes jumelles.

— Parfait. »

Je devinais les chiffres, les opérateurs logiques qui s'acheminaient vers le cerveau de Thomas pour y tourbillonner en une gigantesque soupe mathématique. Je me rappelai l'une de ses remarques, un soir où nous étions réunis autour d'une bonne table, avec Suzanne. *Toute matière, toute information est composée de zéros et de uns. La tôle de ta voiture est faite de zéros et de uns, ce couteau est fait de zéros et de uns et même le cul d'une vache est fait de zéros et de uns. Souvent, pour passer d'un problème à une solution, il suffit d'inverser quelques zéros et quelques uns...* Suzanne avait explosé de rire et, depuis ce temps-là, elle ne voyait plus les ruminants de la même façon.

Je tendis à Thomas l'un des oculaires de ma Zeiss 8. La lentille concave disséqua les pixels de l'écran au fur et à mesure qu'il la déplaçait, en plissant

56

les yeux. « Je n'y mettrais pas ma main au feu, mais on dirait que certains points sont plus clairs que les autres. C'est quasiment invisible, mais je connais ce genre de technique... Regarde un peu cet endroit du ciel, sur la photo. »

Je plaquai ma rétine contre la lentille. Rien de spécial, juste du bleu au milieu du bleu. Il constata : « Tu n'as pas l'œil de l'expert ! Stéganographie, ça te dit quelque chose ?

— Une technique de codage ancienne ? Un moyen de passer des messages, comme le faisait César ?

— Presque. Tu confonds avec la cryptographie. Le vicieux, dans la stéganographie, c'est que l'information cachée est véhiculée de façon transparente dans de l'information non cryptée, claire et significative, contrairement à la cryptographie où le message reçu est illisible. Les pirates informatiques, les terroristes, appliquent cette technique pour s'échanger des données sensibles en échappant aux divers systèmes de surveillance et d'écoute, comme Sémaphore ou Échelon chez les Américains. Ils cachent leurs messages, images ou fichiers sonores, dans d'autres médias en utilisant des logiciels téléchargeables sur Internet. Le destinataire qui possède la clé de déchiffrement reconstruit alors l'information originale. Un système très prisé par les pédophiles. Tu arrives sur un site d'apparence sobre, tu visualises des photos de vacances, de plages et de ciel bleu. Mais, si tu appliques la clé à ces images, qu'est-ce que tu découvres ?

— Des photos d'enfants... Bien vu, Thomas ! Tu vas pouvoir décrypter ? » En proie à l'excitation, je lampai mon café et me brûlai le bout de la langue.

« Ne t'emballe surtout pas ! » ajouta-t-il d'une voix qui incitait au calme. « Il faut que je vérifie au préalable si la photo contient effectivement des données cachées. Et, sans clé de déchiffrement, il risque de falloir plusieurs semaines avant d'arriver au résultat. Les techniques de cryptanalyse, pour casser les codes cryptographiques, ne sont pas très performantes en la matière, car la puissance des algorithmes rend le déchiffrement extrêmement délicat, voire impossible si la clé est trop longue... Ce qui est, somme toute, logique. Sinon, à quoi bon crypter ? »

Je détournai mon regard de l'écran, l'orientai vers mon portable. « Bon... Je vais mettre les gars du SEFTI immédiatement sur le coup, en parallèle à ton travail.

— Laisse-moi sur ta bécane pour que je fouille encore un peu. Je vais t'enregistrer ce qu'il faut sur un CD et tu le transmettras au SEFTI. Autre chose. Tu devrais te faire installer une ligne haut débit sur laquelle pourraient se brancher les ingénieurs du SEFTI. On appelle cela du sniffage : ils surveillent à distance tout ce qui transite sur ta ligne et peuvent ainsi réagir ultra rapidement. Si tu veux, j'en fais la demande et demain, tu as ton modem ADSL installé. J'ai des relations pour accélérer le processus !

— Bonne idée. De toute façon, je comptais en faire poser un. Si tu pouvais t'en occuper, ça m'arrangerait...

— Pas de problème ! »

Son sourire me fit réaliser à quel point l'emprise des affaires criminelles me coupait du reste du monde, un peu comme Dead Alive avec ses macchabées. J'avais dérangé Serpetti tôt dans la matinée, l'avais arraché à ses draps sans même lui demander comment il allait.

« Tu portes sur toi le teint safrané des vacances », me déridai-je, humant l'arôme décapant d'une nouvelle tasse.

« Je rentre d'Italie, hier justement. Tu as eu de la chance de pouvoir me joindre.

— Et Reine de Romance ? Toujours aussi performante ? »

Thomas avala son café bouillant d'une traite, sans ciller.

« Elle est en pension au cercle hippique de Chantilly. Prise en main par John Mohx, la pointure des entraîneurs. On la prépare pour les grandes courses et derbys de l'année prochaine. » Une mimique évocatrice lui étira les lèvres. « Je ne suis plus célibataire, tu sais ? Yennia et moi, on ne se quitte plus. Unis comme Terre et Lune. Je l'ai connue, devine ? Dans un train pour Londres ! Elle est d'origine roumaine, hôtesse de bord dans l'Eurostar Paris-Londres. Il faudrait que tu passes à la ferme nous rendre une petite visite.

— Je n'y manquerai pas...

— Et puis, tu verras mon réseau ferroviaire ! Je suis passé en échelle HO 1/87, celle des pros ! Je m'éclate comme un fou ! Bouge pas ! »

Il se leva, se jeta sur son sac à dos, en sortit une locomotive en laiton Hornby, à la cabine magenta et au chariot noir.

« C'est pour toi, Franck. Une vapeur vive Basset Lowke 1959 ! En parfait état ! Elle m'appartenait, mais elle ne roule plus sur mon nouveau réseau, alors je te l'offre. Je l'ai appelée Poupette. »

Il s'étonna devant mon absence de réaction. La passion du rail qu'il m'avait transmise, comme le reste, m'avait abandonné depuis que le vide, le silence, la douleur régnaient en maîtres dans mon appartement. « Désolé, Thomas, mais je ne suis plus trop dans le coup. Les trains et moi, c'est de l'histoire ancienne pour le moment. Tu sais, je n'ai plus goût à grand-chose.

— Avec Poupette, tout est différent ! Cette loco a quelque chose de magique, tu dois l'essayer ! J'ai déjà rempli le réservoir de butane, pour le brûleur. Tu rajouteras un peu d'eau et d'huile dans le tender et elle est partie pour une heure. Tu verras comme son chant est apaisant, sa compagnie charmante. Elle te remontera le moral dans les moments difficiles... » Il posa le modèle réduit sur le bureau.

« Toujours rien pour Suzanne ? » Il me prit la main comme à un vieux frère.

« Aucune piste, que dalle. Pas la moindre manifestation de l'agresseur. Si seulement je pouvais avoir un signe, un indice qui me dirait si elle est morte ou pas ! Quelle torture que de rester dans le doute, avec la crainte permanente de tomber sur le cadavre de ma femme comme ça, au détour d'un sentier... Mon avenir me fait horriblement peur, tellement dépendant de données qui ne m'appartiennent pas... Mon sort se trouve presque entre les mains de ce salopard qui l'a enlevée...

— Tu sauras la vérité, un jour ou l'autre.

— Je l'espère de tout mon cœur. » Je fis mine de penser à autre chose en esquissant le squelette d'un sourire. « Écoute ! Reste ici, fais de ton mieux avec mon ordinateur. Je dois y aller. Déjeunons ensemble ce midi, si tu veux. Rejoins-moi devant le 36, nous irons au Vert-Galant. Tu n'as pas d'obligations avec ta Yennia ?

— Yennia ? Je tue mes journées à l'attendre ! Elle disparaît le matin pour ne réapparaître que le soir, telle une aurore boréale. OK pour ce midi... Je t'y rejoindrai... » Il se racla la gorge. « Franck... Tu crois que ce pourrait être quoi, ce message caché ? S'il cherche à nous dire quelque chose, pourquoi ne pas le signaler ouvertement ?

— Thomas... Toi qui es riche à millions, pourquoi vas-tu encore au casino sachant que tu risques d'y perdre une fortune ?

— Pour... l'excitation que m'apporte le jeu ?

— Tu as la réponse à ta question... »

* * *

Mon grand-père avait achevé sa carrière de mineur en tant que porion-chef à la fosse treize de Loos-en-Gohelle. De galibot, il était devenu gueule noire, puis boiseur, rouleur, raccommodeux, porion et donc porion-chef. En général, les boyaux de charbon vous emprisonnaient pour la bonne moitié de votre vie et, si le baiser mortel du grisou vous avait épargné, la silicose, elle, vous laissait sur le carreau. Vous naissiez au fond, vous mouriez au fond, vos enfants mouraient au fond, dans la gueule du monstre. Sauf mon grand-père...

Quinze années lui avaient suffi pour gravir les échelons de la hiérarchie et jamais, de toute sa vie, il ne sollicita la chance ou le hasard. Cet arpenteur de corons connaissait les dates d'anniversaire de tous ses responsables hiérarchiques, les prénoms de leurs femmes, de leurs enfants et aussi la couleur de leurs chiens. Il s'arrangeait pour rencontrer les épouses dans les boulangeries, les estaminets, les blanchisseries, afin d'y vanter les qualités émérites de leurs maris et leurs incroyables aptitudes à diriger les troupes. Aux grandes occasions, même dans les temps les plus durs où le pain et la soupe manquaient, il n'oubliait jamais d'envoyer aux personnes plus riches que lui une bouteille de genièvre. Ainsi, même au travers des reflets translucides et enivrants de l'alcool blanc, ses chefs, inconsciemment, remerciaient ce visage qui leur procurait le plaisir de l'oubli...

Il appelait cela *la technique du sacrifice rentable* et me répétait souvent : *Si tu éveilles en celui à qui tu parles la flamme qui fait briller ses yeux, ce petit quelque chose qui fait vibrer son cœur, alors tu en feras l'un de tes plus chers alliés. Tu n'auras plus deux bras, ni deux jambes, mais quatre, parce qu'il sera toujours à tes côtés quand tu auras besoin de lui.*

Plus de cinq cents personnes assistèrent à son enterrement, lorsqu'un cancer généralisé l'emporta en 1978.

Contrairement à lui, je n'avais pas utilisé *la technique du sacrifice rentable* pour gravir les échelons. Par contre, je l'employais à tour de bras pour m'entourer des gens qu'il fallait, au moment où il le fallait.

Richard Kelly, le juge chargé de l'instruction, avait un penchant tout particulier pour les grands chocolats. Une fine gueule comme il n'en existe qu'une dizaine dans le monde. Si son bureau demeurait aussi impeccable et stérile que l'intérieur d'une morgue, on voyait toujours traîner, dans un coin, une plaque entamée de jivara, manjari ou caraïbe, bijoux de cacao commandés directement aux chocolatiers de renom comme s'il s'agissait de purs diamants. Je m'étais donc muni de guanaja, aux fèves de cacao d'Amérique du Sud, l'un de ses préférés. Je vis avec amusement sa pomme d'Adam bondir quand je posai le trésor en barres sur son bureau.

Je devais jouer serré. Il s'agissait de le convaincre de mettre à la poubelle ce connard de Thornton, ombre de psychologue, pas fichu de faire le profil psychologique d'un poulpe.

À l'origine, Thornton exerçait dans un cabinet indépendant. Un sacré beau gosse pour ses quarante ans, une plastique d'Apollon aux yeux de biche. Il s'était envoyé tellement de patientes sur le fauteuil de son cabinet qu'il aurait pu recevoir le prix du meilleur étalon aux Hot d'or. Sa clientèle se renflouait sans cesse, de plus en plus dévêtue, de moins en moins malade et ses successeurs avaient dû retrouver des petites culottes jusque sous les coussins de son canapé en cuir. Puis, Thornton, apparemment lassé de la routine du sexe facile, ou l'âge l'ayant rendu moins vigoureux, avait fait jouer l'influence de papa pour nous faire profiter de ses talents d'analyste. Il interrogeait les témoins, les criminels, en tirait des conclusions qui auraient fait sourire les statues de l'île de Pâques.

« Ce crétin à nœud papillon confondrait un terroriste afghan avec une bonne sœur », m'avait balancé Bambi, le patron des mœurs, la première fois qu'il l'avait rencontré, il y avait très, très longtemps, quand il était très, très en colère. L'écarter du circuit restait une affaire délicate, puisque ledit connard à nœud papillon n'était rien moins que le fils du procureur de la République.

Avec Richard Kelly, nous parlâmes un instant de chocolat, puis, tout naturellement, des premiers éléments de l'enquête. Je lui exposai avec concision les réflexions de Sibersky et moi-même sur le caractère peu commun du tueur, sur l'importance apportée aux détails de la mise en scène ; enfin, surtout, je soulignai la totale inexpérience de Thornton dans le domaine du crime à caractère sadique et, d'ailleurs, dans le domaine du crime tout court. Je voulais aller au-devant des faits, anticiper les gestes du tueur, agir en amont et non plus en aval et, pour y parvenir, j'avais besoin d'alliés plutôt que – je pesai mes mots – de boulets à traîner.

Je lui demandai donc de placer sur le dossier Élisabeth Williams, expert judiciaire auprès de la cour d'appel de Paris et psycho-criminologue. Il m'envoya une grimace comme je n'en avais jamais vue, un chef-d'œuvre sur langue, mais, après deux heures de lutte acharnée, lâcha le morceau lorsqu'il goba un carré de guanaja...

« Je laisse quand même Thornton sur le coup », insista-t-il. « On ne peut pas l'évincer comme ça, d'un claquement de doigts. Surtout pour le remplacer par un *profiler*...

— Pas *profiler*. Psycho-criminologue.

— C'est pareil. J'espère que vous me donnerez raison de vous avoir fait confiance et que vous ne me ferez pas perdre mon temps. »

Je n'avais jamais eu l'occasion de travailler avec un spécialiste du comportement humain. Un vrai, je veux dire, un Thornton à la puissance cent. Les conférences qu'Élisabeth Williams dispensait à l'université Paris II étaient empreintes de magie. Par la force des mots, la pertinence de l'analyse et la rigueur de ses démonstrations, cette spécialiste nous transportait au-devant du tueur, dans les méandres tortueux de son esprit. J'avais décortiqué tous ses livres, sa thèse sur les maladies mentales du criminel, l'avalanche d'articles qu'elle publiait dans la *Revue internationale de police scientifique et judiciaire*. Je vouais une passion sans limite à ses propos, sa prestance, dans l'anonymat ingrat de l'élève niché au fond de la salle de cours, timide et attentif. Et je rêvais d'appliquer ses grandes idées sur une affaire criminelle d'envergure. Or là, dans cette enquête, j'avais l'intuition d'avoir face à moi un type nouveau de tueur, un animal intelligent, raffiné et démoniaque, maître de ses émotions, décideur universel du destin de ses victimes. Une araignée repliée dans un coin de sa toile, chargée de poison, jaillissant dès que vibrerait l'un des fils de soie.

J'eus honte de penser que, de l'autre côté de la frontière du Bien, dans l'ombre rouge d'une bête à sabots et à cornes, se dissimulait peut-être le genre de tueur que l'on attend toute une carrière à la Crim'...

Affirmer que mon métier ne me plaisait pas serait le pire des mensonges. Je l'aimais autant, et peut-être plus, que ma femme. Ce quotidien tapissé de brouillard de sang, d'éclairs de métal découpant tendons et nerfs, grattant la chair jusqu'à l'os, ces âmes sombres et mystérieuses tourbillonnant dans des pièces ensanglantées, constituaient la moelle profonde de ma vie. Même aux côtés de Suzanne, j'avais pour loisirs des lectures sur les tueurs en série, des visites aux musées de la criminologie et des films à suspense, ceux dans lesquels l'assassin brille par son machiavélisme. Quand on franchit les portes de la Crim', on oublie d'être humain, on devient des Dead Alive, des esclaves condamnés à combattre ce qui ne meurt pas ou renaît de ses cendres. On erre entre deux mondes, entre le commun et l'irréel, entre la chaleur d'un sourire et la pire noirceur terrée en chacun des esprits qui peuplent ces terres...

Je songeai à tout cela et commençai à regretter ce que j'étais devenu. Le manque de l'être aimé me brûlait intérieurement, comme cet alcool que l'on jette dans le ventre des flammes pour les faire rejaillir plus fort encore. Je palpais l'air devant moi et y dessinais des courbes nues, je m'enivrais d'un parfum qui n'existait plus, je percevais des murmures fragiles qui s'évaporaient dès que je tendais l'oreille. Ce matin-là, je redevins, le temps d'une pensée, un homme comme les autres. Le flic n'était pas loin, il me guettait, l'arme au poing, affamé de traque et de poursuite. Je l'aimais autant que je le haïssais.

Reverrai-je un jour le tendre sourire de ma femme ?

* * *

Mon portable avait cette incroyable faculté de sonner au mauvais moment de sa petite sonnerie stridente. D'ordinaire, je l'éteignais chaque fois que je mettais – et Dieu seul sait si ces instants faisaient office d'exception – mon travail de côté. Mais, à chaque fois qu'un tueur entrait dans ma vie par la grande porte, je laissais le cellulaire à l'affût d'un appel en permanence, le gardais contre moi comme un fidèle compagnon. Suzanne avait appris à le détester.

S'il vous prenait l'extravagante et ô combien courageuse envie de braquer les caisses d'un restaurant, mieux vaudrait éviter le Vert-Galant. Cette bonne table, à deux pas du 36, fourmille d'inspecteurs en civil, de commissaires, d'officiers de police et de flics en tout genre, accompagnés la plupart du temps de leurs épouses. Une concentration de Colt, Smith & Wesson et Beretta au mètre carré à rendre jaloux un Pablo Escobar. Je me levai de table, m'excusai auprès de Thomas, mon roi en informatique, avant de décrocher. La voix enflammée de Dead Alive embrasa mon combiné.

« On tient du solide, commissaire Sharko. Écoutez-moi bien. L'eau présente dans l'estomac de la femme nous a révélé des choses intéressantes. Tout d'abord, les types du labo y ont découvert des molécules à quarante carbones et de l'acide okadaïque. Ces molécules sont produites par la *Dinophysis acuta*, une espèce d'algue microscopique qui se développe dans les eaux stagnantes. Plus aucune trace de l'algue elle-même, probablement décomposée par manque d'apports en matières organiques et en ensoleillement... »

Je posai une main sur mon oreille gauche pour m'isoler du bruit ambiant et demandai :

« De quel type d'eau s'agit-il ? Eau de mer, eau douce, marécage ?

— Eau de pluie, en témoigne la présence d'oxyde d'azote.

— Donc de l'eau de pluie en flaques ou en courtes étendues... Combien de temps faut-il à l'algue pour se développer ?

— Trois à quatre jours. Au vu de la prolifération hallucinante de bactéries dont je vous épargnerai les noms, le chimiste suppose que l'eau est restée plusieurs semaines dans un récipient hermétique, genre bocal, avant de se retrouver dans l'estomac.

— Si je comprends bien, l'eau aurait été prélevée dans une flaque il y a un sacré paquet de jours, puis conservée consciencieusement pour être administrée à la victime ? »

Je fis signe au serveur de nous apporter l'apéritif d'un roulement de mains, tout en gardant une oreille-satellite plaquée contre le portable.

« Exactement ! Ce n'est pas fini... Deuxième point, nous avons détecté dans l'eau une quantité importante de silicates d'alumine phylliteux, autrement dit, du granit rose dissous. J'ai déjà fait une partie de votre boulot en interrogeant Frédéric Foulon, un expert en minéraux. Il affirme qu'une telle concentration granitique ne peut pas s'obtenir de façon naturelle, par un processus normal d'érosion. Le granit ne vient pas de l'écoulement d'une rivière ou du simple ruissellement d'eaux de pluie sur des parois granitiques. La cause est ailleurs.

— Et il vous a donné des pistes, cet expert ?

— Deux solutions. Ou le tueur a dissous le granit lui-même, ou le granit se trouvait déjà dans l'eau quand il l'a collectée. Dans ce dernier cas, il est très probable que la roche se soit déposée dans une flaque sous forme de poussière.

— Un lieu où l'on travaillerait le granit rose ? Comme une entreprise ?

— Oui, mais œuvrant à l'extérieur, dans un endroit propice à la rétention d'eau de pluie et au développement d'algues. Comme une carrière, par exemple. Le problème, c'est que des carrières de granit rose, il en existe un sacré paquet... En Bretagne bien sûr, en Alsace au niveau de la faille d'effondrement, dans les Alpes, les Pyrénées et autres massifs montagneux. Sans oublier qu'il pourrait aussi s'agir de l'artisan qui construit ses pierres tombales dans un coin de son jardin avec des blocs de granit importés. Et alors, ça compliquerait franchement votre affaire ! Bon courage, commissaire. Tenez-moi au courant... »

Sa voix disparut derrière le déclic du téléphone. Posant le cellulaire sur la table, je sortis un carnet de ma veste pour noter les points clés de notre conversation.

« Du nouveau, dirait-on », s'intéressa Serpetti en buvant une gorgée de Martini rose.

Je m'assis et m'hydratai d'une bière pression, une Leffe brune. « En effet. Ce que m'a dit le légiste est bluffant, absolument bluffant... » Je me passai une main de l'arrière du crâne jusqu'au front. « Il l'a forcée à avaler cette eau croupissante... À quoi cela peut-il bien rimer ?

— De quoi parles-tu ? C'est quoi, cette histoire d'eau ?

— Je préfère ne pas t'en dire plus, Thomas. Ne m'en veux pas... »

Serpetti bascula la tête vers l'arrière et s'envoya une double gorgée d'alcool italien, avant de jeter : « La science m'impressionnera toujours... Je n'aimerais pas être un assassin de nos jours. Avec vos techniques, le type ne peut même plus péter tranquillement sur le lieu du crime, parce que vous seriez capables de récupérer les molécules du pet, d'en déduire l'âge et la couleur du tueur et de dire ce qu'il avait mangé avant de commettre le crime ! »

Ayant liquidé le reste de son verre, Thomas reprit : « Bien, cessons de plaisanter ! L'appel de ton légiste m'a coupé dans ma lancée. Je confirme, un cryptage est caché à l'intérieur de la photo. Mais avec ta bécane, on ne peut rien en tirer. C'est un veau, il lui faudrait des mois avant de reconstituer le message original. Les ingénieurs du SEFTI sont sur le coup ?

— Oui, ils planchent sur le courrier électronique et la photo depuis ce matin. Ils disposent de machines de la taille d'un meuble, enfermées dans une salle réfrigérée. Ce devrait aller beaucoup plus vite... En espérant que cela nous conduise quelque part.

— Je te l'ai dit, le processus de déchiffrement risque d'être très long. La puissance des processeurs fera gagner du temps, certes, mais je crains que nous n'obtenions pas la réponse avant une semaine ou deux.

— Nous verrons bien... De toute façon, nous n'avons pas d'autres pistes pour le moment que cette image... Il faut être fortiche en informatique pour faire ça ?

— Chiffrer ou déchiffrer ? Tu parles ! Un enfant de huit ans pourrait le faire ! Comme envoyer des mails. »

Une éclipse d'anxiété chassa le sourire de Thomas. « La mère de la femme assassinée a reçu la lettre ?

— Malheureusement... L'assassin l'avait glissée directement sous la porte au cours de la nuit... La mère a été emmenée en cellule psychologique à l'hôpital de la Pitié. Elle a essayé de se suicider à coups de Temesta... »

Après avoir quitté Thomas, je m'usai les neurones à comprendre le pourquoi de la signature chimique dans l'estomac de Martine Prieur. Le lieutenant Sibersky avait sans doute raison ; l'assassin cherchait peut-être à nous défier, nous, les policiers, les criminologues, les biologistes et psychologues. Peut-être souhaitait-il que nous entrions dans son jeu pour mieux nous observer, nous juger, nous jauger comme des rats de laboratoire. Peut-être allions-nous devenir les cobayes de ses sordides expérimentations.

Pour aller jusqu'à lui, je ne voyais qu'une solution, retrouver le lieu originel de cette eau...

* * *

Un vivarium aseptisé. Voilà à quoi me faisaient penser les locaux de la police scientifique et technique qui s'étiraient sur le quai de l'Horloge. S'y mouvaient les espèces les plus rares et omniscientes d'homo sapiens masqués, lunettes, gantés, décapés au désinfectant.

En cet endroit hivernal, se côtoyaient une bonne partie des termes en « gie » du dictionnaire, biologie, toxicologie, morphologie, anthropologie et autres... Sur les écrans des ordinateurs constamment allumés, circulaient des signatures vocales numérisées, des enchevêtrements violacés de filigranes, des tortuosités digitales, des visages virtuels rapiécés de réel, avec des nez, des yeux, des bouches qui se superposaient tour à tour pour former des combinaisons de faciès. Une batterie technologique à la recherche de l'invisible, à la conquête du rien qui contient le tout.

Thierry Dussolier, responsable du service de dactyloscopie, passa me chercher à l'accueil. À l'identique de ses clones, il portait une blouse en coton trop longue qui volait derrière lui comme une cape. « Suivez-moi, commissaire.

— Qu'a donné l'analyse de la lettre envoyée par l'assassin ?

— Rien du tout », répondit l'ingénieur. « L'ESDA, autrement dit, l'Electro-Static Document Analyser, n'a révélé aucune impression involontaire. L'échec de ce côté-là. »

Au détour d'un dédale de couloirs, l'ingénieur et moi-même pénétrâmes dans une pièce sans fenêtre, aménagée comme une chambre coquette ; lit en pin, cadres sur les murs, lampe de chevet, romans éparpillés sur une petite commode, téléviseur et chaîne hi-fi. Je me retrouvais face au mobilier de Martine Prieur, déplacé, consigné et agencé de la même façon, pour reconstituer, en laboratoire, l'environnement du crime. L'ingénieur ferma la porte et nous plongea dans une obscurité d'attente, de celles qui font saliver.

« Allons-y, commissaire... » Une lumière noire de Wood aux dominantes violacées gicla du plafond. L'invisible apparut, se grava sur mes rétines. Des centaines d'empreintes digitales, essaimées aléatoirement sur les meubles telles des pattes de chat et blanchies au cyanoacrylate, dansaient dans un ballet luminescent. Cette pièce dévoilait des histoires secrètes, des emballées nocturnes mises à jour comme une violence de plus perpétrée sur la femme. Mais, sous la nuée des étoiles digitales, se cachait peut-être un astre particulier, plus sombre que les autres, un magma de crêtes, de bifurcations, d'îlots et de lacs constituant l'empreinte de l'assassin.

Le scientifique m'exposa les éléments principaux, accompagnés d'une riche gestuelle. « L'assassin portait des gants en latex poudrés puisqu'on a relevé des traces de lactose sur les bords du lit, de la commode et... vous verrez dans un instant...

— À quoi sert cette poudre ?

— L'amidon, le carbonate de calcium ou le lactose, à l'intérieur des gants, facilite leur enfilage et accroît l'adhérence des doigts au latex. Lorsqu'on les enlève et les remet plusieurs fois, de la poudre se dépose sur la surface extérieure des gants, d'où les traces.

— Ces modèles sont-ils répandus ?

— Dans les domaines pointus, comme la chirurgie. On se les procure en pharmacie, mais il faut en faire la demande exclusive parce que, par défaut, le pharmacien donne des gants non poudrés. »

Le planétarium des empreintes offrait un spectacle de nuit d'été. Les désignant, je m'enquis : « En avez-vous relevé d'autres que celles de Prieur ?

— Non. Par contre, nous avons quelque chose de très, très intéressant. »

Je me rapprochai de lui, pupilles dilatées, respiration courte.

« Observez ce tableau-ci. » Il me désigna le poster d'un phare fouetté par une mer déchaînée, plaqué derrière une vitre vierge de toute marque digitale.

« On dirait... de la poudre... Du lactose ?

— Effectivement. Lorsque vous accrochez un tableau, vous le tenez forcément, à un moment donné, par les bords. Si vous regardez attentivement, on retrouve des traces de lactose sur les bords supérieurs gauche et droit. Et que voit-on sur les autres vitres autour de vous ? »

Je me tournai en direction des deux autres tableaux mouchetés d'îlots digitaux dans leurs angles. « Sur le sous-verre du phare, aucune empreinte. Juste les résidus de lactose... Par contre, sur les autres, des tonnes d'empreintes, celles de Prieur, mais pas de lactose. Cela voudrait dire...

— Nous avons relevé la présence d'alcool, de l'isopropyl, sur la vitre, elle a donc été nettoyée avant d'être accrochée. De plus, des techniciens sont retournés sur les lieux du crime. Le clou soutenant ce cadre était planté de biais, contrairement aux autres. Taille et matière différentes aussi.

— Donc, planté par quelqu'un d'autre que Prieur...

— Oui... On peut clairement avancer que ce tableau a été accroché par l'assassin... » La lumière noire rendait les yeux bleus de Dussolier étrangement lumineux, presque transparents, comme ceux d'un lapin éclairé par des phares. De son corps habillé de blanc radiait une aura vive, luminescente.

Je tirai une première conclusion qui, au vu des découvertes, coulait de source. « L'assassin aurait apporté lui-même ce tableau... Il nous offre un autre indice...

— Pardon ?

— Je pense qu'il a choisi volontairement les gants poudrés afin de nous orienter par le biais des traces jusqu'à ce sous-verre...

— Pourquoi ne pas laisser un mot *J'ai apporté ça*, s'il voulait réellement que nous nous en apercevions ?

— Parce qu'il nous teste ! Comme avec l'eau présente dans l'estomac ! Il veut nous mener quelque part, évaluer à quelle vitesse nous progressons. Il nous jauge, dissèque nos capacités d'analyse, d'organisation. Il est sacrément malin et possède une bonne connaissance de nos techniques d'investigation...

— Vous extrapolez un peu, vous pensez que tous ses gestes sont volontaires alors qu'ils ne le sont peut-être pas !

— Bien sûr que si ! Pourquoi n'avons-nous pas

retrouvé de lactose sur la victime ? Il a enfilé ces gants spécialement pour le tableau, avant ou après son travail sur Prieur, mais pas pendant...

— Vous avez raison... »

J'observai le poster et, brutalement, l'évidence me percuta de plein fouet. « Dites-moi si je fais fausse route, mais ce phare est bien composé de granit rose, n'est-ce pas ? »

L'ingénieur fit disparaître ses mains dans les poches de sa blouse. Avec les jeux de lumière, on aurait dit qu'elles avaient été coupées net, que seuls les poignets pendaient au bout des bras.

« À cent pour cent », fit-il en hochant la tête. « Ce n'est pas un phare mais plus précisément un feu, construit entièrement en granit rose. Il se niche à Ploumanac'h, au fin fond de la Bretagne, sur la Côte de Granit rose justement. Un endroit magnifique, un véritable havre de paix... Mais, quel est le rapport ? »

La lave du sang affluait sur mes joues. « Dites-moi, vous qui connaissez ce coin, pourriez-vous me dire si on y trouve des carrières de granit ?

— Oui, il y en a pas mal, notamment autour de Ploumanac'h. Vous savez, la Côte d'Armor est le berceau du granit... La plupart de nos pierres tombales viennent de là-bas... ou de Chine ! »

Lorsque je sortis du laboratoire, je commençais tout juste à réaliser à quel point la scène du crime avait été réfléchie, tracée au papier millimétré. La parfaite corrélation de l'eau dans l'estomac et du poster, avait pour but unique de me mener en Bretagne, à la recherche de quelque chose ou de quelqu'un dans une carrière de granit. Si tel était le cas, si je découvrais réellement des indices dans les Côtes d'Armor, alors se dressait devant moi une entité démoniaque à l'intelligence époustouflante...

Je consignai dans un bref rapport les premières conclusions de l'enquête et le rangeai, alors que la nuit déversait ses étoiles, sur le bureau de Leclerc.

Après avoir empilé deux costumes et des vêtements de rechange dans une valise que je calai à l'entrée du salon, je tirai, de dessous le lit, le ballast en liège sur lequel s'amarrait mon réseau ferroviaire – une boucle simple en rails ROCO, avec un tunnel et une gare – et posai délicatement Poupette sur son nouvel espace de liberté. Serpetti avait abandonné une notice gribouillée, indiquant le moyen de démarrer cette petite locomotive à la bouille sympathique.

Avec une pipette, je remplis le réservoir d'eau et celui d'huile, allumai le brûleur d'origine, laissai la chaudière monter en pression avant de pousser la manette située dans la cabine.

La magie s'opéra. Cylindres, pistons, bielles et manivelles s'activèrent dans un sifflement de vapeur. Poupette la timide se lança à l'assaut du rail, hésitante dans un premier temps, bien plus franchement au bout de quelques secondes. Elle crachotait de l'eau, sifflotait, fumait joyeusement. L'odeur des époques passées, des journées moites, montait dans la pièce, comme un parfum à la fragrance de feu, d'humidité. Une odeur qui m'emporta, pour une fois, loin de ma vie devenue noire comme le schiste.

Au moment où je fermai les yeux, l'image de Suzanne m'apparut. Elle portait sa robe de mariée et me souriait...

Chapitre trois

La Côte de Granit rose témoignait avec douleur des colères de la terre et de la force vive de l'érosion. D'immenses rochers, enchevêtrés dans un défi à l'équilibre, fendaient les eaux turquoise en figurines harmonieuses, affublées de noms évoquant : *la Tête de mort, la Tortue, le Père Trébeurden* ou encore, *la Femme dormante*. De ce chaos sans ordre apparent, s'échappait la beauté palpable du fanal de Ploumanac'h, puissamment ancré sur son socle de granit, son regard de pierre orienté vers les yeux ultramarins du grand large.

Je longeai la côte vers l'est, traversai un vieux pont qui enjambait un cours d'eau asséché avant d'arriver à Perros-Guirec où, d'après les indications de la carte topographique déployée sur le siège passager, se situait la plus grosse carrière de granit de la région. Une logique décidée par le tueur m'avait poussé jusqu'ici et j'espérais que les six cents kilomètres de trajet ne me resteraient pas en travers de la gorge tel un os de poulet.

À l'entrée du chantier, je ne me souciai pas des panneaux d'avertissement censés refouler les touristes et me garai à proximité immédiate du gouffre, sur une étendue terreuse et desséchée, où pelleteuses, camions-bennes et marteaux-piqueurs arrachaient l'écorce rosée des pans abrupts.

Je posais à peine pied à terre qu'un type casqué me barra le chemin de sa corpulence grasse à l'odeur de fût de chêne. « Vous savez pas lire les panneaux ! » hurla-t-il.

« Commissaire Sharko, police criminelle de Paris. Vous êtes le responsable ? »

Il me toisa avec un air de bête sauvage. « Nan. Le responsable est au fond. Peux voir vot' badge ? »

Je lui plaquai ma carte sous le nez. « Emmenez-moi auprès de lui. »

Il me tendit un casque jaune indien et bava, sans me regarder : « Y s'est passé quelq' chose de grave ? »

Je le bus du regard. « C'est ce que je cherche à découvrir... »

Il cracha un bolide de salive dans la poussière. « Voyez avec le patron, moi, j'm'occupe pas de ça. »

Le gouffre s'ouvrit devant mes yeux comme une gigantesque plaie sanglante. Toutes les nuances de rose s'accrochaient aux parois dans des mouvements de torsions et de cassures. Une cabine de métal, tractée par un système de poulies, nous déposa au fond après une descente vertigineuse. Les minuscules fourmis casquées, telles qu'elles le paraissaient depuis le haut, reprirent leurs formes rondes d'humains. Mon regard s'accrocha aux flaques qui jonchaient le sol poussiéreux. Eaux croupissantes de pluie étoilées de poussière de granit et de petites algues. Une copie conforme de ce qui avait été recueilli dans l'estomac de la victime. Une voix flûtée à l'intérieur de ma tête me dit que je me trouvais sur le bon chemin...

À ma grande déception, le feu nourri de mes questions posées au personnel ne révéla rien de particulier.

Difficile, lorsque l'on ne sait pas ce que l'on veut, d'obtenir des résultats. Un peu comme un chercheur dans une grande pièce vide se disant, *qu'est-ce que je vais faire aujourd'hui ?* J'espérais peut-être l'évidence, mais madame Évidence avait décidé de rester blottie loin de moi et je devais faire avec.

Le soir tombait déjà, mettant un terme momentané à mon escapade solitaire. Je ne m'en plaignis pas. Les huit heures de trajet m'avaient éreinté le dos, gonflé les yeux comme des bonbonnes de butane et j'éprouvai le besoin puissant de dormir. Je m'installai dans l'hôtel le plus proche et m'abandonnai aux plaines verdoyantes du sommeil, sans que rien, cette fois, réussisse à interférer...

J'en avais plus qu'assez. Deux nouvelles exploitations visitées, deux échecs.

À l'heure de midi, le lendemain, j'engloutis un sandwich au crabe dans une brasserie au bord de la plage et m'attaquai à la dernière carrière à explorer dans les environs de Ploumanac'h, celle de Trégastel. Psychologiquement, je m'étais préparé à retourner à Paris avec le poids de la déception dans les poches...

Lorsqu'on me déposa au fond de la carrière, l'ingénieur des travaux, un grand mince aux traits anguleux, comme décroché de la roche à coups de burin, ne jugea pas nécessaire de venir à ma rencontre. Je m'apprêtai à lui tomber dessus, mais, après un échange de chuchotements et de regards méfiants avec l'un de ses chefs d'équipe, il me fit signe d'approcher.

« Commissaire Sharko, police criminelle de Paris.

— La Crim', ici, dans ce trou au milieu d'un trou ? Que me vaut cet honneur ?

— Pourrait-on discuter ailleurs, on ne s'entend pas parler ! »

À quelques mètres, une pelleteuse à chenilles renversa un moellon de granit sur le sol dans un vacarme assourdissant. Personne ne réagit. Nous étions loin de l'ambiance feutrée des bureaux parisiens.

Nous pénétrâmes dans une cabane à travaux, une boîte de métal froissé, plus poussiéreuse encore qu'un sac d'aspirateur plein. Je préférai rester debout, de crainte de salir mon costume.

« Dites-moi ce que vous voulez, commissaire, et essayons de faire vite, s'il vous plaît. Il me reste une vingtaine de mètres cubes à faire sortir aujourd'hui et les gars sont moins responsables que des palourdes, pour peu qu'on les laisse trop longtemps seuls. »

Je répétai le discours que j'avais déjà tenu la veille et dans la matinée. « J'aimerais savoir si vous n'avez pas constaté d'événements étranges, de faits marquants, de choses sortant de l'ordinaire, dans un espace de temps allant, disons, de mai 2002 à aujourd'hui. »

Il souffla sur le dessus de son casque pour en chasser la poudre de roche. Ma veste s'étoila d'îlots poussiéreux.

« Oups ! Désolé ! » lança-t-il sur un ton presque amusé. « Le costume, ce n'est pas ce qu'il y a de mieux pour se rendre au fond d'une exploitation. »

Je l'assassinai du regard. « Répondez à ma question, s'il vous plaît !

— Non, rien de spécial. Vous savez, ici, vous êtes, pardonnez-moi l'expression, dans le trou du cul du monde. La seule chose que l'on voit de l'extérieur, ce sont les avions au-dessus de nos têtes ou les mouettes chiant sur nos casques.

— Pas de vols, de dégradations ? Pas de comportements suspects parmi vos ouvriers ?

— Rien de tout cela.

— Auriez-vous surpris quelqu'un en train de prélever de l'eau dans les flaques par terre ?

— Mais... Je n'en sais rien ! Dites-moi, pour quelle raison êtes-vous ici ?

— Pour une affaire de meurtre. »

Le masque de la frayeur recouvrit son visage. « Un meurtre ? Dans la région ?

— Sur Paris, mais des indices bien précis m'ont mené ici. »

Je lui posai encore d'autres questions qui ne me menèrent à rien, ce à quoi je m'étais préparé. « Bon... Je suis désolé d'avoir pris de votre temps.

— Il n'y a pas de quoi... »

Il me tendit la main, je la serrai en jetant : « Je vais quand même interroger vos ouvriers pour suivre la procédure. Sait-on jamais. Un détail pourrait leur revenir en mémoire...

— Ils... Ils n'ont pas le temps ! Nous avons des délais serrés. Si vous commencez à tous les interroger, nous allons prendre un retard fou ! Je dois sortir mes vingt mètres cubes avant 18 h 00, vous comprenez ça ?

— Je comprends... Mais ça ne prendra que quelques minutes... »

Au moment où je posai le pied dehors, le mot magique me statufia.

« Attendez... »

Je me tournai vers lui. « Quelque chose vous revient en mémoire ?

— Fermez la porte, s'il vous plaît. »

Je m'exécutai. Ses sourcils broussailleux marquaient une inquiétude franche. « Le seize juillet dernier, Rosance Gad a eu un accident et s'est écrasée au fond de la carrière. Elle a chuté de la face nord, celle par laquelle vous êtes arrivé tout à l'heure. Gad avait été embauchée l'année dernière, en février 2001, comme technicienne informatique, chargée de piloter les machines par ordinateur, des scies circulaires par exemple, pour la découpe des blocs en pavés... »

Connexion intersynaptique. Sécrétion d'adrénaline en masse. Feu brûlant dans tout l'intérieur du corps. Je tenais quelque chose...

« C'est tout de même un sacré détail que vous aviez oublié de me signaler ! Quel genre d'accident ?

— Gad était une sportive chevronnée, mordue de sensations fortes. Si vous observez bien les parois du pan nord, vous y découvrirez des mousquetons et des pitons. Elle remontait par là deux soirs par semaine. Une soixantaine de mètres d'ascension.

— Ce genre de pratique n'est-il pas interdit sur un site en exploitation ? Qu'en pensait l'inspection du travail ?

— Certains de nos hommes sont habilités à travailler sur paroi, là où les bras mécaniques ne peuvent aller. L'escalade, le travail sur pans verticaux, fait partie du métier.

— Gad avait-elle ces autorisations ? Respectait-elle les consignes de sécurité ? Quel matériel utilisait-elle ? »

Il me toisa d'un œil de félin. Un félin qui jouait de la patte face à un grizzli beaucoup plus fort que lui.

« Écoutez, commissaire, on a eu droit à un défilé d'inspecteurs, du travail et de police. Tout était parfaitement en règle. Je leur ai déjà tout raconté, alors, s'il vous plaît, abrégez.

— Très bien. Comment est-elle tombée et de quelle hauteur ?

— Le médecin a estimé, d'après les dégâts causés par la chute, qu'elle était tombée d'une dizaine de mètres. Un des mousquetons s'est rompu...

— Un mousqueton, vous dites ? C'est pourtant extrêmement solide.

— Des mousquetons cassent, des élastiques se rompent, des parachutes ne s'ouvrent pas et des pétroliers coulent. Que voulez-vous que je vous dise ?

— Travaillait-elle au fond, auprès des hommes ?

— Oui, mais elle restait dans la roulotte, là où est installé le matériel informatique. Nous n'avons jamais eu de soucis avec elle. Très bon élément... Dommage que ce soit arrivé...

— Était-elle jolie ? »

Une lueur se déploya dans ses yeux, comme un reflet tranchant. « Euh... Pas plus que ça...

— Vous mentez mal. Comment la trouviez-vous, personnellement ?

— Pas mal... À quoi jouez-vous, commissaire ? »

Il se détacha de la table où il s'était accoudé. Je rétorquai d'une voix aigrelette : « Quel type de relations entretenait-elle avec vos hommes ? »

Yeux creux, lèvres tremblantes, flambée sous les chairs.

« Co... Comment ça ? Je... Je vous laisse, inspecteur...

— Commissaire, pas inspecteur... Restez encore un peu, s'il vous plaît. Je n'ai pas terminé.

— Pas le temps. »

Il se jeta sur la porte de la boîte de conserve mais je l'attrapai par la blouse. « Pas terminé, j'ai dit ! » Je le propulsai vers l'intérieur. Il se claqua une cuisse sur un coin de table, ce qui lui arracha un cri de bête sauvage.

Il vomit : « Bon sang ! Vous êtes cinglé ou quoi ? Je vais...

— Vous allez quoi ?

— Je...

— Vous allez répondre à mes questions, ou alors nous pouvons nous rendre dans un endroit beaucoup plus sympathique appelé salle d'interrogatoire !

— Il vous faut un mandat, quelque chose comme ça !

— Vous me cherchez ! Je reviens dans une heure avec une convocation ! »

Il reprit sa place bien sagement et balbutia : « Très bien... Je vous écoute.

— Je suppose qu'une fille ravissante doit être courtisée assez souvent, dans ce trou du cul où aiment à chier les mouettes ?

— Elle... elle est en effet sortie avec plusieurs gars... Mais les relations extra-professionnelles ne me concernent pas. »

Je tapai du poing sur une table de métal pliante. Les petites cuillères sursautèrent dans leurs tasses à café. « Écoutez-moi ! Une femme a été assassinée d'une manière peu catholique ! Le tueur m'a emmené jusqu'ici, alors maintenant, vous allez me dire ce qui tourne autour de cette fille ! »

Il alluma une cigarette. La pulpe de ses doigts, tartinée de nicotine, ne laissait aucun doute quant à son avenir, cancer du poumon ou de la gorge avant cinquante ans. « Elle... n'était pas très bien dans sa peau... Je veux dire... dans sa vie privée...

— Expliquez-moi !

— Elle ne s'est jamais cachée de ses idées lugubres, de son goût pour... les choses bizarres...

— Quel genre de choses ? »

Il fit glisser un filet de fumée entre ses dents, jaunes elles aussi. La cigarette semblait l'avoir apaisé et sa langue se déliait. « Connaissez-vous la composition physique du diamant, commissaire ?

— Non. Quel rapport ?

— Le diamant est composé à 99,95 % de carbone

pur, mis sous très haute pression. Mais il reste un infime pourcentage d'impuretés, de l'azote ou du bore, entre autres. Elles sont quasiment invisibles, cependant on devine leur présence lorsque certains photons, entrant en collision avec elles, dévient de leurs trajectoires initiales, changeant ainsi de façon très sensible le spectre lumineux. Quel que soit le diamant, quelle que soit sa taille ou son prix, ces impuretés sont impossibles à extraire. Tous les diamants sont souillés, commissaire.

— Où voulez-vous en venir ?

— Pour vous dire la vérité, cette femme était un diamant, une beauté fatale. Vous la contempliez comme une pierre précieuse et vous lui donniez le bon Dieu sans confession. Mais en elle, se cachaient des choses insoupçonnées, des tourbillons de machiavélisme. C'était une bête féroce, un démon comme vous ne pouvez vous imaginer... »

Un contremaître de chantier arriva en trombe dans la cabine. « Chef, on a besoin de vous ! Y a le géomètre qui nous fait ses quatre cents coups. Il refuse que nous attaquions le pan R23. Il veut faire rappliquer des ingénieurs sécurité ! Il va nous mettre en retard, cette espèce d'abruti...

— J'arrive ! »

L'ingénieur se coiffa de son casque. « Écoutez, commissaire. Rejoignez-moi dans trois heures, vers dix-neuf heures, à la crêperie de Trestraou, sur la plage de Perros-Guirrec. Nous en rediscuterons... Je vous raconterai tout ce qu'il y a à raconter... »

Il disparut dans un coup de vent, le front beurré de sueur.

* * *

85

Assis seul à une table pour quatre dans la crêperie de Trestraou, je me commandai une bolée de cidre, impatient d'écouter les réponses de José Barbades, l'ingénieur de la carrière de Trégastel. J'avais l'impression d'avoir remué en lui des tourments passés, des souvenirs enterrés profond, scellés et destinés à ne plus jamais émerger. Quelles obscures relations entretenait cette fille, Rosance Gad, avec les ouvriers du chantier ?

Une femme était morte au creux de cette carrière dans des circonstances peut-être différentes de celles rapportées par l'évidence. Plus de six cents kilomètres et presque deux mois et demi séparaient le cadavre de Rosance Gad et celui de Martine Prieur ; pourtant, se levait en moi le sentiment qu'un solide filin unissait ces deux femmes. Pourquoi l'assassin m'aiguillait-il dans cette voie ?

José Barbades ne me fit pas attendre. Il arriva avec cinq minutes d'avance, le teint cireux, les yeux rougis par le tracas. Un velours couleur pois cassé lui tombait jusqu'aux chevilles et, au travers du dernier bouton ouvert de sa chemise, jaillissait un entrelacs de poils qui montaient jusque dans son cou. Il jeta une œillade discrète autour de lui avant de s'asseoir en face de moi.

« Je vous commande quelque chose à boire ? » demandai-je.

« Même chose que vous... Écoutez, je suis marié, j'ai un enfant. Je compte sur votre discrétion pour ne pas mettre à nouveau le feu aux poudres. Ce que je vais vous révéler doit rester entre nous...

— Je ne peux pas vous faire une telle promesse, mais croyez bien que ce n'est pas le genre de choses que j'ai l'habitude d'ébruiter. Vous savez, je viens de l'ombre et je repartirai dans l'ombre, sans que plus jamais vous ne voyiez mon visage... Parlez-moi de Rosance Gad, de cette bête démoniaque, comme vous disiez tout à l'heure... »

Il se pencha vers moi par-dessus la table, brisant la distance froide qui circulait entre nos chairs comme un arc électrique.

« Ça a commencé quatre mois après son arrivée au chantier. Un de mes gars est sorti avec, le temps d'une soirée. Elle lui a déballé le grand jeu, champagne, restaurant, promenade sur la plage... Vous savez, les gars se racontent leurs secrets entre eux et j'ai les oreilles partout. C'est à l'hôtel le Bel Air, un trois étoiles à l'ouest de Lannion, que ça s'est produit... »

Il s'envoya une rasade de cidre avant de continuer d'une voix peu assurée. « Elle a fermé la chambre à clé, puis a sorti un attirail de folie de son sac. Cordes, cravaches en cuir, pinces crocodile, bougies, bâillons en plastique...

— Quelle sorte de bâillons ?

— Une balle traversée par une lanière de cuir. Elle en possédait de toutes les couleurs et de toutes les tailles. La balle se place dans la bouche et, avec la lanière, on serre autour de la tête. Quasiment pas un son ne sort de la bouche. Un truc de taré... »

Je me rappelai les traces de plastique rouge relevées sur les incisives de Martine Prieur. Ce type de gadget aurait pu assurément lui atrophier les glandes salivaires.

« Continuez, je vous prie...

— Dois-je vraiment entrer dans les détails ?

— C'est primordial...

— Quand il l'a vue déballer son matos, il a bien failli prendre ses jambes à son cou et pourtant, il est resté, scotché par ses pulsions, par son envie d'explorer les territoires inconnus du masochisme. »

Il se baissa plus encore, le cou et le dos presque parallèles à la table. « Elle l'a attaché en croix au lit, bras et pieds écartés. Si fort qu'il a senti ses membres s'engourdir et les marques sont restées plus d'une journée autour de ses poignets. Puis elle l'a bâillonné, s'est elle-même déshabillée et s'est mise à jouer avec son sexe, à le masturber. Elle avait chaussé des talons aiguilles et, avec le talon, elle lui a martelé les bourses. Elle lui a aussi versé de la cire brûlante à la base du pénis. Ses jeux cruels ont duré des heures et des heures... »

Il secouait la tête, rattrapé par des images et des éclats de souvenirs blessants. J'avais la certitude que ce type parlait de sa propre expérience.

« Vous savez ce que nous a raconté l'ouvrier ? » continua-t-il en considérant avec insistance mon alliance.

Des perles de sueur vinrent s'emprisonner dans la pépinière de ses sourcils. Je me contentai d'envoyer sur un ton inquisiteur : « Dites-moi...

— Il a avoué qu'au travers de la douleur, il n'avait jamais ressenti une telle jouissance, un sentiment d'exultation abominable, quelque chose qui le poussait à vouloir toujours plus... Il a pris son pied comme jamais avec... le démon... sans qu'il y ait le moindre rapport sexuel ! Il a atteint, raconte-t-il, l'orgasme, gonflé par le manque, l'insatisfaction, les assauts répétés des pointes de douleur... »

Le manque... Le manque de rapport sexuel avait causé l'orgasme...

« Et elle, Gad, prenait-elle autant de plaisir ?

— Elle jouissait à chaque fois qu'elle le tortu-rait... »

Une recherche du plaisir par le culte de la souf-france, voilà ce qui liait le tueur et Gad. Une envie écœurante d'aller au-delà des tabous, de briser les règles de la tolérance à la douleur. Une manière de toucher l'exaltation suprême en faisant abstraction du sexe. Ce qui expliquait que Prieur n'avait pas été violée. Je demandai : « Combien d'hommes sont passés entre ses mains ? »

Il s'étrangla avec une gorgée de cidre. Une rafale de postillons s'écrasa sur la table. « La curiosité est un poison, tout comme la recherche de chair et de plaisir. Qu'y a-t-il de plus excitant que de braver les interdits, d'aller là où personne ne va ? » Il désigna mon alliance. « Parlez-moi franchement, commissaire. Vous êtes marié. Pourquoi la Criminelle ? Qu'est-ce qui vous pousse à remuer tout ce qu'il y a de plus noir en notre monde, à traquer le mal, à vivre dans le sang et la terreur ? »

Je me sentis aussi mal à l'aise que lui. Dans un échange de bons procédés, je me devais de lui répondre avec franchise. « Pour vaincre la routine, m'éjecter du terrain plat qui guide notre vie jusqu'à la mort sans une seule bosse, sans le moindre creux. Oui, j'aime la traque, le sang et l'odeur d'un assassin. Enfin, une partie de moi l'aime, et c'est certainement la plus mauvaise, mais c'est aussi la plus forte, celle qui prend le dessus, comme le jumeau dominant dans le ventre maternel... »

Un drôle de sourire lui écarta les lèvres. « Je vois qu'on se comprend, commissaire. Nous sommes tous pareils, parce que nous sommes tout simplement humains... Oui, plus de la moitié des hommes ont expérimenté ses trouvailles...

— Vous y compris ? »

La main qu'il se passa sur le front lui ferma les yeux. « Oui...

— D'où croyez-vous que cette fille tenait son

savoir sur les techniques sadomasos ? Parlait-elle lors-qu'elle se trouvait en votre compagnie ? Lisait-elle des revues spéciales ? Côtoyait-elle des gens du milieu ?

— Tout ce qu'elle pouvait déblatérer pendant les jeux SM, n'était qu'un chapelet d'injures et de mépris. Personne ne connaissait rien de sa vie, autre que ce qu'elle voulait bien nous livrer... C'était une sale pute ! Une putain de salope ! »

Je m'accoudai à la table. « Écoutez. Il faut que j'en sache plus à son sujet. Peut-être que vos ouvriers connaissent des faits que vous ignorez et qui peuvent être importants pour mon enquête. Je vais aller les interroger, au risque de déterrer de vieux fantômes.

— Ne remuez pas la merde, commissaire, je vous en prie. Chacun d'entre nous souhaite oublier cette fille. Laissez les gars en dehors de ça.

— Pourquoi les couvrez-vous ainsi ? »

Il se plaqua au fond de la banquette, la nuque posée sur le rebord et les yeux limite vitreux dirigés au pla-fond. « Parce qu'ils n'ont jamais eu d'histoire avec elle. Il n'y a eu que moi... Moi et moi seul... » Il se tut, puis ajouta : « Vous devriez aller voir ses parents. Ils vous en apprendront plus sur elle... Je vous ai dit tout ce que je savais... »

* * *

Le père de Rosance Gad n'était pas le genre de type à croiser le soir au détour d'une rue un peu trop sombre.

Quand il m'ouvrit, le globe du ventre à l'air et les poils du torse luisants, il serrait dans la main une machette ensanglantée et j'entendais, jaillissant de

l'arrière-cour, les gloussements désespérés des vola-
tiles pris de terreur. Le type mesurait au minimum un
mètre quatre-vingt-dix et l'instrument tranchant paraissait bien ridicule dans sa main de la taille d'une bûche.

« C'est une heure pour déranger les gens ? » me
balança-t-il au visage en essaimant ses postillons sur
mon costume. Il puait le calvados artisanal, cette
espèce d'alcool à brûler sorti des entrailles d'un vieil
alambic rouillé.

« Je suis le commissaire Sharko. J'ai quelques questions à vous poser, à propos de votre fille.

— Ma fille ? Elle est morte. Qu'est-ce que vous lui
voulez ?

— Je peux entrer ? Et je serais extrêmement rassuré
si vous posiez votre machette... »

Il se mit à rire comme un ogre, une main sur l'estomac.

« Ah ouais, la machette ! C'est pour les poules.
C'est ce soir qu'elles passent à la casserole ! »

Il s'écarta et me laissa pénétrer dans ce qu'il aurait
été déplacé, voire outrageant, d'appeler une maison.
Même à grand renfort de Kärcher industriel, se lancer
dans le nettoyage du carrelage aurait relevé de la folie.
Quant à la tapisserie, elle rappelait, en moins neuf, les
lambeaux de rubans autour des momies.

« J'aimerais savoir, monsieur Gad, comment votre
fille occupait son temps libre et ses soirées. »

Il s'envoya une rasade de tord-boyau. « Z'en
voulez ?

— Non, merci, possible que je reprenne la route
bientôt...

— Ah ouais, vous êtes flic, j'oubliais... Jamais d'alcool, c'est bien ça ? Savez pas c'que vous perdez.
Mon père disait qu'il valait mieux la compagnie d'une
bonne bouteille que celle d'une femme. Parce que la

bouteille, elle, elle se plaint jamais... Pas comme les grosses... »

Nouvelle gorgée. « Rosance n'était pas souvent ici. Je la voyais jamais le soir, parce que moi, je travaille de nuit. Et les week-ends, elle partait sur Paris. Elle cramait la moitié de sa paie là-bas et dans le TGV.

— Que faisait-elle sur Paris ?

— J'en sais fichtre rien, ce qu'elle foutait là-bas. Elle voulait jamais en parler. Vous savez, moi, j'suis assez libéral. À la mort de ma femme, c'est moi qui m'suis occupé de la p'tite. J'ai fait c'que j'ai pu, mais j'ai pas ça dans les tripes, moi, vous savez, les choses maternelles, les bonnes manières et tout le tintouin. J'la laissais faire c'qu'elle voulait, tant qu'elle gagnait sa croûte... Mais j'suppose que vous êtes là parce qu'elle avait fait des conneries sur Paris, non ?

— C'est ce que j'essaie justement de savoir. Quelles étaient ses fréquentations ?

— J'sais pas... » Nouvelle lampée d'alcool, puis silence.

« Vous n'avez jamais rien constaté d'anormal, chez elle ? Pas de... choses bizarres ? »

Des larmes lui montèrent aux yeux. « C'était ma p'tite fille, et elle est morte... J'veux pas avoir à me rappeler... C'est trop dur ! Laissez-moi tranquille ! »

Seul, comme un naufragé au milieu de l'océan. Livré à la solitude la plus blessante, au chant cinglant du vide et de l'abandon.

Une seule alternative s'offrait à moi : *la technique du sacrifice rentable*. « Dites-moi, si on buvait un verre, avant d'aller tordre le cou à ces fichus poulets ? Entre nous, j'ai la main. Mon père tenait une ferme. »

Je perdis plus d'une heure à observer et participer à un spectacle aux dominantes rouge vif, où les têtes volaient comme des bouchons de champagne sous le coup de la hache, mais j'obtins l'autorisation d'aller jeter un œil dans la chambre de la fille.

Le père n'avait jamais trouvé le courage d'y fourrer les pieds. Nous le fîmes ensemble... La chambre paraissait propre par rapport au chaos général qui régnait dans la maison. Si la fille avait dissimulé des secrets, ce serait forcément ici... Je ne découvris rien. Pas une revue, pas un agenda, aucun numéro de téléphone gribouillé sur un coin de feuille. Nulle trace de ce matériel sadomaso dont m'avait parlé l'ingénieur de carrière. Que des vêtements sobres empilés, un lit bien fait, des armoires rangées avec soin, à peine couvertes d'un film de poussière. « Vous ne veniez jamais ici, même quand elle était en vie ?

— Nan. J'respectais son intimité, quoi qu'on en pense. J'la laissais faire ce qu'elle voulait. Y a qu'une fois où elle m'a foutu en rogne, c'est quand elle est rentrée de Paris avec un piercing sur la langue. Les tatouages, je m'en tapais, mais les piercings, j'pouvais pas admettre. Ça me dégoûtait.

— Des tatouages qu'elle se faisait faire à Paris ?

— Ouais.

— Vous savez dans quel quartier ?

— Ben nan. J'suis jamais allé à Paris. Comment voulez-vous que je sache ? En tout cas, ça ressemblait à pas grand-chose, ces trucs qu'elle se faisait graver sur le corps.

— C'est-à-dire ?

— Ben... J'me souviens plus trop... Des figurines bizarres, comme des diables...

— Quelle sorte de diables ?

— J'me rappelle plus. Et puis y avait aussi des mélanges de chiffres et de lettres. Elle a jamais voulu me dire ce que ça signifiait. »

Parfois, lorsque l'on marche en bordure d'océan où

le temps paraît clément, il arrive qu'une bourrasque surgie de nulle part nous percute en pleine figure. Je ressentis exactement la même chose à ce moment-là.

Je lançai à Barrique-de-calvados : « Vous vous souvenez de ces inscriptions ?

— Z'êtes fou ? J'me souviens même plus du nom de mon clébard, mort y a cinq ans. J'sais pas. Ça doit être une espèce de maladie. Des trous de mémoire, comme ça. Un jour, j'oublierai de respirer ou de pas péter en public.

— Vous permettez, je donne un coup de fil rapide...

— Allez-y. Tant que c'est pas avec mon téléphone... »

Sibersky décrocha.

« Sharko à l'appareil. Dis-moi, as-tu la lettre de l'assassin sous les yeux ?

— Je... J'allais partir... Attendez, je retourne à mon bureau... Voilà, je l'ai.

— Peux-tu me relire le passage où il parle de son scalpel ? Des meurtrissures qu'il lui inflige ?

— Euh... J'y vais : *Sa peau s'écartait d'une façon presque artistique lorsque j'enfonçais ma lame sur ses petits seins fermes, ses épaules, son nombril. À la lecture si méticuleuse de son corps, je trouvais toutes les réponses à mes interrogations...*

— Arrête ! J'ai la réponse !

— Mais ? Mais quelle réponse ? »

Gad portait sur elle le code qui allait permettre de décrypter la photographie du fermier. Tout prenait un sens. Je briefai rapidement Sibersky avant de raccrocher, puis m'engageai dans le fond de la chambre. « Je peux regarder sur l'ordinateur ? »

Le père était scotché à sa bouteille, sa compagne de virée, sa peluche de verre qui l'accompagnait dans ses

94

longues embardées solitaires. « Faites », cracha-t-il. « J'ai jamais su utiliser ces saloperies. Pour moi, c'est de la merde en boîte. »

En appuyant sur le bouton, j'entendis le crissement de la pointe de diamant sur la surface du disque dur, puis plus rien. Écran noir. Données effacées. Disque formaté. Quelqu'un était passé ici avant moi...

« Vous travaillez la nuit, vous dites ?

— Ouais. Trois fois sur quatre, j'rentre que le matin, à 6 h 00.

— Pensez-vous que quelqu'un aurait pu pénétrer ici en votre absence ?

— Vous êtes pas bien ? Pour quelle raison il aurait fait ça ?

— Regardez vous-même. Il n'y a rien ici, à part des vêtements ! Rien qui rappelle la présence de votre fille. Les données de l'ordinateur ont été effacées. Pas une photo, pas une seule revue, que dalle ! Monsieur, je vais demander à ce que la police ouvre une enquête sur les circonstances de la mort de votre fille. Ce n'était peut-être pas un accident... »

Il me regarda d'un air de poule au riz, le visage fulminant de colère. « Qu'est-ce que vous voulez dire ?

— Qu'elle a peut-être été assassinée par le même tueur que celui d'une autre femme, sur Paris. Monsieur Gad, si vous voulez connaître la vérité, il va falloir que j'exhume le corps de votre fille.

— Quoi ?

— Je vais demander à ce qu'on déterre votre fille. Elle portait une inscription sur le corps, un indice très important qui a toutes les chances de nous rapprocher du tueur. »

Il fracassa sa bouteille contre la tapisserie avec la violence d'un batteur de base-ball. Joli geste.

« Tu vas laisser ma fille où elle repose ! Fous-lui la paix, bordel de Dieu ! »

Il s'approchait de moi, les contreforts de son torse bombés comme des barils à poudre, me dardant des yeux à cailler le lait. Je me glissai sur le côté sans chercher à le provoquer et osai, en me retranchant dans l'escalier : « La paix, elle ne la trouvera que lorsque j'aurai mis la main sur le pourri qui l'a assassinée... »

* * *

Avant de retourner à l'hôtel pour taper le rapport sur mon portable et le transmettre par e-mail à mes supérieurs ainsi qu'à la psy, je marchai le long de la plage de Trestraou, les chaussures dans la main. Des langues d'écume et de sel venaient me lécher le bout des orteils, luisantes sous les flambeaux rougeoyants de l'un des derniers soleils de septembre.

Au préalable, avant de réclamer officiellement l'exhumation du corps de Rosance Gad, j'avais téléphoné à l'ingénieur de carrière José Barbades, lui demandant s'il se souvenait des inscriptions tatouées sur le corps de Gad. Il m'avait signalé qu'effectivement, elle portait bien des tatouages, dont un qui représentait une espèce de sigle, juste sous le nombril. Bien entendu, il n'avait jamais cherché à en retenir la composition, trop occupé à se faire labourer les fesses par les lanières mordantes du martinet.

Le maire de Perros recevrait, demain dans l'aprèsmidi, les papiers autorisant l'exhumation. Richard Kelly, le juge d'instruction, connaissait son boulot et le poids de ses responsabilités. Il ne m'aurait pas laissé extraire un corps de sa tombe, l'agresser dans sa tranquillité souterraine, s'il n'avait pas pressenti que cette femme était la pièce qui cachait le sac d'or. Cette histoire de photo codée l'intriguait, mais certainement pas autant que moi. Qu'allait-elle nous révéler ? Quelle horrible vérité se nichait derrière le cliché de ce pauvre fermier collectant ses betteraves ? Quelque chose trottait dans ma tête, une chose horrible... Et si le message codé dévoilait... la suite de son itinéraire sanglant ? Comme une espèce de carte au trésor où chaque point crucial représenterait... une victime ?

Un nuage effilé coupa le soleil en deux, au ras de l'horizon, dans un feu d'artifice de rose, d'orange et de violet. Je m'assis contre un rocher d'où jaillit un petit crabe qui se faufila entre mes pieds avant de rejoindre une flaque translucide. Je jetai un regard circulaire autour de moi et, contre toute attente, me laissai envahir par les larmes jusqu'à ce que ma poitrine se soulevât dans des soubresauts d'amertume. Je pensais à Suzanne, à mon impuissance, à sa souffrance, à ma colère. L'ignorance me rongeait comme un acide à la douceur de l'hydromel, lent et indolore, efficace dans sa traîtrise. L'immensité bleue qui s'ouvrait devant moi accueillait mes pleurs dans son silence marin, les entraînait avec elle au loin et les gardait précieusement au fond de ses eaux, comme des coffres destinés à ne jamais être ouverts.

Sur la pointe bretonne, loin de chez moi, je me sentais seul... et ballotté de tristesse...

* * *

Je passai une grande partie de la journée suivante – la veille de l'exhumation – au commissariat de Trégastel, à relire les dossiers, les actes de décès, à interroger les témoins de la mort de Rosance Gad.

97

Tout avait été bâclé. Pas d'autopsie, un minimum de paperasse ; selon eux, l'accident était une évidence. Vite enterrée, vite oubliée. J'avais l'impression, justifiée, que ma présence ne leur faisait pas plaisir et que, hormis la lecture quotidienne de la rubrique nécrologique dans *Le Trégor*, on préférait s'affairer autour d'une partie de belote mouvementée plutôt que de réduire modestement la délinquance qui se répandait alentour.

De retour à l'hôtel, j'en profitai pour brancher mon ordinateur portable sur la prise téléphonique et me connecter à ma messagerie. Une tonne de publicités polluantes se déversèrent dans ma boîte aux lettres, genre *Buy Viagra Online* ou alors *Increase your sales rate of 300 %*. Je pris enfin le temps de me désabonner de ces mailing-lists auxquelles, a priori, je ne m'étais jamais inscrit, puis terminai la soirée en surfant sur le Net, avec, pour objectif, les techniques de cryptographie. Clic, moteur de recherche. Clic, site de cryptographie... Clic, clic, description de la machine Enigma utilisée par les Allemands durant la guerre. Clic, clic, clic, les jeunesses hitlériennes. Clic, le néonazisme. Clic, page personnelle d'un skinhead. Clic, moteur de recherche. Clic, clic, propagande nazie. Clic, clic, clic, messages d'incitations à la violence. Clic, clic, photos de juifs, une arme sur la tempe. Clic, clic, film d'un Noir en train de se faire démolir le portrait. Durée du film, une minute et quatorze secondes. Daté de cinq jours...

En me couchant, j'eus une suée en songeant aux milliers, aux millions de personnages qui, devant leurs écrans d'ordinateurs, se repaissaient tranquillement, un verre à la main, de tout ce que la loi interdisait...

* * *

Sur les sépultures perlaient de petites gouttes de rosée, fraîches et spontanées, perdues sur la frontière de la nuit et du jour.

Au cœur du cimetière de Trégastel, la silhouette du thanatopracteur se découpait dans la brume légère du petit matin comme une tombe parmi les autres. Il ne broncha pas à mon arrivée, le visage vergeté de froide rigidité. Il était étonnamment jeune, vingt-cinq ans, trente maximum, mais je lus, quelque part au fond de ses yeux, des échardes d'ennui et de lassitude. Derrière lui, contre une palissade, deux fossoyeurs communaux grillaient une cigarette.

« Il fait un peu frisquet ce matin ! » risquai-je pour engager un semblant de conversation. Le praticien me déshabilla d'un air coupant, serra le nœud de sa cravate couleur mort et se replongea dans sa bulle de silence.

« Le maire devrait arriver avec un médecin-conseil de Brest », continuai-je en m'adressant à la sépulture humaine.

« Vous croyez que ça me plaît de faire ça ? » me lança-t-il d'une voix presque aussi grave que celle d'un baryton.

« Pardon ?

— Vider des cadavres, leur coudre les yeux et les lèvres, et ensuite les déterrer comme pour les violer une seconde fois, vous pensez que ça me fait plaisir ? »

L'homme et le thanatopracteur, tout comme l'homme et le flic, ennemis enfermés dans un même corps, unis comme deux os d'un squelette...

« Moi aussi, j'ai horreur de ce genre de choses »,

99

répliquai-je avec une réelle franchise. « Je dois même vous avouer qu'à l'heure qu'il est je ne suis pas plus rassuré qu'une poule dans un train fantôme... Ce n'est jamais de gaieté de cœur que l'on arrache les morts à leur tranquillité. »

Ma flèche de sincérité le toucha. « Vous avez raison, il fait frisquet ce matin... »

Je m'approchai de lui. Mes pas craquaient sur les gravillons, perdus dans la forêt figée de croix et de béton. « Dites-moi, avons-nous une chance de retrouver le corps en bon état après plus de deux mois ?

— Cette pauvre fille avait les trois quarts des os brisés par la chute, les membres complètement retournés et le visage démoli. Mon métier est difficile, mais je le fais bien, et certaines personnes vont jusqu'à me dire que je suis doué.

— C'est-à-dire ?

— Vous voulez des détails, les voici. J'ai vidé le corps de son sang pour le remplacer par du formaldéhyde. J'ai remis les os à leur place. J'ai aspiré l'urine, le contenu de l'estomac, les gaz intestinaux, et j'ai nettoyé une seconde fois la dépouille à l'aide de savon antiseptique avant de l'habiller. Les techniques d'inhumation font que le corps se conserve parfaitement pendant plus de quatre mois. Normalement, vous devriez le retrouver beau comme un sou neuf... »

Les deux retardataires arrivèrent enfin, pas plus heureux que mon compagnon des brumes. Des pans d'inquiétude se décrochaient de leurs visages.

« Allons-y ! » ordonna le maire sur un ton franchement glacial. « Réglons cette affaire, et le plus vite possible ! »

Les deux fossoyeurs se chargèrent du descellement du caveau et de la remontée du cercueil.

Autour de moi, mines graves et regards fuyants.

L'acajou grinçait au contact des sangles, tel un cri de douleur arraché au bois vernis.

Au basculement du couvercle, lorsque se présenta l'intérieur sobre et trop ordonné du cercueil, je ressentis tout contre ma joue l'effleurement d'une main osseuse. Celle de la Mort...

Au travers du pinceau de lumière projeté par ma Maglite, une main, sortie du linceul très blanc, apparut tournée vers moi, les doigts repliés en contradiction avec le mouvement implorant des mains. Un suaire en batiste couvrait le visage comme une tendre caresse et le long du cou cascadaient des cheveux encore châtains, légèrement ondulés. Puisque personne ne remuait l'ombre d'une phalange, je pris l'initiative d'ausculter la surface du corps. Au toucher, la toile qui enveloppait la dépouille rapiécée craqua comme un linge frais. Les jolis vêtements qu'elle portait, certainement ses plus beaux, me firent croire un instant qu'elle dormait. Je déboutonnai le tailleur, puis le chemisier d'une main de plume et mon cœur se souleva, à la limite de se briser, lorsque m'apparut la blancheur mortelle de sa poitrine. La peau ondoyait en plis à peine visibles, comme la surface d'une mer calme, mais on sentait que les escouades de l'au-delà s'affairaient activement sur tout ce qui rappelait encore la vie.

Sur le sein gauche se déployait la gueule d'une espèce de bouc, une représentation maléfique que l'on dénichait dans les vieux grimoires de sorcellerie. Plus proche de son épaule droite, s'érigeait une croix celte enroulée d'un serpent, une sorte de vipère blanche aux crocs de sang. Le tatouage qui m'intéressait apparut, arqué autour du nombril. Les lettres rouges commençaient à se replier sur elles-mêmes telles des fleurs fanées. Je tirai légèrement sur la peau et lus : BDSM4Y.

Je demandai d'attendre avant d'inhumer le corps, le temps d'un coup de fil. J'avais prévenu Thomas Serpetti de la possibilité d'un appel la veille au soir.

Il décrocha au bout de la deuxième sonnerie et me lança : « Je suis prêt. Donne-moi le code. »

Je lui dictai les cinq lettres et le chiffre constituant un terme dont je n'avais, pour le moment, pas saisi la signification. « Alors, raconte-moi ! » m'impatientai-je.

« Bon sang, ça passe ! Le logiciel recherche maintenant le bon algorithme de déchiffrement... AES-Rijndael, Blowfish, Twofish... Il y en a pour une petite heure, je pense. La liste des différents algorithmes est assez importante. Je te rappelle dès que c'est terminé ! Que penses-tu que l'on va découvrir derrière ?

— Quelque chose qui me fait peur, Thomas... »

Chapitre quatre

Le bureau du chef de la Crim', dans son assemblage de linoléum défraîchi, de meubles surannés et de rideaux passés, portait dans sa moelle de bois la prestance d'un lieu culte, ancien et précieux, où l'austérité aiguise les sens au point de révéler l'inattendu. Des frottures du chêne, des auréoles de café qui persillaient l'immense table de réunion, au centre de la pièce, grésillaient les voix diaphanes, mélancoliques, des grands enquêteurs qui s'étaient succédé dans l'anonymat.

J'installai le rétroprojecteur, mains moites et lèvres pincées, tandis qu'un public anxieux prenait place autour de la table. Les lieutenants Sibersky et Crombez, Martin Leclerc mon divisionnaire, trois autres OPJ de la Crim', Van de Veld le légiste, deux techniciens du SEFTI et une dizaine d'inspecteurs. Une concentration d'intelligences, de réflexion, un assemblage de personnalités vouées à une cause unique, hormis le cheveu sur la soupe, le psy Thornton.

Élisabeth Williams, la psycho-criminologue, arriva et s'installa face à moi. Brushing laqué, deux-pièces rayé, visage fermé. Une façade d'église.

Nous nous apprêtions à plonger dans l'univers du tueur, dans ce monde embrasé par le vice, un terrain marécageux débordant de pourriture et de furie.

Lorsque Sibersky tira les rideaux, j'appuyai sur le bouton du rétroprojecteur.

Un cône éblouissant de lumière blanche projeta sur un écran perlé la photo d'une femme. L'explosion vive de douleur qui ressortait de chaque grain du cliché, creusa les fossettes, troua les bouches, plissa les traits en racines noueuses de stupeur.

J'essayai de donner de la consistance à ma voix. « Dans l'e-mail que j'ai reçu durant la nuit du premier meurtre, il y a six jours, se trouvaient cachées deux photos, à l'aide d'un procédé appelé stéganographie. L'une d'elles a été tirée de face, et l'autre, celle-ci, de dos. Le tueur nous livre sa prochaine victime... »

Le cliché révélait une femme de dos, agenouillée nue sur un sol de béton. Une pellicule de chair pas plus épaisse que du tulle cachait à peine le serpent annelé de sa colonne vertébrale. Ses omoplates devenus couperets tendaient la peau à la faire craquer, et le réseau complexe de nœuds et de cordages qui entravait le corps, semblait se dresser comme un dernier rempart à sa dislocation.

« Des pointes de bois de différentes tailles ont été plantées à divers endroits du dos, avec des inclinaisons et des degrés de profondeur variables. L'extrême maigreur de cette fille est due à une sous-alimentation évidente, voire une absence totale de nourriture, probablement depuis plusieurs jours. Pas de traces apparentes d'urine ou d'excréments sur le sol, ce qui indique que son ravisseur veille à ce qu'elle reste propre... »

Oreilles dressées, regards tendus, fronts luisants. L'assemblée décontenancée s'accrochait à chacun de mes mots comme un breuvage salvateur. Le légiste perça le silence. « Le teint de la peau laisse présumer qu'elle est encore vivante, n'est-ce pas ? »

Je chargeai la seconde photo sur l'écran de l'ordinateur portable. Un cri mort, comme un râle, s'échappa des lèvres de Thornton. L'un des inspecteurs sortit dans l'urgence, l'estomac révulsé.

Le visage de la fille exprimait un degré de souffrance palpable, un instantané de douleur arraché au présent, fixé pour l'éternité sur le papier et dans les pensées de chacune des personnes ici présentes. Deux clous lui perforaient la pointe des seins, mariant la chair et le bois d'une solide table dans une étreinte sanglante. Un arc de métal, en forme de fer à cheval, pénétrait dans sa bouche pour la maintenir ouverte et deux mâchoires d'acier lui écrasaient les tempes de manière à lui interdire un quelconque mouvement latéral de la tête. Face à chacun de ses yeux, dardait un pic aiguisé au mouvement longitudinal réglable par des vis papillon.

« Oui, à voir l'expression de ce visage, il n'y a aucun doute qu'elle était vivante au moment de la photo. Mais l'est-elle toujours aujourd'hui ? Si oui, alors cela signifie que celui qui a tué Martine Prieur s'occupait de cette femme-là en parallèle... »

Je pointai un faisceau laser au centre du cliché, appliqué dans les pénibles explications que je me forçais à donner. Mes propres mots me glacèrent le sang. « L'engin qui lui immobilise la tête est un appareil stéréotaxique, utilisé par les laboratoires de vivisection dans le but de réaliser des expériences sur les animaux. »

Je basculai sur la première photo en enfonçant la touche *Page up* du clavier. « La pièce semble assez vaste, très sombre. Il doit s'agir d'une cave ou d'un local privé de fenêtres. Un lieu isolé où il peut agir en toute sécurité, sans crainte d'attirer l'attention. »

Élisabeth Williams prenait des notes sur un petit

carnet à la couverture de cuir. Le maître qui écoutait l'élève.

« Avez-vous la moindre idée de l'endroit où elle pourrait se trouver, d'après ce que vous avez pu apprendre en Bretagne ? » me demanda le divisionnaire en battant du stylo sur la table.

« Absolument pas. La seule chose que je sais, c'est que le tueur nous donne ces photos comme une récompense à nos investigations. Nous avons découvert le code, il nous autorise à pénétrer dans son intimité. À ce niveau, il y a deux solutions ; ou la scène du crime dissimule un autre indice qui mène à cette femme, ou l'assassin se joue de nous, purement et simplement. Qu'en pensez-vous, mademoiselle Williams ? »

Elle posa son carnet sur la table ainsi que sa paire de lunettes. « Je vous laisse terminer, monsieur Sharko. Mais vos conclusions me paraissent intéressantes.

— Hum... Très bien. J'ai demandé le concours du SRPJ de Nantes pour l'ouverture d'une enquête sur Rosance Gad. Cette fille entretenait, d'une manière ou d'une autre, une relation physique ou morale avec le tueur. Elle est le maillon qui peut nous rapprocher de lui.

— Le tueur aurait pris le risque de nous entraîner sur un terrain qui nous permettrait de le coincer ? » harponna le divisionnaire d'un ton dubitatif.

« Non, je ne pense pas qu'il se soit ouvert à une telle fantaisie. Cette fille a eu peut-être des relations sados avec lui sans jamais connaître son identité. La chambre de Rosance Gad a été visitée, j'en ai la conviction. Et tous les indices semblent disparus. En particulier, les données de l'ordinateur ont été effacées, comme chez Prieur. Donc aucune trace évidente...

— Pourquoi efface-t-il les disques durs ?

— Je n'en sais rien. Peut-être connaissait-il ces filles depuis Internet ? À creuser... »

J'éteignis le rétroprojecteur. « J'ai terminé. À vous, mademoiselle Williams.

— Euh... Oui, j'arrive. » Elle chaussa ses lunettes et s'éclaircit la voix avant de s'élancer dans son monologue.

« Tout d'abord, messieurs, je ne suis pas magicienne, ni voyante. Je ne sors pas non plus d'une série télévisée, armée de dons surnaturels. Ne vous attendez donc pas à ce que je vous donne un portrait-robot de l'assassin qu'il suffirait d'accrocher sur les pare-brise de vos voitures ou à la boucherie du coin... » Des étirements de lèvres, bribes de sourires, délièrent les nerfs. Le divisionnaire Leclerc envoya un coup de coude dans les flancs de Sibersky, d'un air de dire *et en plus elle est comique !* Williams laissa le calme s'approprier les lieux, avant de continuer. « J'ai dressé un bilan exhaustif des rapports, des témoignages et des photos qui sont passés entre mes mains. Je ne parlerai que superficiellement de la lettre envoyée au commissaire Sharko, l'analyse méticuleuse de son contenu me prendra un peu plus de temps. D'ordinaire, il me faut plus d'une semaine pour dresser un premier état des lieux, alors, messieurs, soyez indulgents... Monsieur Sharko a tiré des conclusions très pertinentes de la scène du crime. À l'évidence, le tueur souhaitait que nous retrouvions Martine Prieur le plus rapidement possible, d'où, entre autres, la porte laissée ouverte. Ce qui peut nous amener à penser que la femme sur les photographies, exposées par monsieur Sharko, est toujours vivante. Parce que, dans le cas contraire, l'assassin aurait cherché à se manifester et à nous montrer... son trophée. »

« La plus grande caractéristique de ce meurtre, comme des éléments photographiés sur la deuxième femme, demeure l'aspect sadique, manifesté par une cruauté extrême tant physique que mentale. Le sadique trouve l'exaltation au travers de la durée de l'acte. Il gardera sa victime vivante le plus longtemps possible, l'utilisera comme un objet destiné à satisfaire ses fantasmes. À ses yeux, elle ne représente rien et il s'en débarrassera avec autant de remords qu'un mouchoir en papier usagé. »

Elle plaqua ses mains à plat sur le bois lisse de la table.

« D'ordinaire, ce type de torture est accompagné d'actes sexuels qui, s'ils ne s'expriment pas par une pénétration, ressortent au travers de la mutilation des organes génitaux, seins tranchés, vagin prélevé ou déchiré. Dans sa lettre, il précise clairement, je cite, *qu'il ne l'a pas baisée, mais qu'il aurait pu*. Par cette précision, il veut prouver qu'il n'est pas impuissant, mais que l'acte sexuel ne revêt qu'un aspect secondaire dont il peut se passer sans aucune difficulté. Il en résulte un comportement atypique par rapport à la majorité des tueurs en série, qui, pour la plupart, ont des rapports sexuels post mortem. De plus, en général, on note des points communs entre le physique des victimes ; couleur ou longueur de cheveux, tailles ou plastiques semblables. Ici, je n'en ai relevé aucun. La première victime était blonde, celle des photos châtaine. L'une assez grande, l'autre plutôt petite. Sans oublier Rosance Gad, qui, s'il l'a effectivement tuée, présente un physique encore différent. »

Elle se servit de l'eau dans un gobelet de plastique et s'humecta les lèvres. « N'hésitez pas à m'interrompre si je vais trop vite... Le tueur est un joueur, il aime prendre des risques et cherche par des moyens détournés à se faire remarquer. Provocations envers la police, lettre détaillée, photographies de ses victimes... Par ces biais, il trouve le moyen de prolonger son acte, ce qui peut lui permettre de se satisfaire lorsqu'il ne tue pas... Il veut absolument nous faire partager ses sensations, sans pour autant nous donner plus d'informations sur son identité. Ce type de personnage aime suivre le déroulement de l'enquête criminelle, ce qui traduit un besoin de contrôle qui progresse. A priori, il connaît monsieur Sharko, puisqu'il lui a adressé en premier lieu ce courrier. Gardez donc un œil sur toutes vos relations, journalistes, indics, agents d'entretien et même livreurs de pizzas, ainsi que les anciens suspects ou coupables qui sont passés entre vos mains. »

Ses propos sortaient naturellement, comme si les pensées de l'assassin et de ses victimes s'étalaient devant ses yeux et qu'elle se contentait de les interpréter.

« La scène du crime, organisée, signifie que le meurtre a été scrupuleusement préparé, sans doute des semaines, voire des mois à l'avance. Ce type de tueur ne laisse rien au hasard ; victime isolée, plein d'essence toujours fait, voiture entretenue pour préserver sa fuite. Il ne connaît pas forcément ses victimes, de façon personnelle je veux dire, mais s'attache à étudier attentivement leur environnement, leurs habitudes, les lieux où elles se rendent, qui elles fréquentent. Le meurtre, perpétré durant la nuit, et les tortures infligées à la deuxième femme dans une durée pouvant s'étaler sur plusieurs jours, portent à penser que le tueur est célibataire, que son métier lui permet d'accorder du temps à l'étude ainsi qu'à, pardonnez-moi le terme, l'entretien de ses victimes. »

Œil scrutateur dans l'assemblée : « La façon dont il l'a ligotée est une technique appelée *bondage*. Cela vous dit quelque chose ? »

Neuf personnes moi y compris, sur la quinzaine présente, levèrent la main. Elle reprit. « Cela vaut donc le coup que j'explique. Cette science du ligotage nous vient du Japon. Elle représente, à l'origine, un art sur corps à base d'entraves. Sachez que certains *bondageurs* japonais sont aussi célèbres que de grands sportifs ; les places pour leurs séances de ligotage se monnaient à prix d'or et ils ont pour public des chefs d'entreprise, des avocats ou des cadres frustrés du nœud. Bien entendu, cet art originel s'est vite dégradé lorsqu'il s'est répandu dans les milieux sadomasochistes. Le bondage propose un panel impressionnant de techniques, un peu comme le Kāma Sūtra qui évolue de la position simpliste du missionnaire jusqu'à des combinaisons beaucoup plus évoluées, genre *la brouette japonaise* ou *l'enfoncement du clou.* »

Des rires plus francs dégivrèrent l'atmosphère. « Ici, la technique employée s'appelle le Shibari : bras ligotés à l'équerre dans le dos, entraves pressant les seins, chevilles attachées et repliées sous les cuisses, corps paraissant encoconné dans une toile d'araignée. L'une des techniques les plus complexes, elle ne s'improvise pas. Le tueur sera peut-être abonné à des revues pornographiques, disposera de nombreuses cassettes vidéo, écumera les milieux sados ou sera adepte d'un club japonais. Parlons un peu des statistiques du FBI, dressées parmi des tueurs en série interrogés pour le programme VICAP, dont, bien entendu, nous ne trouvons pas d'équivalent en France vu le nombre très réduit de tueurs en série manifestes. Ce type de personnage a un quotient intellectuel supérieur à la moyenne, au-dessus de 110, pour un âge compris entre 25 et 40 ans. Sa mine inspire confiance, il est propre et bien habillé. Ses préférences sexuelles tournent autour de la pornographie, du fétichisme, du voyeurisme ou du sadomasochisme dans plus de 70 % des cas. Selon le VICAP, 85 % sont de race blanche, 75 % possèdent un emploi stable et, dans les deux tiers des cas, tuent dans un endroit proche de leur lieu d'habitation... Finalement, tous se disent incapables d'arrêter de tuer et d'ailleurs, ils n'en voient pas l'intérêt... Nous savons donc à quoi nous attendre... »

Une question fusa.

« Vous parlez de tueurs en série depuis le début. Vous pensez réellement que l'assassin de Martine Prieur en est un ?

— À l'évidence, oui. Pour toutes les raisons que je vous ai exposées précédemment... Le tueur classique ou de masse ne se vanterait pas de ses exploits, ne chercherait pas à provoquer. Et les scènes de crimes seraient beaucoup, beaucoup moins élaborées. N'oublions pas, de surcroît, que nous avons deux victimes potentielles et un meurtre effectif, ce qui est le facteur le plus convainquant...

— Mis à part les statistiques, disposons-nous d'éléments concrets, de certitudes qui s'appliqueraient à notre tueur ? » interrogea Leclerc.

Elle répondit avec discipline. « Il est droitier...

— Comment ça ?

— Les nœuds de corde sont tous faits de la même façon, l'extrémité droite passe dans la boucle constituant le nœud. Un gaucher procéderait à l'envers... Ce point n'était pas signalé dans le dossier, mais je suppose que vous l'aviez remarqué, non ? »

Bouches cousues dans l'assemblée.

« On ne peut pas dire que le fait qu'il soit droitier élimine beaucoup de monde », intervint avec un rire jaune Thornton. « Dites-moi, mademoiselle Williams, il me semble que les meurtriers en série ont un modus operandi qui n'évolue jamais d'un meurtre à l'autre.

111

Dans ce cas, pourquoi aurait-il essayé de faire passer pour un accident le meurtre de Rosance Gad, si cela en est effectivement un ? Et pourquoi ne le revendiquer que maintenant ? »

L'eunuque du cerveau, pour une fois, se risquait à frôler la barre haute de l'intelligence.

Sans se laisser désarçonner, elle déclara : « Considérons l'aspect temporel des événements. Les deux dernières manifestations du tueur demeurent très rapprochées, voire simultanées ; toutes deux, des scènes de souffrances extrêmes. Les meurtriers en série en sont rarement à leurs premiers délits lorsque débute la série. Certains ont déjà tué dans leur adolescence, d'autres se servent d'animaux pour assouvir leurs fantasmes, un peu comme un terrain d'entraînement. Il est fort possible qu'il ait entretenu des rapports particuliers avec Rosance Gad qui ont réveillé des pulsions endormies au plus profond de lui. Puis, sur le coup, la peur d'être découvert l'a fait maquiller le crime en accident. Mais à présent, la chrysalide est devenue papillon et, comme ces individus aiment à le faire, il revendique ce meurtre, tel un trophée oublié qu'il faut ressortir du grenier. »

Thornton se recala au fond de sa chaise, le stylo entre les mâchoires. Calmé, apparemment.

« Votre avis sur la tête tranchée ? Les yeux extraits puis replacés dans leur orbite ? » questionnai-je en agitant la main.

« Difficile de vous parler de l'ensemble de mes conclusions, sinon la réunion durerait la journée... Vous lirez mon rapport. Cependant, je vais répondre à votre question maintenant que vous l'avez posée. Le tueur cherche à atteindre un but, l'exaltation suprême dans l'acte de tuer, qui, ici, se traduit par un rituel sanglant. Le rituel lui permet de retirer une profonde satisfaction de l'acte de torture en lui-même. En lui ôtant la tête, il s'approprie sa victime. Le plus étonnant reste cette expression du visage de Prieur, une bouche tordue de douleur, des yeux suppliants dirigés non pas vers le plafond, mais au ciel. Il a travaillé cette face comme un sculpteur modèle sa pierre. Il veut nous transmettre un message et, croyez-moi, je planche dessus en m'orientant notamment sur la piste religieuse. Mais je préfère ne pas vous en dire plus, car l'étude est loin d'être aboutie. Rien d'autre ? » Elle envoya une œillade circulaire. « Très bien. Merci de votre attention, messieurs... »

La salle se vida dans une nuée de chuchotements et de regards bas. Le discours s'était érigé à la hauteur de mes attentes et une bonne partie de mes interrogations avait trouvé réponse.

« Joli exposé ! » envoyai-je à la psycho-criminologue alors qu'elle s'apprêtait à partir. « Vous avez chassé le scepticisme de certains à grands coups de phrases marteau.

— Monsieur Sharko... Il me semble avoir déjà vu votre visage bien avant aujourd'hui, mais je ne me souviens plus où.

— J'ai assisté à presque toutes vos conférences.

— Vous avez une très bonne approche dans vos rapports. Vos analyses sont pointues et précises. Elles m'ont grandement facilité le travail.

— Je vous offre un café ?

— J'ai un rendez-vous important, commissaire, et je suis déjà en retard. Une autre fois, très certainement... À bientôt... »

Thornton m'interpella avant que j'entre dans mon bureau.

« Assez scolaire comme analyse, non ?

— Pardon ?

« — Le monologue de Williams. On dirait du rabâchage de bouquin sur les tueurs en série. N'importe qui aurait pu faire la même chose.

— Certainement pas vous, en tout cas. »

Il s'adossa contre un mur, pieds croisés et observa le bout de ses ongles manucurés. « J'ai appris que vous aviez insisté pour... comment dire... m'écarter de vos plates-bandes.

— En effet. Et alors ?

— Alors, il semblerait que vous ayez échoué. » Il s'engagea dans la descente d'escalier. « Je crois que nous serons amenés à nous revoir souvent, commissaire ! Plus souvent que vous ne l'espériez ! »

* * *

Alors que je dévorais le rapport d'Élisabeth Williams, Sibersky débarqua dans mon bureau, des feuilles brandies au-dessus de la tête.

« Je crois savoir d'où vient l'appareil stéréotaxique de la photo ! »

Je levai le museau : « Annonce ! Et vite !

— J'ai interrogé les labos de vivisection possédant ce type d'appareil. L'un d'entre eux, en banlieue, s'est fait attaquer par le FLA, Front de Libération des Animaux, voilà quelques mois. Les loustics lui ont piqué son matos.

— En route ! »

Une soixantaine de kilomètres à l'ouest de Paris. Le laboratoire d'Huntington Life Science, HLS, dressait ses flancs de béton au bout de la zone industrielle A de Vernon, au cœur d'une étendue herbeuse taillée à l'anglaise. Un bâtiment haut de gamme, à la pointe du modernisme avec ses toits en forme d'ailes delta et ses vitres fumées en plexiglas. Au poste de garde, avant l'accès au parking privé, un molosse roux qui avait tout d'un épagneul déraciné de sa niche, jugea bon de se mettre au travers de notre chemin, comme si la barrière abaissée ne suffisait pas.

« Je peux voir votre badge ? » aboya-t-il.

« Pas de badge », rétorquai-je. Je passai par la fenêtre la carte colorée. « On a appelé le directeur dans l'après-midi. Il est d'accord pour nous recevoir.

— Ne bougez pas, s'il vous plaît...

— Il a un beau pelage, vous ne trouvez pas ? » marmonna Sibersky avec un sourire évocateur.

Le chien de garde échangea quelques mots dans son émetteur-récepteur avant de lever la barrière. « Circulez !

— T'es un bon toutou... » lança à voix basse mon collègue lorsque nous roulâmes au pas devant le gardien, avant d'ajouter : « Je me demande comment on peut travailler là-dedans. Ça ressemble à une gigantesque chambre de torture... »

Je pensais plutôt à un camp d'extermination aux apparences de paquebot de luxe, où chaque cabine renfermait un piège de métal, froid et inondé d'aboiements désespérés, de douleur gratuite ou de total irrespect pour la race animale. Tout cela dans l'unique but d'embellir des thons par le biais du maquillage...

Un assistant nous guida dans un labyrinthe de couloirs poinçonnés d'éclats crus de lampes au néon. Chaque porte close rappelait la porte précédente, chaque pas en avant semblait nous laisser sur place, comme si le bâtiment lui-même n'était qu'une succession de blocs identiques reproduits à l'infini et encastrés les uns derrière les autres. Pas de fenêtres.

Juste le hurlement du silence, palpable et lourd comme un brouillard de glace. Encore des escaliers, devant. Puis d'autres couloirs... Finalement, l'assistant nous abandonna dans le bureau du directeur.

Trapu sous sa blouse de scientifique, l'homme de l'ombre parcourait un rapport massif dont je saisis le titre avant qu'il ne le pose, face cachée, sur son bureau : *Techniques de débarking au laser de classe A*.

« Débarking, ça veut dire désaboiement », me glissa Sibersky à l'oreille. « Un moyen moderne d'éviter que les chiens gueulent trop... »

« Avancez, je vous prie », nous lança d'une voix coulée dans le marbre l'individu à la mèche de cheveux rebelle. Tout de suite, je l'identifiai comme la réincarnation humaine d'un animal à sang froid, un reptile aux yeux de jade, à la peau rocailleuse, dépourvu de la notion de bien ou de mal. Ce type ne pouvait tenir d'autre place que celle qu'il occupait, directeur d'un laboratoire de vivisection.

« Nous avons quelques questions à vous poser », fis-je en m'approchant de lui.

« Je sais. Faites, mais vite ! J'ai beaucoup de travail », grinça-t-il avec un air d'homme agacé.

Je m'installai en face de lui sur une chaise à roulettes. Sibersky, tendu comme un nerf de bœuf, préféra la position verticale.

« Il y a cinq mois, le sept mai plus précisément, vous avez commandé chez la société Radionics deux appareils stéréotaxiques, des tables et boîtes de contention, des... attendez, je sors mes notes... canules de collision, une chaise Ziegler et divers matériels aux noms tout aussi charmants, suite à une action menée par le FLA. Pourriez-vous nous en dire plus à ce sujet ?

— Le Front de Libération des Animaux... Les

salauds... » Il mima un geste de basketteur, propulsant une boulette de papier à dix centimètres d'une corbeille, puis échangea avec mon lieutenant un regard qui aurait foudroyé un paratonnerre. « Ils sont intervenus dans la nuit du premier mai. Nous avons porté plainte pour vol et dégradation au commissariat de Vernon. Vous pourriez peut-être vous rapprocher d'eux ?

— Dites-nous-en un peu plus sur le FLA...

— Au départ, le mouvement est anglais ; il a fait son apparition en France voilà un an. Un commando antivivisection composé d'hommes peu violents mais organisés. Ne cherchez pas là-dedans des fous de guerre ou des adeptes de l'ultraviolence. La plupart d'entre eux ne mangent pas de viande, nagent avec les dauphins ou élèvent des animaux. Mais ces empoisonneurs nous pourrissent l'existence ! »

Les rayons du soleil entraient souillés par la large vitre fumée qui éventrait le mur ouest, tel un gigantesque pan d'observation. La vie lumineuse de l'extérieur semblait, elle aussi, refoulée aux portes de ce blockhaus, ne laissant place qu'à des dégradés de sombre sur des visages taciturnes.

« Ils vous ont donc volé tout ce matériel », repris-je.

« Non. Juste démoli, au point que nous ne pouvions quasiment plus l'utiliser. Vous savez, nos flacons supportent assez mal les coups de batte de base-ball. Seuls quelques instruments avaient disparu. »

Sibersky se décolla du mur du fond. « Quels instruments ? »

Le directeur tendit un regard de vipère en direction du lieutenant. Les deux hommes s'étripaient des yeux. Le nazi répondit : « Un appareil stéréotaxique et du petit matériel, des scies électriques, des bandages, des pansements, des antiseptiques, des anesthésiques, notamment de la kétamine... »

117

Le lieutenant me pressa l'épaule. Je perçus le poids de la crispation à l'extrémité de ses doigts. Le directeur se dirigea vers la baie et toisa le ciel rendu sépia par le teint de la vitre. Sa main s'ouvrait et se fermait dans son dos comme un cœur battant. Je constatai à voix haute : « Quelque chose semble vous troubler, monsieur le directeur...

— Savez-vous que les assurances nous obligent à filmer de jour comme de nuit les laboratoires ? Nous sommes tenus de garder les cassettes un an et six mois, après quoi nous avons l'autorisation de les effacer ou les détruire.

— Cela signifie que vous possédez l'enregistrement vidéo de cette fameuse nuit ?

— En partie, jusqu'au vol. D'ordinaire, les membres du FLA ne touchent jamais aux caméras. Ils préfèrent que nous profitions pleinement de leurs... comment dire... élans de bravoure... Mais apparemment, une ou plusieurs personnes sont revenues sur les lieux peu de temps après le départ des troupes. Elles ont brisé les caméras, puis ont embarqué du matériel... Je me suis toujours demandé ce qu'elles pourraient bien faire d'un appareil stéréotaxique... »

J'envoyai une œillade discrète à mon collègue. « Peut-on visionner ce film ? »

L'Adolphe au pan de cheveux plaqué au front se tourna vers nous. « Vous êtes bien conscients que vous abusez de ma générosité, j'espère ?

— Je suppose que vous y trouvez votre intérêt. Si nous mettons la main sur cette organisation, vous vous voyez débarrassé d'un fléau. Je me trompe ?

— Hum. Allons-y... »

Il appuya sur un bouton. « Je pars en salle de visio II. Qu'on ne me dérange pas ! »

Il nous invita à le suivre. À nouveau ces couloirs

vides, comme creusés sous la terre. Géométries strictes, perspectives infinies. En passant devant une porte ouverte, je perçus les gémissements d'un chien. Mais des gémissements faibles et très lents, une plainte langoureuse à l'intensité émotionnelle telle qu'elle s'infiltrait en moi et me bouleversait. Il y avait dans cette complainte ce quelque chose d'universel, qui, malgré la barrière de la langue ou de l'espèce, vous fait ressentir avec acuité la souffrance d'autrui. Le beagle gisait là, sur une table en aluminium, allongé sur le dos. Les pattes attachées en croix essayaient, dans des mouvements incroyables de torsion arrachant la peau et les chairs, de se libérer des lanières. Avant que je ne pusse m'enquérir davantage, le directeur se glissa devant nous et claqua la porte d'un geste sec.

« C'est droit devant vous ! Continuez, s'il vous plaît ! »

L'image de la femme torturée me revint en tête. Nous arrivâmes à destination. Nous devions évoluer sous la surface du sol, n'ayant cessé de descendre des volées et des volées de marches.

Comme dans un abri antiatomique...

Ô vision divine ! Une petite plante grasse, fausse bien entendu, tentait d'arracher à la tristesse de la salle un soubresaut de gaieté. Le directeur ouvrit l'armoire étiquetée *Premier semestre 2002*. Il choisit méticuleusement la cassette adéquate et l'introduisit dans un magnétoscope.

L'intervention du FLA se révéla brève et fracassante. Comme si l'on avait lâché une équipe de footballeurs américains surexcités dans une cristallerie. Les individus masqués, coordonnés à la perfection, avaient commencé par libérer les chiens, les chats, puis les lapins et les souris, et la horde des animaux s'était ruée d'un bloc poilu dans les couloirs, telle une arche de Noé en perdition. Dans le bordel général, la pièce avait été réduite, sous les assauts répétés des battes de base-ball, en une bouillie de verre pilé, un amoncellement de débris laminés par la rage.

L'ouragan avait duré quatre minutes trente secondes. Puis, trois minutes plus tard, des coups sur les objectifs des différentes caméras mettaient un terme au film.

« Voilà le travail », jeta le directeur en pressant le bouton *stop* de la télécommande. « Intéressant, n'est-ce pas ?

— Vous avez remis une copie de ce film au commissariat de Vernon ?

— En effet. Ce film et ceux des autres caméras, qui présentent la scène sous des angles différents. Mais vos collègues ne semblent pas très actifs en ce qui concerne les recherches... Disons que leurs préoccupations paraissent ailleurs. »

Nous remontions lentement les escaliers lorsque je ressentis comme une onde à l'intérieur de ma tête. Des hurlements de chiens... J'entendais des hurlements de chiens. Je glissai à l'oreille de Sibersky, alors que le directeur marchait devant nous : « Tu entends des chiens hurler ?

— Oui... C'est très léger, mais je les entends... C'est dégueulasse... »

Des sons aigus, déchirants, des plaintes désespérées montaient désormais de façon plus intense. On torturait des chiens, on réalisait des expériences sur eux... Réaliser des expériences... Je fis un brusque rapprochement qui me poussa à demander au directeur : « Dites-moi, y a-t-il une SPA dans le coin ? »

Le directeur rejeta sa mèche sur le côté d'un coup de tête, puis répondit : « Vous savez pertinemment que les opposés s'attirent... Vous trouverez leur bâtiment à trois kilomètres d'ici, en continuant le long de la route par laquelle vous êtes arrivés. » Sourire niais : « Pourquoi, vous allez porter plainte contre nous pour outrage à animaux ? »

À l'extérieur, Sibersky nargua le gardien, l'Épagneul, en faisant mine de lui jeter un os, puis me questionna : « Je n'ai pas bien compris pour la SPA. Pourquoi voulez-vous qu'on se rende là-bas ?

— Que JE me rende là-bas. Je te dépose au commissariat de Vernon. Collecte un maximum de renseignements. Peut-être nos collègues se sont-ils efforcés, en grands passionnés... », je lui décochai un sourire, « de retrouver ces types du FLA. Tu te feras raccompagner au 36 par l'un des brigadiers. Après, va faire un tour au quai de l'Horloge et donne aux techniciens une copie des cassettes. Ils pourraient découvrir des détails qui nous ont échappé. Il ne faut rien négliger...

— OK. Mais pour la SPA, vous ne m'avez toujours pas éclairé.

— Pour taire une intuition... Tu te souviens de la vieille Black, ma voisine ?

— La femme aux beignets de morue ?

— Oui. Elle pense avoir un certain don pour... deviner les choses... Elle me parle à chaque fois de chiens qui hurlent, qui gémissent dans ses pensées... » Je m'arrêtai de justesse à un feu rouge auquel je n'avais pas prêté attention. « Lorsque nous avons entendu ces cris, tout à l'heure, ça a fait comme un tilt. L'origine de ces hurlements vient de la souffrance qu'endurent les bêtes sous l'effet de la torture, aussi moderne soit-elle... La torture, comme celle infligée à cette femme sur les photographies. Tu sais quoi ? J'ai le sombre pressentiment que le tueur s'est entraîné sur des chiens avant de passer à l'acte grandeur nature... »

La SPA de Vernon abritait sous son arche plus de quarante-sept chiens et quelque soixante-douze chats. Le vétérinaire qui m'accueillit était un Sénégalais aux lèvres impressionnantes, tels des quartiers de pample-mousse. La peau aride de son visage peluchait au niveau des pommettes et du front, et ses yeux, au blanc plutôt cireux, laissaient penser qu'il avait attrapé une maladie fiévreuse, genre malaria.

Le cabinet sentait le mélange des races, une odeur de poils et d'oreilles infectées, imprégnée dans l'es-pèce de moquette faisant office de tapisserie. D'épais blocs de verre translucides constituant une vitre, per-mettaient à la chevelure verte des cyprès de s'expri-mer dans une espèce de flou artistique.

« Qu'est-ce qui se passe, monsieur le policier ? » me lança le praticien avec un accent pas si lointain de celui de Doudou Camélia. Il avait la fâcheuse manie de glisser des w à la place des r.

« J'aimerais savoir si vous disposez d'un fichier regroupant les disparitions d'animaux de compagnie.

— Bien sûr. Le fichier national, qui recense les ani-maux perdus, abandonnés ou disparus. Comme vous vous en doutez, il ne prend en compte que les chiens tatoués.

— Et vous avez moyen de l'interroger ? »

Il se glissa derrière son ordinateur, un Macintosh der-nier cri avec la pomme croquée à l'arrière de l'écran.

À voir ses lèvres et son front de la taille d'un terrain de football, je l'aurais imaginé avec des doigts énormes, mais ils étaient ciselés tels les instruments tactiles d'une jeune couturière et volaient avec aisance sur les touches du clavier.

« Annoncez-moi votre requête ! »

Un vent léger ballottait les feuillages des cyprès et

la masse verte ondoyait au travers des pavés vitrés. Je me plaçai côté écran.

« Indiquez-moi les chiens et chats disparus dans le coin, entre le premier mai et aujourd'hui.

— Chiens ou chats ? Je dois choisir !

— Chiens...

— Chiens... Localisés à Vernon, sur un rayon de... disons trente kilomètres... Trente kilomètres, ça vous va ?

— Parfait. »

L'ordinateur moulina quelques secondes, la mémoire vive se chargea avant de rendre le verdict.

« Cent seize chiens disparus.

— Vous pouvez regrouper par ville et trier par ordre décroissant ?

— Attendez... F8... Voilà... »

Pas de flagrance. Au maximum quatre chiens disparus par ville ou village, sur des périodes de temps échelonnées et non ponctuelles. Aucun point commun. Rien.

« Vous pouvez essayer sur les chats ?

— C'est parti... »

Résultat pire encore. Inexploitable... Quelque chose me poussa à insister : « Vous pouvez refaire la requête avec les chiens, mais en étendant sur un rayon de soixante kilomètres ?

— On peut », répliqua le praticien. « Mais là, on commence à taper sur Paris et il risque d'y en avoir un sacré paquet... Je peux me permettre une remarque, monsieur le vénérable policier ? »

Ce type avait-il été battu par les flics dans une vie antérieure pour entretenir le culte de la crainte à ce point ? Ou alors les voyait-il comme des êtres suprêmes, des espèces de dieux moustachus débarqués sur Terre dans un panier à salade bleu ? Je m'exclamai : « Mais bien sûr, allez-y ! »

Il bascula sur l'écran précédent en pressant la touche F3.

« Je ne sais pas exactement ce que vous recherchez, mais si c'est un endroit à forte concentration de disparitions de chiens, c'est visible comme le nez au milieu de la figure ! Et je peux vous dire que mon nez se voit ! »

Mon cœur se souleva. « Montrez-moi ! »

Il pointa le doigt à quatre endroits différents sur l'écran.

« Quatre villages ou petites villes, séparés de pas plus de cinq kilomètres les uns des autres à une vingtaine de kilomètres d'ici, au sud. »

Des noms de bleds que je ne connaissais même pas. Il poursuivit, du feu dans son regard de braise. « Et... quatorze chiens disparus ! Sur une période de... qui commence le onze juin et qui se termine le deux juillet, soit moins d'un mois ! Quatorze chiens, moins d'un mois, dix kilomètres de rayon, ça fait beaucoup, non ? » À gros nez, flair exceptionnel. Je lui fis remarquer : « Vous auriez fait un flic remarquable ! »

Il s'embrasa : « Ne bougez pas, j'ai peut-être mieux à vous proposer... un point commun entre les races disparues ! »

La liste défila : Labrador... Labrador... Cocker... Labrador... Des chiens de bonne taille, doux et conciliants, à caractère naïf et faciles à maîtriser. Je demandai en considérant l'écran : « Savez-vous ce que sont devenus ces chiens ? Certains d'entre eux ont-ils été retrouvés ?

— Vous savez, monsieur le très vénérable policier, les gens ne nous consultent que lorsqu'ils perdent leurs chiens. Quand ils les récupèrent, par contre, ils omettent bien de nous le signaler. Nous n'avons aucun suivi sur ce qu'ils deviennent. Ce fichier national se transforme en une poubelle parce qu'il n'est jamais purgé.

— Une dernière question, vous qui avez l'air de connaître ce coin comme votre poche. Y a-t-il des laboratoires sur les animaux dans ces environs ? Des rabatteurs qui pourraient enlever ces chiens pour effectuer des expériences ?

— Non, pas à ma connaissance. Hormis HLS, le premier labo de cosmétiques se trouve à Saint-Denis. HLS ne travaille qu'avec des élevages de beagles. Et puis, les rabatteurs animaliers ne traquent pas ce genre de chiens, sauf si, bien entendu, ils en ont l'opportunité. Ils s'intéressent surtout aux bâtards des rues, à ces sacs à puces dont la disparition arrange plus qu'elle ne perturbe...

— Merci, monsieur N'Guyen. On peut dire que vous m'avez été d'un secours capital. Je peux récupérer les adresses des personnes qui ont porté plainte ? »

Il lança l'impression du rapport. « Pour me remercier, vous ne prendriez pas un petit chat ? J'ai huit euthanasies à pratiquer avant la fin de la semaine. C'est un peu comme si je tuais ma propre âme.

— Désolé, docteur... Mais je suis rarement chez moi... » Il désigna mon alliance : « Pour votre femme peut-être ? »

* * *

Je roulais au pas en direction d'Aigleville, empruntant les communales plutôt que les départementales afin de profiter à plein nez de la beauté verte des campagnes. Je m'arrêtai à la lisière d'un maigre bosquet où se groupaient quelques ormes pour m'alléger la vessie. Derrière moi et jusqu'aux formes rectilignes de l'horizon, se dressaient des meules de foin couleur or, tel un cimetière aux sépultures de paille.

Les hurlements des chiens qui harcelaient Doudou Camélia puisaient leurs forces vives ici, dans ces villages abandonnés aux terrains plats de la plaine. J'avais l'impression de progresser dans l'enquête, mais dans une direction totalement inconnue, un peu comme une sonde spatiale explorant l'univers sans jamais savoir où elle se dirige ni ce qu'elle recherche exactement.

Je pensais à cet individu, l'Homme sans visage de Doudou Camélia, revenu sur les lieux de l'intervention du FLA pour collecter ces instruments de mort, ces anesthésiques, ces bandages. Je devinais ses prétentions, sa volonté de répandre le mal et la souffrance à coups de scalpel précis et calculés. Je le voyais renifler ses victimes, les traquer à distance, les épier puis, un soir, leur tomber dessus comme le ferait une veuve noire sur un moustique piégé dans sa toile.

Je songeais à la femme ligotée dans ce cloaque, torturée, fouettée moralement par les cuirs de l'horreur. Il est des moments où il devient impossible de ressentir la douleur d'autrui ; on peut juste l'imaginer, en sentir le souffle le long de l'échine, frissonner au point de se blottir sous des couvertures. Mais on ne peut pas se mettre à la place. Jamais...

Avec la piste des chiens, sans réellement savoir où cela me conduirait, j'espérais avoir une longueur d'avance sur lui. J'étais sorti du sentier qu'il avait balisé pour moi, j'avais emprunté des chemins parallèles, des raccourcis qui me propulsaient vers l'avant. Je me rappelais ces phrases qu'Élisabeth Williams prononçait à chacun de ses séminaires : *Un criminel ne se déplace jamais seul. Il est accompagné, où qu'il aille, d'éléments qui laissent une trace indélébile de son passage. Sur une scène de crime, un échange s'opère entre l'assassin et les éléments invisibles qui constituent l'espace ; le tueur abandonne un peu de lui-même et emporte avec lui une infime partie de l'endroit où il se tenait, sans qu'il ne puisse rien y faire. C'est sur cet échange que nous devons investiguer.*

Peut-être existait-il un rapport entre l'assassin, l'Homme sans visage, et ces chiens disparus. Peut-être qu'à un moment donné un échange s'était opéré, indécelable à l'heure actuelle, mais qui prendrait tout son sens lorsque la piste aboutirait...

Mais qu'allais-je découvrir au bout de ces voies glacées ? L'échec ? L'incapacité à préserver la vie d'une femme dont je ne connaissais même pas le nom et qui croupissait dans les douves de l'obscurité ?

Je me remis en route vers le sud. Le soleil déclinait avec paresse devant moi, assailli par les rouges maladifs d'un ciel de traîne.

* * *

L'échec est l'aiguillon de la motivation, me lançait mon grand-père avec ses grands mots. En avalant mon steak tartare dans un troquet où l'ambiance rappelait celle de l'éclosion des premières cellules de vie au précambrien, je me disais qu'il ne tenait certainement pas compte de tous les paramètres, notamment ceux de la LEM, la *Loi de l'Emmerdement Maximum*. Cinq adresses biffées sur la liste fournie par le vétérinaire, autant de bides. La seule conclusion – fracassante – que je pouvais tirer, était que les chiens avaient tous disparu durant la nuit, alors qu'ils dormaient dans une niche à l'extérieur de l'habitation. Jamais d'aboiements, aucun témoin ; à chaque fois, les maisons se trouvaient isolées et les chiens auraient léché les pieds à des cambrioleurs.

Je roulais depuis une bonne dizaine de minutes lorsque mon portable sonna. Je stoppai sur le bas-côté avant de prendre l'appel.

« Commissaire Sharko ? Armand Jasper, ingénieur expert en traitement d'images du laboratoire d'Écully.... »

Écully, Rhônes-Alpes, le fleuron des laboratoires de la police scientifique.

« ... Nous avons analysé les photos de la femme torturée qui nous sont parvenues par voie numérique depuis Paris. Nous avons relevé la présence de tuyaux d'aération de diamètres assez importants qui longent la partie supérieure des murs ; sur le cliché original, ils se confondaient avec l'obscurité. Sur la photo où la femme se tient de dos, au niveau du plafond, on pense avoir décelé quelque chose ressemblant à un ventilateur. Je dis *on pense* parce que l'arrière-plan reste assez flou en dépit du travail de lissage effectué sur l'image, et il fait extrêmement sombre. Vu le diamètre de l'engin, ainsi que des tuyaux, aux dires d'un spécialiste du bâtiment, ce type de système est étudié pour traiter des volumes d'air importants. Plusieurs centaines de mètres cubes par heure... Donc, la victime n'est certainement pas retenue dans une propriété privée, genre cave ou garage, mais plutôt un bâtiment de la taille d'un entrepôt...

— Parfait ! D'autres infos ?

— Des détails que je dois encore consigner dans un rapport, mais rien de déterminant. Je vous l'envoie par e-mail demain dans la matinée. J'ai préféré vous prévenir tout de suite en ce qui concerne ce point. Ça me paraissait important...

— Vous ne pouviez pas mieux tomber... »

J'opérai un demi-tour serré et pénétrai peu de temps après dans le troquet. Cette fois, le climat festif me rappela mon job de veilleur de nuit dans la morgue de Lille à l'aube de mes dix-neuf ans.

Les deux paumés au teint lie-de-vin qui jouaient aux fléchettes, ainsi que les trois piliers de bar, m'envoyèrent un regard un peu plus appuyé, se demandant ce qu'un type en cravate trouvait de si merveilleux en cet endroit, Le Gai Lieu, pour y venir deux fois d'affilée en même pas une heure. De la mousse de bière imprégnait la barbe hirsute d'un balèze au ventre bombé comme un baril de whisky et qui, à l'évidence, aurait flambé sur place s'il était venu à l'idée de quelqu'un d'allumer une cigarette. Quand il me vit arriver, il balança un coup de coude dans le flanc du pilier droit et allongea un sourire un poil moqueur. Je m'approchai du comptoir et demandai au bouillon d'intellectuels : « Existe-t-il dans le coin des entrepôts désaffectés, des endroits où plus personne ne met les pieds depuis plusieurs mois ? »

Avant que la propriétaire de ce nid à fêtards ne pût écarter les lèvres, Barbe-à-Mousse envoya : « Pourquoi ? T'es du fisc ? » Pilier droit et Pilier gauche se gaussèrent ; les deux curieux qui jouaient aux fléchettes vinrent s'accouder au bar, un verre de bière scotché à la main. Je répondis calmement, en m'adressant à la molécule d'éthanol barbue : « J'ai juste posé une question. Chez les gens civilisés, la courtoisie impose que lorsque quelqu'un pose une question, ma foi, assez simple, l'un des membres de la communauté, en mesure de répondre, le fasse. Je vais donc répéter, au cas où l'effréné élan de gaieté qui embrase cet endroit aurait couvert le son de ma voix, existe-t-il dans le coin des entrepôts désaffectés ?

— Tu sais que t'es un vrai comique, toi ? Tu peux pas rester dans ton coin comme tout à l'heure et nous foutre la paix ? » Barbe-à-Mousse leva son poing. Un marteau-pilon. « Tu vois, un jour, j'ai frappé sur la tête d'un porcelet avec ça. La bête a gueulé un coup, puis on ne l'a plus jamais entendue. Tu veux que j'essaie avec toi ? »

La propriétaire lui envoya un coup de torchon sur la joue. « Arrête tes bêtises, Gueule à fuel ! Et ferme-la ou j'te vire avec mon pied dans le cul !

— Bien m'dame », rétorqua-t-il en grimaçant. « Si on peut plus s'amuser ! »

La patronne s'appuya sur le comptoir, bombes mammaires bien en évidence. « Non, je ne vois pas, mon chou », dit-elle en mimant la réflexion. « Pas de zone industrielle dans le coin. Ici, c'est la pure campagne.

— Et aux alentours de Lommoye, ou de Bréval ?

— Non, non... »

Barbe-à-Mousse intervint, des flambeaux dans les yeux. « Moi, j'sais ! Les Hurleurs... Wooouh ! Wooouh ! Pourquoi tu lui parles pas des Hurleurs ?

— Il a parlé d'entrepôts ! » grogna la femme d'une voix autoritaire. « Pas d'abattoirs.

— Nan », balança Pilier droit. « Il a dit : des endroits où plus personne ne met les pieds depuis plusieurs mois.

— Un abattoir, vous dites ? » intervins-je.

Barbe-à-Mousse liquida son verre, imprégna sa barbe d'une coulée de bière et répondit : « Ouais. Les Hurleurs... On dit que le bâtiment est hanté et que toutes les nuits, on y entend des animaux hurler... Moi, j'ai jamais vérifié... Mais Gus, lui, il est déjà allé dedans ! Hein, Gus, raconte ! »

Le joueur de fléchettes se contenta de lever une main. « Non... Pas envie... J'ai rien à dire...

— C'est parce qu'il a les chocottes ! » frémit la propriétaire. « Vous allez vraiment vous rendre dans ce trou ?

— En effet... Dès que vous m'aurez donné l'adresse... »

* * *

Les lueurs essoufflées de la ville ne laissaient plus paraître qu'une aurore diffuse, étalée au ras des longues étendues rectangulaires des champs. De plus en plus, l'obscurité s'immisçait dans les interstices feuillus des arbres, coulait lentement sur la tôle de mon véhicule, voilait parfois la lumière oblique de mes phares de ses fins serpents de brume. Devant, plus au nord, le halo orangé de Pacy-sur-Eure écaillait l'horizon à la manière d'un coucher de soleil flamboyant. Comme me l'avait indiqué Barbe-à-Mousse, je trouvai, après le croisement de deux départementales, la communale C15 que j'empruntai sur trois kilomètres, avant de m'engager sur une route moins large, signalisée comme impasse. Une vieille grille rouillée, fermée de plusieurs cadenas, se découpa dans le pinceau de mes feux. Je me garai sur le bas-côté, enfonçai les roues de la berline au cœur d'une végétation de jardin sale et, une fois le contact coupé, m'emparai de la lourde lampe-torche et de mon Glock 21. Le rail des puissants lampadaires qui encadraient l'autoroute A13, à quelques encablures du bâtiment, dressait un portrait sépia, tout en jeu d'ombres, de l'endroit de désolation aux larges allées vides envahies d'une friche abondante d'orties et d'herbes sauvages. Sous mes pieds, l'eau stagnante abandonnée par les pluies de la semaine dernière, croupissait en flaques peu profondes, nuancées par le gris mercure des reflets de la lune. Je me glissai dans l'un des nombreux trous éventrant le grillage, comme avaient dû le faire, malgré les risques de poursuites clairement signalés, des dizaines de curieux avides de toucher du doigt la matérialisation sanglante de leurs terreurs.

Le bloc massif du bâtiment de brique, d'acier et de catelles, ombre dans l'ombre, s'étirait sur l'étendue craquelée de l'asphalte noir, tel un paquebot en perdition au milieu d'un océan de solitude. Quelque chose, un mélange subtil d'angoisse et de peurs d'enfant, de souvenirs resurgis du néant, forma une boule dans ma gorge, ralentit subtilement ma progression, me délesta de mon assurance. J'hésitai à appeler l'officier de garde à la brigade, à déranger Sibersky pour qu'il me rejoignît, mais trop de doutes m'assaillaient encore. Je décidai de faire un premier tour d'inspection en solo...

Je longeai les enclos d'attente avant l'abattage et les aires d'étourdissement, la main serrée sur la crosse de mon arme, le corps noyé dans la pénombre des tubulures de métal inoxydable et des cloisons hermétiques.

Un froid intense chuintait des briques, un courant à peine perceptible qui rappelait le murmure d'un mourant. J'entendis le souffle saccadé des voitures qui filaient sur l'autoroute et, en un sens, cette façon de rompre ce calme polaire, cette coulée de silence, me rassura. Un cirrus effilé en forme de couteau voila la lune, fit danser des ombres sur les tôles froissées des toits dans un ballet déchirant.

L'endroit avait tout d'un cauchemar vivant, répugnant de puanteur suggérée...

La façade du bâtiment ne révéla aucune entrée praticable, une épaisseur de soudure à arc solidarisait chaque porte à son châssis, rendant l'intrusion impossible. Sur le côté, fort heureusement, une myriade de brèches, provoquées par des coups de masse ou de clés à molette, trouaient les volets roulants des aires de déchargement et me permirent, au prix d'une contorsion douloureuse, de me faufiler dans l'œil noir. S'ouvrirent à moi les portes scellées de l'inconnu...

Dès lors, je me guidai au seul pinceau pâle et cru soufflé par la Maglite. Je sentis les artères de mon cou gonfler sous l'afflux de pression sanguine, devinant les manifestations cyniques de la peur à la sueur qui m'enduisait le front. La pièce dans laquelle j'évoluais me parut immense, si creuse et vide que mes pas claquèrent vers des confins de noirceur que je ne discernais pas. La faune des ténèbres, ces ouvriers du désespoir, œuvrait avec acharnement dans l'anonymat de la nuit et de l'isolement. Des araignées tendaient leurs toiles, des mites agitaient leurs membranes en d'inquiétants frémissements et j'aperçus même un rat transpercer le faisceau jaune de ma lampe, courir sur une poutre branlante et se glisser entre les pales immobiles d'un ventilateur dont la taille dépassait mon imagination.

Je marchai sur des débris de verre, chevauchai des palettes de bois mort, longeai des mangeoires et des abreuvoirs gercés de pourriture avant de palper un rail de saignée qui, suivant toute logique, devait me mener dans le poumon rouge de la salle d'abattage. L'enfer du règne animal puait la tripe et l'abandon...

Je me faufilai, dos voûté, sous une porte basse barrée de lanières de caoutchouc noir, là où, quelques années auparavant, s'entassaient dans un calme électrique les bêtes paniquées, offertes aux appétits insatiables de la Mort. Le béton pisseux des murs laissa

place aux catelles couleur dent gâtée, du sol au plafond, de l'arrière vers l'avant. L'atroce confinement
de ce corridor aux allures de coupe-gorge me fit presser mon arme avec la vigueur d'un soldat.

Au ras de ma tête, des néons éclatés, dont les fines
particules de verre tapissaient le sol comme une
couche de neige croûteuse. Je progressai avec prudence, l'oreille attentive aux soubresauts des tuyaux
craquants, à la course invisible de petits animaux qui
me hérissaient tous les poils. Le rail me jeta dans une
pièce gigantesque, aux murs si lointains que le pinceau
de ma torche s'épuisa presque avant de les atteindre.

Des dizaines de boxes d'étourdissement, alignés de
part et d'autre du rail de saignée, croupissaient dans
l'obscurité, comme des employés de l'ombre parés à
reprendre le cours de leur macabre mission. Je balayai
avec ma torche toutes les directions, le regard aux
aguets. La fraîcheur rouge de la viande congelée
n'avait jamais quitté cet endroit humide, caverneux,
effrayant dans sa monochromie blessante. Les tubes
d'aération et d'évacuation me décochèrent des reflets
bleutés sous les assauts photoniques, tels des clins
d'œil mortels. Plus j'avançais au hasard de mes intui-
tions, plus la salle s'étendait, comme écartelée. Je
devinais, là, juste devant moi, les carcasses du passé,
suspendues, éviscérées puis sciées en deux du groin à
la queue. J'imaginais ces saigneurs en blouses macu-
lées de glaires, de sang, d'acide stomacal, plonger les
bêtes dans les bacs d'échaudage, les ébouillanter jusqu'à ce qu'elles en ressortissent nues comme au jour
de leur naissance, je flairais ces odeurs de têtes de
porcs entassées par kilos dans les salles d'habillage et
de désossement, puis broyées jusqu'à être réduites à
l'état de jus de cadavres. Le parvis de la peur me
déployait son tapis rouge ; j'évoluais dans la machine-

134

rie parfaitement huilée d'une bête démoniaque, une entreprise assassine dont le cœur battait encore...

Aucune trace des chiens ni de la femme. Rampes et couloirs vides, stalles d'étourdissement et plates-formes vierges... Je commençai à désespérer, hésitai un instant et me forçai à poursuivre l'inspection, malgré ma frayeur grandissante et ma certitude d'éprouver toutes les peines du monde pour regagner la sortie. À ma gauche, je découvris un cadran brisé de balance, des réchauffeurs hors d'usage, des prises d'eau éclatées, un mont d'étiquettes à oreilles, de fiches ante mortem abandonnées sur le sol. Au-dessus, des supports à crochets et à rails en surplomb, éventraient le plafond en une longue ligne, jusqu'à une bouilloire percée par le gel des tuyaux intérieurs. Il faisait noir... si noir que le poids de l'obscurité m'écrasait le dos...

D'insoutenables effluves de putréfaction me surprirent, me brûlant les narines. Réels, prenants au point de me compresser l'estomac. J'effectuai trois pas en arrière, glissai le bas de mon visage dans le col de ma veste et avançai à nouveau, tête baissée. Mais l'infection s'imprégnait dans le tissu, pénétrait en moi avec sauvagerie comme un gaz mortel. Je tentai bien de respirer le moins possible, mais, à chaque nouvelle bouffée d'air, je sentais que tous mes organes allaient me passer par la bouche. Je vomis un filet de bile jaunâtre, me ressaisis et me traînai jusqu'à la lourde porte de métal entrouverte d'une salle réfrigérée. L'odeur, devenue atroce, me redressa, me comprimant la poitrine et les côtes dans une étreinte douloureuse.

Devant moi, dévoilés crûment par le faisceau lumineux, six chiens gisaient, entassés, têtes emmêlées, poitrines craquées, dos lardés de plaies béantes. L'éclairage puissant de la Maglite révéla les tendons agrippés à l'os, tiraillés à leur maximum au travers de la chair noircie et pourrissante. Les cavités des yeux rendaient des globes desséchés à peine retenus par les tresses des nerfs optiques, et les gueules suppliantes, figées dans un ultime cri de douleur, s'imprimèrent sur le tableau blanc de ma mémoire. Une crise plus farouche de mon estomac me plia en deux.

La porte aux gonds rouillés, derrière moi, se mit à grincer en se rabattant lentement. Je frôlai la crise cardiaque, mon cœur stoppa puis accéléra enfin, déréglé et perdu tout autant que moi. Je me ruai hors de la pièce, tournai sur la droite au lieu de rebrousser chemin et m'engouffrai dans un corridor en pente, affolé, écœuré. Des rigoles couraient de chaque côté, enduites de sang séché, presque évaporé, pour se perdre dans les profondeurs inexplorées de l'abattoir. Ce sanctuaire de carrelages blancs, tachés de peaux mortes, d'éclats d'os, d'empreintes poussiéreuses, me tourna la tête. Les vitres en plexiglas des postes d'inspection des viscères me renvoyèrent l'éclat de ma propre torche en pleine figure, comme un coup de scalpel sur mes rétines. Je progressai toujours, coûte que coûte, accroché aux derniers soubresauts de courage qui m'animaient encore.

Les canaux transverses d'évacuation bifurquèrent à droite dans une très forte déclinaison, se jetant dans une fosse profonde. Je me penchai, promenai en gestes tremblants l'œil curieux de ma torche au fond du puits. Une échelle métallique permettait de descendre et, apparemment, d'emprunter un tunnel de béton menant probablement au cœur du système de ventilation et d'évacuation. Un groupement de tuyaux aux diamètres divers s'y enfonçait aussi, alors je décidai de m'aventurer sous terre, dans le poumon de l'enfer. Je longeai les tubes métalliques du bout des doigts, m'écorchant les phalanges sur des canalisations jadis explosées par la force brute de la glace. Le sang gicla, se mêla à la poussière en gouttes épaisses qui craquèrent en percutant le sol. Je remarquai alors la présence d'empreintes de pas. Des marques fraîches, vierges de salissures, aux contours propres et définis. Des allers et retours dans l'ombre, sous terre, à l'abri des regards, dans l'entrepôt du diable. Les marques du tueur...

Les tuyaux et les pas me conduisirent dans une ouverture latérale d'où chuintait un bruit sourd, à peine perceptible, comme celui d'un moteur lointain. Là, au fond, un rai de lumière blanche rampait sous une porte. Je m'éloignai à reculons, retournai au pied de l'échelle pour y sortir le cellulaire de ma veste et composer le numéro de la permanence à la Criminelle. Pas de réseau, communication refusée. Tout ce métal et ce béton agissaient comme un tissu opaque, un filet à ondes infranchissable. Je ne pris pas le temps de ressortir, résolu à agir seul. J'avais en ma possession l'effet de surprise...

Retour dans la bouche hurlante du tunnel au plafond bas et écrasant. Je pensai au tueur, l'imaginant derrière cette porte, les traits du visage ciselés par une lampe à huile, martyrisant la jeune femme, la privant de nourriture et plongeant ces pointes soigneusement taillées dans le velours de son corps...

Je m'avançai, torche éteinte, léger sur mes pieds autant que ma corpulence d'homme mûr me le permettait. Un cadenas enserrait la porte de l'extérieur, preuve de l'absence du tueur, ce qui me rassura et me déçut en même temps. Le ronflement provenait vraisemblablement d'un petit groupe électrogène portatif. Je pointai le canon de mon Glock devant moi, inclinai la tête et tirai sur l'anse cémentée du cadenas. Un feu de poudre illumina un bref instant le couloir comme le souffle d'un dragon et un cri déchirant, qui tourna en râle abject, inonda les abords du tunnel. Chassant la porte du pied, je me plaquai contre le mur crasseux alors que des jets de lumière volaient dans la pénombre comme des lames étincelantes. Ce qui se jeta sur mes rétines, me creva les yeux...

Le visage était tourné vers moi. Les pommettes tendaient la peau à en percer la surface et, des lèvres encroûtées de fièvre, se détachaient des boursouflures de peau morte. Les yeux vitreux aux pupilles devenues translucides, roulaient difficilement, comme arrachés de leurs nerfs. La céramique du corps, fêlée de côtes saillantes, fragilisée par les coups et les plaies ouvertes, semblait toute proche de se rompre en mille éclats d'os et de chairs ; les seins cloués à la table, gonflés par l'infection, étaient grêlés de marbrures olivâtres, de veinules rosées, de lésions noircissant autour de la tête des clous.

Malgré l'appareil stéréotaxique lui immobilisant les mâchoires, la fille remua les lèvres, en chassa la mousse blanchâtre de la pointe de la langue avant d'émettre une plainte étouffée. Je ne sus pas si elle réalisait qui j'étais, elle essayait de pleurer mais ne trouvait pas les forces nécessaires pour qu'affluassent les larmes.

Au-dessus, l'objectif incliné vers le bas, une caméra numérique filmait... « Seigneur ! Je suis de la police ! Je vais vous sortir de là ! »

Je m'approchai d'elle et lui passai une main légère contre le méplat de sa joue presque aspirée de l'intérieur. Elle hurla une nouvelle fois, par réflexe. Je dévissai l'étau des tempes, ôtai les tiges de métal lui maintenant la bouche ouverte. Sa tête, trop lourde pour les muscles épuisés de son cou, tomba au creux de ma main. Comment la détacher sans la blesser davantage ? La corde usée lui pénétrait la grande voile blanche de la peau, les échardes de bois menaçaient de s'enfoncer au plus profond de sa chair à chaque mouvement indélicat. Piégé ! Incapable de la libérer, de lui lâcher la tête sans que la masse du crâne ne la fît basculer sur le côté, lui arrachant les seins. Elle avait la force d'un oisillon tombé de son nid...

« Vous êtes sauvée, on va s'occuper de vous. Vous pouvez parler ? »

Sa respiration bruyante, comme celle d'un taureau étalé sur le sable chaud d'une arène, s'accéléra. Ses lèvres s'écartèrent, ses cordes vocales écorchées vomirent un son monocorde, incompréhensible. J'eus peur qu'elle me quittât, qu'un faux mouvement, même infime, la brisât en morceaux. Je n'entrevis aucune solution pour libérer ses chairs de l'emprise meurtrière des clous industriels. Les épaisseurs de sang séché et l'infection propagée jusqu'à la pointe des mamelons, interdisaient de lui effleurer même la peau sans la tuer de douleur. Il me fallait de l'aide, absolument. « Je vais ôter ma main. Essayez de maintenir votre tête droite. »

Je retirai le bout des doigts, mais la tête chancela, à peine retenue au corps par la charpente délabrée du cou. Le choix qui m'incombait me répugna. « Écoutez, je vais revenir. Il faut une ambulance. Je vais vous bloquer la tête avec l'appareil, sans serrer trop fort. »

Ses yeux chassieux montèrent vers moi. J'y déchiffrai l'exécration, l'envie de mourir surpassant celle de vivre. Elle me suppliait sans parler de rester auprès d'elle, de lui réchauffer le cœur d'une manière ou d'une autre. Déchiré intérieurement, je serrai l'étau d'une seule main, toujours en soutenant la tête presque démantelée de son totem de chair. Pourquoi cette escapade solitaire ? Quelles saugrenues prétentions m'avaient empêché d'appeler les renforts bien avant, dès que le doute m'avait traversé l'esprit ?

« Je reviens, je vous le promets ! Je vais sortir, remonter pour téléphoner, avec ceci », lui montrant mon portable, « les secours arriveront, on va vous libérer, vous m'entendez ? Vous libérer ! Tenez bon. Je vous en supplie, tenez bon ! »

Je glissai des doigts tremblants dans sa chevelure rance sans soutenir son regard et m'enfuis, me ruant dans le corridor, le souffle court, suffocant, téléphone et revolver pressés contre moi comme les derniers biens d'un naufragé. Il fallait que je la sauve pour me sauver moi-même. Rien d'autre ne comptait, à présent : la sauver ! Qu'elle vive !

Je m'aventurai dans le tunnel avec prudence. Ma voiture garée devant l'entrée, le roulement du coup de feu dans la gueule de l'abattoir, étaient les preuves tangibles de ma présence. Au moment où j'empoignai l'échelle menant à l'étage des salles d'abattage, un faisceau lumineux s'accrocha à mon épaule et un picotement vif investit mon deltoïde gauche. Je basculai contre le mur, pointai le pinceau de ma lampe-torche en direction de mon col pour y découvrir un petit tube d'étain terminé par un bouquet de plumes rouges... une fléchette anesthésiante. Je l'arrachai de la veste, levai le canon de mon Glock vers le haut du puits et tirai jusqu'à ce que mon doigt ne trouvât plus la force de plaquer la queue de détente contre le pontet. Une pression m'écrasa les poumons, une main invisible me serra la gorge, rendant le passage d'air difficile. Mon bras et mon épaule gauches semblèrent se décrocher de mon corps, et le liquide froid fila en direction des membres inférieurs à une vitesse saisissante. Je me renversai dans le corridor au prix d'un effort surhumain, alors que, d'un coup, mes pieds s'enracinaient dans une mer de roche. Les muscles jambiers fanèrent et me lâchèrent. Accroupi puis couché, incapable de remuer le tronc, j'enfonçai mes doigts dans le verre pilé des néons éclatés pour combattre les effets de l'anesthésique. Je ne perçus qu'une infime partie du trait de douleur, preuve que l'afflux massif de produit terminait sa fulgurante digestion de mes sensations. Ma main s'ouvrit d'elle-même, la paume en sang, les doigts repliés, puis détendus, hors de contrôle. Paupières figées. Bouche ouverte. Incapable de déglutir. Mais parfaitement conscient. Un poisson dans une bourriche... Mes membres s'allongèrent puis rétrécirent ; les tuyaux, au ras du sol, se ramollirent, se tordirent dans l'espace en une lenteur exagérée. De la poussière soulevée par ma chute vint se coller sur mes rétines, provoquant une sécrétion lacrymale impossible à maîtriser.

J'eus l'impression de ne plus rien entendre. Ni le bruit de ses pas, ni sa respiration et pourtant, je sus qu'il s'approchait de moi, je le sentis comme on devine l'haleine d'un feu sans en voir les flammes. Il venait m'achever, tel un messie du mal, un messager de l'au-delà chargé d'une mission de destruction. Je ne suis pas prêt à mourir, je veux vivre ! Mais ce choix ne m'appartenait plus désormais. Mes yeux restèrent fixes. Je voulus parler, crier, les mots se bloquèrent à la porte de ma conscience ou restèrent accrochés aux cordes vocales. Où était-il ? J'entendis mon sang affluer, bouillonner, gonfler mes artères. Les sons intérieurs de mon organisme s'amplifièrent, ceux de l'extérieur diminuèrent. On me glissa un bandeau devant les yeux, mais je n'aperçus ni bras, ni main. Noir complet. Je sentis une force me traîner sur plusieurs mètres, une force d'aimant invisible et pourtant phénoménale. Quelque chose, quelqu'un me ramenait probablement à l'endroit d'où je sortais. Longue plainte de désespoir, interminable. La fille hurla à s'en déchirer la poitrine. Je devinais les soubresauts d'espoir qui se brisaient en elle comme les dernières vagues d'une mer prise par le gel. Plus de mouvement. On m'avait abandonné sur le sol. Les hurlements devinrent gloussements, les gloussements des râles d'agonie, puis, plus rien... Je sombrai, sombrai, sombrai...

Je me réveillai lentement, avec l'impression d'avaler du papier de verre à chaque déglutition. J'ôtai le bandeau de mes yeux, les doigts gourds. Je me levai, les membres encore alourdis par les restes d'anesthésique, me retournai et découvris, soudain, qu'il n'y avait plus rien à faire pour la fille...

Chapitre cinq

Dans la tombe silencieuse de la pièce, les techniciens de la police scientifique installaient de puissants halogènes, alors qu'un infirmier dépêché sur place me tirait quelques gouttes de sang en vue des analyses toxicologiques.

Le légiste, Dead Alive, attendait dans le tunnel de maintenance l'autorisation de l'OPJ de la Scientifique avant l'examen du corps. Quant à moi, je m'arrachai de l'enfer et laissai les rayons du soleil levant me colorer le visage, puis m'assis à l'arrière de l'ambulance dans la cour de l'abattoir. Nimbés de lumière, des insectes encoconnés par les araignées pendaient le long des chéneaux en boucles d'oreilles de soie. Tout autour, au ras de l'asphalte et à perte de vue dans les champs, la brume rampante se développait en coulée d'avalanche grise jusqu'à rendre le paysage figé dans un étau de tristesse et de désolation. Dans le flou de l'air, à l'arrière, les brefs ronflements des moteurs sur l'autoroute A13 se succédaient en cadence de pouls cardiaque.

Un véhicule de fonction arriva, phares découpant le brouillard, et vint se garer parallèlement à l'ambulance. Sibersky et Élisabeth Williams en sortirent, les visages chanfreinés d'inquiétude. L'à-pic de leurs regards aurait pu pulvériser des vitres. Une troisième silhouette se joignit à eux, l'ombre de psychologue, Thornton.

« Bon sang, commissaire ! » gronda le lieutenant. « Vous auriez dû appeler les renforts ! Leclerc est en furie ! » Il me considéra avec un air plus doux. « Ravi de vous voir en vie...

— Je ne pensais pas que la piste des chiens me mènerait si loin... Tout s'est enchaîné tellement rapidement... » Mes pupilles s'élargirent face aux étranglements de désespoir de la fille qui tambourinaient dans mon esprit. Je secouai la tête avant de lancer à Sibersky, en désignant Thornton qui se dirigeait vers un OPJ de la Scientifique : « Qu'est-ce qu'il fait là, cet abruti ?

— Fils-à-papa a insisté pour venir. Et on ne refuse rien, à fils-à-papa... »

Je haussai les épaules et demandai à Williams : « Je pensais que vous ne vous déplaciez jamais ? Ne raconte-t-on pas que les psys, les vrais, s'isolent à longueur de journée dans des clapiers de béton, sous terre, coupés de tout ce qui les entoure ? »

Ses épaules frissonnaient. Elle avait troqué son tailleur pour un pull à col en V et un pantalon noir côtelé. Elle croisa les bras pour se protéger illusoirement du froid. Le soleil ne perçait plus et j'eus l'impression que la nuit tombait une seconde fois.

« En effet. Mais il n'y a pas de mal à déroger à la méthode américaine. Et puis, pensez-vous qu'un Picasso aurait le même rendu sur une photo que dans sa galerie ? Vous avez surpris le tueur dans la mécanique huilée de sa mise en scène, apparemment longue et sordide. Vous êtes apparu comme le grain de sable grippant une machine éprouvée. Je veux constater de

144

mes propres yeux de quelle façon cela s'est répercuté sur la scène du crime... Vous devriez rentrer vous reposer et changer de chemise. Vous feriez peur à un fantôme.

— Je reste. J'ai senti le souffle chaud de cet enfoiré sur ma nuque, j'entends encore les cris blancs d'une pauvre fille que je n'ai pas su sauver. Croyez-vous que j'aie envie de me reposer ? Il cherche peut-être à l'heure qu'il est sa prochaine victime. Suivez-moi. Allons dans l'ancienne salle de pause du personnel, à l'intérieur. C'est la seule pièce baignée par la lumière du jour. Mes gars ont amené des thermos de café, de quoi réveiller un cimetière complet. Vous avez du nouveau à m'annoncer, j'espère, mademoiselle Williams ? »

Mademoiselle Williams... Le mot était-il approprié pour une dame de presque cinquante ans ?

« Des choses intéressantes, en effet. »

Je levai le menton vers Sibersky. « Toi aussi, depuis hier ?

— Je vous raconte ça là-bas... »

Je nous servis un Java bien chaud, noir charbon, et nous nous installâmes autour d'une table de métal après en avoir chassé la croûte de poussière. Le froid mordant de l'extérieur se glissait par les vitres grillagées dont, d'ailleurs, ne restait que le grillage. Thornton nous rejoignit et s'assit en bout de table. Cheveux bruns plaqués vers l'arrière, pull jacquard, pantalon de toile. Un golfeur.

Williams enroula ses paumes autour de la tasse fumante qu'elle porta sous son nez. « Avant que je vous rapporte mes conclusions, racontez-moi ce qui s'est passé... »

Je leur narrai mon enquête sur la disparition des

chiens et les indices qui m'avaient conduit, en définitive, à l'abattoir.

« Parlez-moi du tueur », dit-elle en fixant mon regard.

« J'étais dans les vapes. Je n'ai pas vu la moindre partie de son corps. Il n'a jamais décroché une seule syllabe. On aurait dit... un souffle invisible, une onde de puissance, partout et nulle part. Je n'ai même pas ressenti l'emprise de ses mains sur mes membres lorsqu'il m'a traîné.

— Certainement les effets de l'anesthésique que vous aviez dans le corps. Semblait-il paniqué ? »

J'entendais encore le sifflement du scalpel dans l'air alors qu'il officiait. « Tout s'est passé très vite. Il m'a hissé jusque là-bas, l'a tuée et... je ne me souviens plus...

— Et la fille. Comment l'a-t-il exécutée ? » intervint Thornton.

Je m'efforçai de lui répondre : « À coups de bistouri... Quand j'ai repris mes esprits, j'ai regardé brièvement, je suis sorti et j'ai appelé les secours... Pourquoi m'a-t-il laissé en vie ? Mon Dieu...

— Je pense qu'il vous a traîné là-bas pour que vous assistiez par le sens de l'ouïe à l'exécution », expliqua Williams. « Il vous a épargné pour montrer sa puissance de domination et de contrôle, même dans ce genre de situation qui, au départ, lui est défavorable. Cela dénote aussi qu'il ressent un sentiment de frustration important.

— Comment ça ?

— Je pense que son anonymat le dérange. Il se sait intelligent et veut que les autres le sachent. Il aimerait dévoiler son identité mais ne peut pas. Alors il vous laisse en vie. Une grande partie des tueurs en série ont un désir de célébrité, allant même jusqu'à reconnaître

146

des actes qu'ils n'ont pas commis pour gonfler leurs palmarès. En vous épargnant, il frappe un grand coup ; sème le trouble, l'incompréhension ; démontre clairement qu'il n'est pas fou et agit dans la lignée d'un scénario bien précis. »

Je me levai en direction de la fenêtre grillagée, le visage froissé de colère.

« Il la filmait...

— Pardon ?

— Quand je suis arrivé dans la pièce, la première fois, j'y ai découvert un groupe électrogène portatif qui alimentait deux lampes et une caméra vidéo située en face d'elle. Cet enfoiré la filmait ! »

Elle nota une phrase sur son rapport et la souligna d'une triple ligne de rouge. Thornton l'imita, en marmonnant : « Souvenirs post mortem. Prolongation du fantasme... Intéressant... Très intéressant... »

Sibersky se servit à la hâte une seconde tasse de café. Je dis à Élisabeth : « Parlez-moi de vos conclusions...

— J'ai pris le temps de me pencher sur la lettre. Les mots sont le miroir de l'âme, et j'espérais bien découvrir le visage du tueur sur les reflets de l'encre. » Elle déglutit bruyamment une gorgée de Java.

« Et vous y êtes parvenue ?

— J'ai commencé. Le style de sa missive est net, précis, impeccable, il dénote une bonne éducation, une instruction importante. Pas une seule faute d'orthographe ni la moindre erreur de construction grammaticale. Mais j'ai relevé deux traits de pensée vraiment différents, ce qui me laisse pour le moment, je l'avoue, perplexe. Primo, l'aspect religieux. Certains mots ou phrases me portent à croire qu'il utilise les fondements de la religion pour justifier une partie de ses actes. Sa victime s'est rendu compte, je cite, *que toutes les difficultés sont une loi immuable de la nature.* Puis il enchaîne sur Dieu, signalant que *les armures abîmées valent bien plus aux yeux de Dieu que le cuir neuf.* Les *armures abîmées* se rapprochent bien entendu du symbole du valeureux guerrier, pour qui la souffrance est un lot quotidien. Il semblerait qu'il considère la souffrance de ses victimes comme l'ultime épreuve nécessaire avant leur rencontre avec Dieu, *une loi immuable.* Comme il le dit lui-même, *le bonheur doit être l'exception, l'épreuve est la règle.* Cette sentence s'applique comme un gant à Martine Prieur. Ne vivait-elle pas dans le bonheur et le luxe depuis qu'elle avait touché l'assurance-vie de son mari ? N'aurait-elle pas dû plutôt s'immerger dans un sillon de souffrance et de repentir suite au décès ? »

Je me rassis, les mains plaquées sur les genoux. Sibersky avait croisé les bras, sa tasse vide devant lui, sur la table.

Thornton, tout en prenant des notes, avança : « Vous voulez dire qu'il agirait comme un censeur, qu'il aurait mutilé de la sorte deux femmes au nom de Dieu ?

— Non, je n'ai jamais dit ça », répondit d'un ton sec Williams. « Pas encore, tout du moins. Simplement, soyons conscients que la trame religieuse peut conditionner ses agissements. Rappelez-vous, la pièce dans la bouche. Un geste purement religieux, un mythe grec encore appliqué de nos jours dans les pays hautement catholiques... D'ailleurs, en a-t-on trouvé une dans la bouche de la deuxième victime ?

— Nous ne tarderons pas à le savoir...

— Pour la suite, je vais fouiller dans les recueils religieux, Bible ou livres anciens. J'ai transmis la lettre et la photo de ce fermier à un théologien, Paul Fournier, un monstre de culture... Vous pouvez me servir un second café ? »

148

Sibersky se leva et piocha une autre thermos dans un sac de toile à bandoulière.

« Vous parliez de deux aspects, pour la lettre... » repris-je avec intérêt.

« En effet. La deuxième ligne directrice, majeure, est un sadisme prononcé. La plupart des tueurs en série se complaisent dans leurs actes de torture, n'éprouvent aucun remords envers leurs victimes et vont même jusqu'à narguer la police et les familles, comme c'est le cas ici. Mais, d'après les photos et comme risque de nous le confirmer le légiste, rares sont les tueurs qui entretiennent... excusez-moi, c'est le seul mot auquel j'ai pensé... qui entretiennent leurs victimes sur une telle durée. Vous rendez-vous compte des efforts qu'il a dû déployer pour la maintenir en vie ? Pour, chaque nuit, se rendre ici au risque de se faire prendre, pour la nettoyer, la nourrir un minimum et même... filmer ? Et que dire de l'installation sophistiquée chez Prieur ? Il fait preuve d'un mental à toute épreuve... Il est appliqué et patient, très patient... Aucune pulsion dominante ne le force à précipiter ses actes. »

Un officier de la police scientifique, Georges Limon, entra dans la pièce. « Nous en avons terminé », dit-il en prenant un gobelet en plastique. « Le légiste attaque son expertise. Vous pouvez le rejoindre.

— Alors ?

— On a de belles empreintes de pied. Du quarante-deux. On peut affirmer à présent qu'il s'agit d'un homme. On a aspiré la poussière du couloir souterrain et de la salle confinée pour analyses au labo. Nous avons récupéré des cheveux, des morceaux d'ongles et de fibres synthétiques, ainsi que quelques empreintes digitales. Ajoutez à cela la flèche anesthésiante qu'il n'a pas pris la peine de ramasser. Probablement expédiée par un pistolet vétérinaire, compact et puissant... On vous tient au courant.

— Et les chiens mutilés ? »

Une onde de dégoût fripa les sillons de son front. « C'est un putain de boulot ingrat ce que vous nous demandez là ! Trois techniciens ont le nez là-dedans... Autant remuer la merde d'une fosse à purin !

— Plus aucune trace du système vidéo ? »

Il jeta son gobelet vide sur le sol et l'écrasa du talon. « Non.

— C'est tout ?

— Bien sûr, c'est tout ! À quoi vous attendiez-vous ? À ce qu'il nous laisse sa photo encadrée avec un petit mot de bienvenue ? On analyse le reste de l'abattoir et l'extérieur. Cet endroit me répugne. Il pue la charogne à plein nez. »

Limon disparut avec la vivacité d'une lame dans le brouillard. « Pas très en forme, les gars de la Scientifique », lâcha Sibersky sans l'ombre d'un sourire.

Je me levai en direction de la porte. « Allons rejoindre le légiste... » Nous longeâmes dans un silence de pierre la salle d'abattage, descendîmes précautionneusement l'échelle par laquelle je m'étais engagé la veille, avant de rejoindre Van de Veld au bout du tunnel. « Je ne vous ai pas exposé ce que j'ai découvert », glissa mon lieutenant avant notre entrée dans la pièce, « mais ça peut attendre... Rien de déterminant de toute façon... »

J'acquiesçai, les yeux figés sur le cadavre de la femme. Je l'avais à peine regardée, une fois recouvrés mes esprits. À présent je la découvrais, morcelée par la cruauté blanche des puissants halogènes à batterie.

Williams pénétra dans la pièce comme dans une église. J'aperçus dans ses yeux la flamme vacillante

150

des cierges, les reflets kaléidoscopiques de vitraux ogivaux, les larmes de la Vierge. Une magie s'opérait, une fusion fantomatique et je crus voir, le temps d'un souffle, certains de ses cheveux onduler, comme caressés par la main de Dieu.

« Il n'y est pas allé de main morte cette fois », râla Van de Veld. « Vous l'avez vraiment mis en colère, commissaire. Que pensez-vous de cela, madame Williams ? »

Elle répondit à contretemps, éprouvant toutes les difficultés pour se décrocher de l'espèce de voile spirituel qui l'enveloppait. « La colère n'est peut-être pas le seul motif d'un tel acharnement sur le visage », murmura-t-elle en se rapprochant de la chose morte. Ses pupilles fondirent en tête d'épingle sous les aplats de lumière.

« Quelle autre raison, alors ? » demanda le légiste en toisant discrètement Thornton, occupé à dresser un croquis rapide de l'agencement des objets et de la position de la victime.

« Il a préféré détruire ce qu'il avait construit parce qu'il n'a pas pu aller au bout de son fantasme. Une œuvre inachevée ne l'intéresse pas, il cherche la perfection, alors il a rejeté cet *objet fantasmatique* en le mutilant. »

Elle se plaça face à la bouche piégée par l'appareil stéréotaxique. « Pas de pièce ce coup-ci, évidemment... Cela me conduit à penser qu'il risque de recommencer bientôt, animé, comme vous dites, par la colère, mais aussi par le désir puissant d'aller cette fois au bout, dans un endroit tout aussi insolite qu'un abattoir... Dites-moi où se trouvait la caméra, commissaire.

— Ici, juste en face du corps. Elle reposait sur un trépied.

« — Comment était l'éclairage ? Quelle partie du corps illuminait-il ? Le corps tout entier, juste la tête ? »

Je pointai un doigt vers le fond de la pièce. « Il y avait une lampe, genre lampe de chevet, de chaque côté du corps. Et une troisième derrière la caméra.

— Merci, commissaire... »

En m'immisçant dans son monde sans qu'il ne s'y attende, j'avais peut-être éveillé en cet être démoniaque une rage inouïe, une volonté de répandre le mal avec une détermination plus farouche. Comme cette boule de neige que l'on pousse dans une descente, qui soudain vous échappe des mains et grossit jusqu'à tout écraser sur son passage. Williams poursuivit en monologue. « Le tueur est passé d'organisé à désorganisé. Précipitation, panique, fuite. Ce qui peut nous laisser une chance. S'il agit désormais sous le coup de la vengeance ou de la colère, il commettra des erreurs grossières. »

Sibersky se positionna dans le faisceau de la lampe, éclipsant la partie claire de nos visages et demanda d'une voix non ménagée : « Vous voulez dire que nous devons attendre de prochains meurtres pour espérer mettre la main dessus ? »

Thornton s'apprêtait à parler, mais Élisabeth le devança.

« J'espère que non ! C'est d'ailleurs mon rôle, autant que le vôtre, de tout faire pour éviter cela. Mais sachez que les tueurs en série agissent sans mobile apparent. Ils n'entretiennent aucune relation avec les victimes, contrairement aux tueurs de masse. Ils peuvent se tapir dans l'ombre des mois, voire des années, puis recommencer. Nous sommes tombés sur un arpenteur de bitume, un voyageur qui n'hésite pas à se déplacer, ce qui ne nous donne aucune indication géographique. Il travaille sur plusieurs victimes à la fois, celle-ci, Prieur, et rien ne nous permet d'affirmer, à l'heure actuelle, qu'une autre fille ne se trouve pas dans une situation similaire, quelque part au fond d'une forêt ou dans des entrepôts désaffectés, loin, très loin d'ici. À ce stade, la platitude de la vie ne l'intéresse plus. Les fantasmes prennent une telle importance que plus rien d'autre ne compte. Il est totalement voué à son obsession. » Elle orienta un regard appuyé dans ma direction. « Vous êtes intelligent, commissaire Sharko, mais si vous vous trouvez ici, c'est parce qu'il a bien voulu vous communiquer des éléments directeurs, même si, je pense, vous l'avez bluffé...

— Votre rôle consiste-t-il aussi à nous faire perdre espoir ? » répliquai-je avec froideur.

« Non, juste à vous faire prendre conscience qu'un tueur en série ne se comporte pas comme un tueur classique. Je veux vous faire réfléchir autrement. Nous devons nous efforcer de penser comme lui, non pas en termes de mobile, mais plutôt en termes de lien caché, de logique, SA logique, qui fait de ces meurtres une chaîne unique, répondant à quelque chose de concret. Si nous découvrons ce quelque chose, nous aurons un profil psychologique précis du meurtrier... »

Après avoir ôté l'appareil stéréotaxique, Van de Veld écarta d'une pince les mâchoires de la victime. Une petite dent gâtée s'effrita avant de tomber en morceaux sur le sol. « Bon, allons-y. Érosion buccale, dents très abîmées, pourrissantes. Peau du visage sèche, joues creuses, yeux enfoncés dans les orbites, chute des cheveux. » Il se décala vers le bas du corps et lui cassa un ongle. « Ongles striés, violacés, cassant net. Membres en baguettes de tambour... Nombreux œdèmes de carence sur la totalité du corps... Hanches saillantes, fesses totalement effacées, disques de la colonne visibles... Bordel, cette fille doit peser à peine quarante kilos ! À voir la taille des œdèmes, les vergetures, les plis pendants de peau et son incroyable élasticité, elle devait, à l'origine, être plutôt bien portante... »

Une gifle de stupeur poussa Sibersky vers l'arrière. Il questionna, les lèvres ondoyantes : « Combien de temps ? Combien de temps il l'aurait maintenue dans cette position, nue ? Combien de temps lui a-t-il fallu pour amaigrir sa proie à ce point ?

— Les examens toxicologiques nous révéleront s'il lui a administré des substances pour freiner l'infection des blessures, ce qui est fort probable vu les marques au niveau des avant-bras. Si c'est effectivement le cas, s'il l'abreuvait régulièrement, s'il l'hydratait, elle a pu rester dans cette position... plus d'un mois...

— Nom de Dieu ! » Sibersky ramassa une ampoule de rechange qui traînait près d'un halogène et la fracassa contre un mur avec la rage d'un joueur de hockey. « Vous allez encore nous dire, madame Williams, que Dieu a quelque chose à voir là-dedans ? » Il se volatilisa dans le long tunnel au pas de course, en larmes, radiant d'éclairs.

Je haussai les épaules, à moitié surpris de cette soudaine éruption d'émotions. « Il faut l'excuser », justifiai-je en me tournant vers la psy. « Ses nerfs sont à vif, tout comme les miens d'ailleurs. De toute ma carrière, je n'avais jamais vu une chose pareille. » Je lui pris le bras et la tirai sur le côté.

« Vous permettez ! » lançai-je à Thornton qui s'invitait. Haussant les épaules, il retourna auprès de Van de Veld.

Je chuchotai. « Vous croyez aux esprits ? À des dons quelconques de voyance ? »

Elle jeta un regard fugace vers la victime avant de

répondre. « Pourquoi diable me parlez-vous de ça ? Est-ce l'heure et l'endroit ? »

Je baissai encore d'un ton. « Une vieille Noire, ma voisine, m'a annoncé des prédictions qui m'ont amené jusqu'ici. Elle parle d'un être démoniaque, un homme sans visage venu sur Terre pour propager le Mal... D'ordinaire, je ne crois pas à ces salades... Mais les circonstances de la découverte de cette femme me troublent énormément... Le hasard ne m'a pas conduit ici... Doudou Camélia m'a aidé. » Mon regard se perdit dans le blanc de ses yeux. « Si elle a eu raison pour les chiens, elle a peut-être raison pour ma femme... Oui, ma femme est peut-être vivante, elle me le répète si souvent.

— Je... Que voulez-vous que je vous dise... » Elle réfléchit un instant. « Faites-moi rencontrer cette femme, je vous donnerai mon avis, si cela peut vous aider. »

Le légiste prélevait d'une pince effilée des échardes de bois qu'il rangeait dans des sachets en plastique apprêtés. Je l'informai : « Nous vous laissons, docteur Van de Veld. Je passerai vous voir plus tard dans la journée à l'Institut. Dites-moi juste s'il y a eu des rapports sexuels.

— Apparemment non », souffla-t-il en chassant du bout de la langue des graines de sésame noir. « Son vagin est rêche comme un sac de toile. Bordel, j'ai l'impression de travailler sur une momie qui a traversé deux millénaires... »

* * *

Élisabeth et moi bûmes un autre café dans un routier, au bord de la nationale 13. Je portais sous les yeux le poids de ma nuit agitée et cependant, je n'éprouvais pas la moindre sensation de fatigue, comme si la volonté m'animait de mettre à profit chaque minute écoulée. Je donnai un coup de fouet à mon visage avec l'eau fraîche des toilettes et nous reprîmes la route dans la demi-heure qui suivit. Un bloc de ciel bleu avait chassé le brouillard, mais la température demeurait basse.

« Vous savez », me déclara Élisabeth, « l'organisme possède son propre système de défense contre la douleur, il s'adapte, ce qui peut atténuer le mal. Par contre, aucune barrière n'existe pour la souffrance morale. Je... je me sens incapable d'imaginer ce qu'a dû endurer cette fille. Ça va bien au-delà de tout ce que nous connaissons en terme de psychologie, d'analyse, d'introspection. »

Je doublai un poids lourd et me rabattis en urgence. Une voiture qui déboulait en sens inverse klaxonna.

Devant, se déployait le Tout-Paris, la marmite bouillonnante avec son air vicié, ses interminables serpentins de gomme et de métal...

Je m'enquis : « Donnez-moi vos premières impressions sur ce meurtre-ci, à chaud...

— Trois paramètres importants. D'abord l'endroit. Les tueurs aiment évoluer dans des univers qu'ils connaissent. Interrogez le personnel de l'époque, tous ceux qui habitent à proximité de l'abattoir. Voyez avec les agents du commissariat local s'ils n'ont pas interpellé des visiteurs non autorisés. Il me faudra aussi une photo aérienne des lieux... »

Je la surpris à serrer la poignée de la portière lorsque j'attaquai un nouveau dépassement.

« Ensuite, il y a la notion de durée. En général, plus l'acte sadique s'étale dans le temps, et je crois que dans notre cas nous frôlons un record, plus le tueur a la certitude de ne pas être pris. Il se sent invulnérable, s'appliquant à passer inaperçu, ce qui le rend redoutable. Finalement, il faut analyser tout ce qui tourne autour de l'acte lui-même ; là, se situe la grosse partie du travail. Vous savez, tuer brutalement n'est pas une chose facile, mais tuer avec l'art et la manière l'est encore moins. En ce sens, l'assassin noue une relation particulière avec sa victime, ce qui peut le conduire à laisser des indices de façon involontaire. Pourquoi, à votre avis, a-t-il pris la peine de la laver ou de lui nettoyer les oreilles ?

— C'est ça que vous regardiez, tout à l'heure, ses oreilles... Je pense qu'il nettoyait les déjections pour travailler dans un endroit propre, agréable pour lui... Par contre, pour les oreilles, je ne comprends pas...

— Peut-être s'est-il occupé d'un malade, parce que cet individu, un proche, se trouvait incapable de s'entretenir lui-même. Peut-être que, adolescent, il avait sous son aile un frère plus jeune et jouait le rôle d'une mère absente. »

Je quittai la route un moment des yeux et me tournai vers elle. « Vous êtes extrêmement croyante, n'est-ce pas ?

— Je prie beaucoup pour les victimes, mais pour les assassins aussi. J'abjure le Seigneur de leur pardonner. Je crois aux choses belles de la vie, aux forêts et aux grands lacs bleus. Je crois en la paix, en l'amour et en la bonté. Si c'est cela que vous appelez être croyante, alors oui, je le suis.

— Dans ce cas, dites-moi, que s'est-il passé quand vous êtes entrée dans la pièce, tout à l'heure ? »

Un soufflet de stupeur lui empourpra les joues.

« De... De quoi voulez-vous parler ? » Voix troublée, papillonnante.

« Je vous ai vue. Quelque chose s'est produit au

moment où vous avez pénétré dans la pièce. Vous évoluiez ailleurs, à des milliers de kilomètres de nous tous. Vos yeux, vos cheveux... Racontez !

— Vous... vous allez me prendre pour une folle...

— Et moi, avec mon histoire de chiens, pour qui croyez-vous que je passe ? Je vous écoute... »

Elle se clarifia la voix. « C'est la première fois que ça me fait ça, après plus de vingt-cinq ans de carrière. Quand je suis arrivée sur le lieu du crime, je me suis vue sur un haut sommet enneigé, si haut qu'il me devenait impossible de constater autre chose que le bleu du ciel. J'étais perchée à la pointe de ce sommet, les nuages naviguaient sous mes pieds, floconneux, ridicules. Et là, mon esprit s'est comme ouvert. J'ai senti au-dessus du corps de la fille une forme d'énergie, une sorte de vibration d'atomes, chaude, froide, bouillante puis glaciale. J'ai ressenti à la fois la paix de la victime et la rage folle du tueur. Des ondes positives et négatives m'emportaient, des flux de charges m'ont picoté les joues et m'ont agité les cheveux... Ce qui s'est produit, je n'en sais rien, mais je suis persuadée qu'il existe une explication scientifique à cela... Probablement mon cerveau a-t-il généré, à la vue de la scène, des substances hallucinogènes de défense, vous savez, un peu comme ceux qui connaissent des NDE, des expériences approchées de la mort... »

J'opinai en silence. Pouvait-il en être de même pour le tueur ? Captait-il les présences, l'énergie vibrante des corps à sa merci ? Agissait-il pour le compte de puissances obscures qui guidaient ses pas, l'accompagnaient dans ses lugubres offices ? Que trahissaient cette invisibilité, cette force surprenante qui avait tracté mon corps dans la gueule du tunnel ? Pourquoi aucun bruit de pas, pas même le craquement de ses semelles sur les éclats de néons ? Quel diable était-il ? Quel don possédait-il ?

À destination, je me garai au sous-sol et nous gravîmes à pied les étages, plongés dans un silence de réflexion.

« Dites-moi, commissaire, ça sent comme...

— La morue, je sais... L'odeur est imprégnée jusque dans la moquette. Doudou Camélia est accro d'acras. » Mes lèvres s'étirèrent, comme pour former un sourire...

Elle s'exclama : « C'est rare de voir votre visage s'illuminer d'un sourire !

— Il faut dire que la situation actuelle ne prête pas vraiment à la fête ! Et comment pourrais-je sourire tant que je n'aurai pas retrouvé ma femme ? »

Les coups sur la porte d'entrée de ma voisine guyanaise n'obtinrent pas de réponse. « Elle doit être partie à la poissonnerie », glissa Élisabeth avec une pointe d'humour.

« Chut ! Écoutez ! » Je m'avançai à pas feutrés jusqu'à mon palier. Un grésil sonore entrecoupé de sanglots filtrait au travers des murs.

« Quelqu'un se trouve chez vous ! » murmura la criminologue appuyée sur mon épaule.

Je ne reconnaissais pas la voix, rêche, effilochée sur la partition chiffonnée de la peine. « Restez à l'écart... » dis-je en un souffle. Je sortis mon Glock, examinai ma serrure ; elle n'avait pas été forcée. Pas la moindre trace d'effraction, alors que j'étais certain d'avoir fermé à clé. Un sursaut d'espoir jaillit de l'intérieur de mon séjour. « Dadou ? C'est toi, Dadou ? Oh ! Mon Dieu ! Tu es en vie ! Ne c'ains rien ! Viens me voi' ! »

Sans plus réfléchir, j'enfonçai ma clé dans la serrure et poussai le bloc de bois avec précaution.

Je découvris la grosse Noire recroquevillée sur le sol, les bras en ceinture autour de ses mollets épais comme des sacs de boxe. Des larmes avaient enflé et exorbité ses yeux. Je fis signe à Élisabeth de s'approcher. Doudou Camélia gonfla les joues, comme deux montgolfières miniatures.

« Il est venu te voi', Dadou, hein ? Le malin, l'Homme sans visage, il est venu te voi' ? Dis-moi !

— Oui, Doudou, il est venu, cette nuit...

— Je le savais ! Je le savais ! »

Élisabeth se tourna vers la porte, examina la serrure comme je venais de le faire quelques secondes auparavant.

« Comment es-tu entrée, Doudou ? J'avais fermé à clé !

— Peu impo'te... Tu dois a''êter ce démon-là. A''ête-le, avant qu'il ne 'ecommence !

— Dis-moi comment faire ! Raconte-moi ce que tu ressens ! Tu vois Suzanne en ce moment ? Où se trouve-t-elle ? Bon sang, Doudou, dis-moi où se trouve ma femme ! »

Je me rendis compte que je la secouais sans ménagement. Élisabeth posa une main sur mon épaule et me tira vers l'arrière. Puis elle s'accroupit devant la vieille femme et se laissa prendre la main.

« Tu as la peau d'une fleur, mais le sang f'oid d'un caïman, madame. Tu connais les g'ands mystè'es de la mo't, le Seigneu' t'a dotée d'un don, comme moi, mais tu ne le sais enco'e. Utilise l'esp'it, il te gui-de'a là où tu dois aller. Mais p'ends ga'de au malin ! P'enez ga'de, tous les deux ! » Une inspiration paraissant douloureuse lui dilata la poitrine.

Je l'aidai à se relever et le xylophone de ses vieux os me joua un air sinistre, un craquement de bois mort.

« Qu'as-tu vu cette nuit ? » insistai-je. « Avait-il un visage ? Dis-moi à quoi il ressemble !

— Non, Dadou, pas de visage. C'était un souffle maléfique, sans co'ps, sans visage. Il est pa'tout et nulle pa't à la fois. Il te su'veille, Dadou ! Fais très attention ! Pa'ce qu'il ne te donne'a pas de deuxième chance... » Elle ébouriffa les plis de sa robe damassée et, dodelinant, ployant sous ses kilos, s'effaça sans se retourner.

Un silence d'église s'étira entre Élisabeth et moi. Pour une fois, le masque de parfaite insensibilité qu'elle portait avait disparu, dévoilant une femme différente, profondément touchée par ce qu'elle venait d'entendre.

« Cette vieille dame dégage des ondes », me confiat-elle. « De chaleur, de pureté. Elle rayonne de bonté. Ses paroles sont si touchantes, si pénétrantes ! Mais... en quoi devons-nous croire, alors ?

— Je ne sais plus, Élisabeth, je ne sais plus... Pourquoi ne nous dit-elle pas clairement de qui il s'agit ? Pourquoi toujours ces allusions ? Si Dieu est si présent que ça, pourquoi n'arrête-t-Il pas le massacre ? Pourquoi lui donnerait-Il juste des indices, qui, de toute façon, arrivent quand il est déjà trop tard ? Hein ? Dites-moi donc pourquoi ? »

Elle me serra les mains. « Ce sont les hommes eux-mêmes qui ont créé ce monde décadent. Adam et Ève ont désobéi et l'humain doit réparer lui-même l'erreur qu'il commet. Dieu n'a pas à intervenir.

— Il ferait mieux, pourtant... »

Elle glissa la lanière de son sac de cuir autour de son épaule.

« Écoutez, je vais y aller. Je dois effectuer des recherches à la bibliothèque. Ce soir, j'intégrerai les nouveaux éléments de l'enquête à mon dossier. Nous ne tarderons pas à nous revoir, mais faites-moi signe si vous découvrez l'identité de la fille dans les heures qui viennent... »

Dans ma chambre, j'affrontai le regard suppliant de Poupette et finis par la démarrer. Crachats de vapeur timide, un sifflement et la voilà partie, toute pimpante. L'odeur s'éleva telle une aurore de délivrance et amena son train de pensées agréables, inattendues, comme l'avant-veille. Je m'allongeai sur le lit, les mains derrière la tête, submergé d'images belles de ma femme... Oui... Thomas avait raison. Poupette m'arrachait des ténèbres, de la lugubre noirceur de ce monde pour me propulser sur les horizons clairs du passé. Le temps de quelques souvenirs, elle me ramenait Suzanne...

Chapitre six

Sonnerie stridente, une épine dans la brume printanière du sommeil. Au bout du fil, un bouledogue enragé, un clairon de chasse, un pétard de mariage. Le divisionnaire me roua de questions avant de m'ordonner de le rejoindre au 36 pour un point précis sur l'enquête. J'allais avoir des comptes à rendre...

À présent, grâce au modem ADSL que m'avait fait installer Thomas, je restais connecté à Internet jour et nuit, ce qui permettait aux ingénieurs du SEFTI de décortiquer les flux binaires voguant entre mon PC et le reste du monde. Un regard coutumier sur le contenu de ma boîte aux lettres électronique me révéla la présence d'un unique message, envoyé par Serpetti.

Franck,
Ton histoire de tatouage relevé sur le corps de la fille de Bretagne m'a tracassé au plus haut point. Une partie du sigle me disait vaguement quelque chose et, en creusant une bonne partie de la nuit, je pense avoir découvert des détails qui pourraient t'intéresser. Apparemment, le monde dans lequel semble évoluer ce malade est un monde d'allumés, de personnes dangereuses assoiffées de vice et de tout ce qu'il y a de pire ici-bas. Je préfère t'en parler en tête à tête. Je suis au

champ de courses une bonne partie de la journée, puis je passe au FFMF (mon club de modélisme) en fin d'après-midi. Tu peux essayer de me joindre si tu le souhaites, mais la plupart du temps j'éteins mon portable quand je suis dans les tribunes de l'hippodrome. Brouhaha oblige... Passe à la ferme à 19 h 00, je t'y attendrai. Par la même occasion, nous dînerons ensemble. Je suis seul, Yennia est encore sur le Paris-Londres. J'espère de tout cœur que vous allez sauver la malheureuse des photos... J'ai l'impression que ton tueur n'a rien d'humain.

P-S : Il faudra que tu penses à me laisser ton numéro de portable. Tu es injoignable...
Amicalement,
Thomas S.

Les colères de Leclerc, mémorables, nous rappelaient, ô combien, que les murs de la Crim' manquaient d'épaisseur. Quand il piquait une crise, une onde de choc secouait les couloirs... De sombre idiot, je devins irresponsable et les années défilèrent au fur et à mesure des phrases, quand je passai de jeune incompétent à vieux con. Mais Leclerc changeait comme la marée ; à bout de mots, la gorge en feu à trop crier, il m'annonça qu'il trouvait mon action courageuse et menée avec une certaine efficacité. Il me remit un dossier d'enquête dressé par le SRPJ de Nantes avant de disparaître derrière des volutes grisâtres, une cigarette écrasée entre les lèvres.

« Ils ont de nouveaux éléments sur Gad ? » lui demandai-je en m'écartant du halo de fumée.

« Non, à part la déposition de ce type, on n'a pas l'ombre d'un pet. L'autopsie du corps n'a pas été autorisée. De toute façon, après plus de deux mois... En conclusion, absolument rien ne nous permet de rejeter la thèse de l'accident. Cette fille n'était pas une sainte, comme tu pourras le voir dans le rapport, mais la loi n'interdit pas les penchants pervers et les gâteries au goût de cuir. Elle gardait sa vie privée si secrète qu'il nous est difficile d'obtenir la moindre piste. Factures de téléphone, que dalle. Voisinage, que dalle. Amis et famille, que dalle. Aucun hôtel réservé à son nom sur Paris, les dépenses par carte bleue n'ont rien révélé de spécial, si ce n'est des retraits importants dans le distributeur d'argent de la gare Montparnasse... Les habitués du train ont été interrogés, certains se souviennent juste de son visage, sans plus. Gad était une ombre dans le brouillard. Je compte sur toi pour me clarifier ce bordel, et le plus rapidement possible...

— Je ferai de mon mieux... Dites-moi, Thornton va nous coller au train longtemps ?

— Il est là en observateur... Il évalue le travail de Williams. C'est l'une des premières fois où la police travaille avec un profiler, alors tu comprends, le juge Kelly est sceptique.

— Parce que vous croyez que Thornton est capable d'évaluer autre chose que son trou du cul ? »

Le téléphone de Leclerc sonna et je sortis, le maigre dossier sous le bras.

Je m'enfermai dans mon bureau, en chassai une pile de feuillets sur l'extrémité et, la tête entre les mains, parcourus les pages du rapport. La déposition de l'ingénieur de carrière restait, de loin, le passage le plus concret.

... Rosance Gad m'intriguait et me fascinait. Elle était assez renfermée, discrète, et je ne me souviens pas avoir souvent entendu le son de sa voix au travail. Elle aurait pu passer pour une petite fille modèle, méticuleuse, très appliquée dans ses tâches quoti-

diennes. Mais les Docteur Jekyll et Mister Hyde exis-
tent. Et quand vous tombez sur l'un, vous ne pouvez
plus vous défaire de l'autre.

Je soulignai *Docteur Jeckyll et Mister Hyde*, songeant alors à l'Homme sans visage, le malin de Doudou Camélia, *il est partout, il est nulle part, il te*
surveille... et je me remis à lire la suite.

Je tiens à rappeler que je n'ai jamais eu le moindre
rapport sexuel avec cette fille...

La première fois que nous avons passé la soirée
ensemble, c'est resté assez soft. Elle m'a menotté, a
joué avec mon sexe, m'a infligé de petits coups de
fouet sur le torse et les fesses. Bien entendu, quand je
dis soft, tout est relatif à la suite. Elle m'a piégé. Je
suis devenu accro, dingue de ses jeux étranges. Plus
nos rapports devenaient violents, moins je pouvais me
passer d'elle. Je ne sais pas, on aurait dit qu'elle était
capable de contrôler mes sensations, mes perceptions,
au point de me rendre esclave. Un esclave de la dou-
leur... Nous nous voyions deux fois par semaine, en
début de soirée et cela a duré plus d'un mois. Je pré-
textais à ma femme des réunions ou des repas d'af-
faires avec d'importants clients de la région.

Vous allez me prendre pour un fou, un malade
sexuel, pourtant il n'en est rien. J'aime ma femme
plus que tout ; je crois que Gad n'était rien d'autre
que la réincarnation d'une brûlure sexuelle se nour-
rissant de la souffrance qu'elle provoquait.

On me force à énumérer les actes qu'elle pratiquait.
Les voici. Des menottes, elle est passée au ligotage. Je
ne sais pas où elle apprenait tout ça. De toute façon,
elle me bâillonnait tout au long de l'acte, et j'avoue
que je n'ai jamais pensé à lui poser la moindre ques-
tion. J'en étais incapable... Tortures à base d'épingles
à linge et de pinces crocodile. Brûlures à la cire sur

la totalité du torse. Pressions plus ou moins fortes au niveau de la carotide. Parfois je partais et je revenais, à demi conscient, avec une impression de béatitude extrême... Pissing, c'est-à-dire qu'elle m'urinait dessus. Certainement l'acte que je détestais le plus...

Sur la fin, elle m'a proposé de filmer notre relation. Elle voulait me mettre une cagoule et tourner avec un caméscope les actes sadomasos. Elle me disait que je pouvais gagner beaucoup d'argent et, de toute façon, jamais on ne verrait mon visage. J'ai refusé, ça l'a mise en colère, et ce soir-là, elle m'a fait vraiment mal.... Elle est morte le surlendemain...

Je posai le rapport ouvert devant moi et me plaquai contre le dossier de mon siège, la tête rejetée vers l'arrière. L'ange qui dissimule le démon chez Gad, l'homme qui cache la bête féroce chez l'assassin, le tout sur un tapis de cruauté et de vice. Un lien étroit se tissait entre ces deux êtres, leurs destinées s'étaient croisées, emmêlées, torsadées et, de cette alchimie bouillonnante, avait jailli la mort. Le fil était brisé ; l'une des extrémités pourrissait sous terre et l'autre se baladait librement, au gré d'un vent de terreur. Je composai le numéro interne de Sibersky, le priant de me rejoindre dans le bureau. Il se présenta dans la minute.

« Commissaire, je suis désolé... pour mon comportement à l'abattoir... Mes nerfs ont lâché... J'ai... j'ai pensé à ma femme, à ce moment-là... »

Je lui fis signe de s'asseoir. « Tu n'as pas de honte à avoir... Ils t'ont donné des renseignements, au commissariat de Vernon, au sujet d'HLS et du FLA ?

— Sur le Front de Libération des Animaux, surtout. Le FLA s'organise grâce au réseau Internet et par échange d'informations sur des serveurs protégés par mots de passe. De nouveaux membres, les juniors, accroissent sans cesse les effectifs, mais seuls les seniors ont accès aux données sensibles, lieux de rendez-vous, prochaines cibles, plans d'action...

— Qu'appelles-tu seniors ?

— Des anciens qui ont fait leurs preuves dans des actions antivivisection ou des interventions au profit des animaux. Genre, libérer les cigognes des zoos. Des fanatiques pacifiques, voués à une cause noble.

— Facile de devenir junior, d'adhérer au mouvement ?

— Pas vraiment. L'inscription d'un nouveau dépend d'un parrain, déjà membre du FLA, chaque parrain étant responsable de son filleul. Les taupes qui tentent de s'introduire dans le mouvement sont ainsi très rapidement détectées... Le réseau est très mobile. Les sites changent souvent de serveur. Au sein de cette organisation, se mêlent des experts en systèmes d'information, en sécurité et en techniques de piratage... Autant dire qu'ils sont insaisissables...

— Nos collègues ont-ils mis la main sur l'un de ces membres ?

— Des suspects. Juste des suspects. Vous connaissez Paulo Bloumette ?

— L'apnéiste recordman de France ?

— Oui. Connu aussi pour ses coups de gueule médiatisés. Il clame presque ouvertement qu'il fait partie du FLA. Mais bien sûr, on n'a aucune preuve. »

Je fermai le dossier dressé par le SRPJ de Nantes. « Si le tueur ne fait pas partie du FLA, comment était-il au courant de leur action ?

— Je n'en sais rien. Je crois que le tueur est accro d'Internet.

— Pourquoi ?

— Il a peut-être réussi à glaner les informations du FLA sur la toile. De plus, les contenus des ordinateurs de Martine Prieur et de Rosance Gad ont été effacés ; à mon avis, ils contenaient des éléments sensibles pouvant nous fournir des indices sur lui. Peut-être des e-mails ou des sites Internet qu'elles avaient l'habitude de fréquenter, sur lesquels elles auraient pu le rencontrer. Prieur avait une ligne ADSL haut débit, elle surfait donc très certainement plusieurs heures par jour.

— Justement, a-t-on pu retrouver ces adresses de sites sur lesquelles nos victimes se rendaient ?

— Je me suis renseigné auprès du SEFTI. La masse d'informations brassée est énorme, les fournisseurs d'accès ne gardent les traces de connexions que quelques jours d'affilée. Les données n'étaient plus disponibles... »

Encore une fois, le tueur nous avait devancés d'un souffle, avec toute sa maîtrise, sa connaissance.

« Focalise-toi encore sur Internet. Demande au SEFTI de jeter un œil sur les sites de rencontres français dans un premier temps, pour voir si Prieur et même Gad y avaient des abonnements. Dis-leur de fouiller dans les sites sadomasos, on ne sait jamais. Vois si certains proposent la vente de cassettes amateur d'actes de torture. Avec des adresses sur Paris, si possible. J'ai la sombre certitude que tout tourne autour d'Internet.

— C'est un moyen tellement simple de véhiculer le crime dans l'anonymat. Vous savez, commissaire, la police n'est qu'à l'ère glaciaire dans le domaine de la cybercriminalité... »

En un sens, je me sentais rassuré. Le concret de la technologie ramenait le meurtrier dans le rang des humains, faillibles, constitués de chair et de sang. Mais l'Homme sans visage me surveillait, perché sur la voûte de mon âme. Je voyais encore les cheveux d'Élisabeth Williams s'électriser au contact de l'horreur. Je pensais à ces hurlements de chiens, ces visions de Doudou Camélia concernant Suzanne. L'irrationnel à la conquête du rationnel...

Tout en décrochant mon téléphone pour joindre le légiste, je demandai à Sibersky : « La deuxième victime, du nouveau sur son identité ?

— On creuse dans les villages avoisinants. Aucune piste pour le moment...

— Tu restes ? J'appelle Dead Alive.

— OK. Je ne pense pas que j'aurai des haut-le-cœur cette fois. Au fait, vous aviez raison...

— Sur quoi ?

— Ma première autopsie... Il n'y a pas une seule nuit sans qu'un cauchemar m'assaille... »

« Sharko à l'appareil. Peut-on faire un point sur la victime de l'abattoir ?

— C'est parti ! » répondit Van de Veld avec son entrain coutumier. « Les examens toxicologiques de la victime ont révélé la présence de peroxyde d'hydrogène sur les plaies. Un antiseptique à faible concentration, pour le soin de plaies gangrenées ou de nécroses des tissus. On peut l'acheter dans toutes les pharmacies. La victime souffrait de dénutrition irréversible. Le métabolisme des acides aminés ne pouvait plus se faire, le corps se consommait lui-même, puisant dans ses ressources propres pour sa survie. Cependant, le bourreau a prolongé le martyre au maximum. Il lui injectait une solution de glucose à dix pour cent, en perfusion lente, poignets et avant-bras étant meurtris de traces d'aiguilles. Le glucose représente l'un des éléments essentiels à la survie, mais ne peut bien sûr compenser les pertes lipidiques et protidiques, ni se substituer à l'apport des vitamines essentielles au métabolisme. Disons que le corps était une voiture qui essayait de rouler sur deux roues...

170

— Pourtant, il n'y avait aucune trace de matériel de perfusion lorsque je l'ai découverte. Comment l'expliquez-vous ?

— Il avait peut-être décidé d'en finir. Il revenait certainement pour l'achever ce soir-là. Sans perfusion, dans l'état où elle se trouvait, elle n'aurait pas pu tenir dix heures de plus.

— Comment se procure-t-on ce type de médicaments ?

— Ça se vend par ampoules à la pharmacie, sur prescription médicale. Le glucose est délivré aux personnes souffrant de dénutrition, aux anorexiques ou aux personnes âgées. Très facile de s'en procurer en falsifiant une ordonnance, car ce n'est pas un médicament dit sensible...

— C'est tout ?

— Non. La paroi stomacale se présentait distendue et ulcérée. Comme je l'avais constaté sur place, les nombreuses vergetures encore roses qui lui nervuraient la peau au niveau des fesses, des hanches et du ventre, laissent présager qu'elle a pris du poids très rapidement.

— Une prise de poids due à une maladie ?

— Non. À une suralimentation soudaine. Possible que cette fille ait été boulimique...

— Stupéfiant. Bien joué, docteur.

— Je n'ai fait que constater... Au fait, comme je suis passé au labo, j'en ai profité pour récupérer vos analyses de toxines. »

Il entretenait un suspense malsain que je m'empressai de trancher. « Et alors ?

— Présence de kétamine dans votre sang. C'est un anesthésique de type dissociatif. Cela signifie, vous avez dû le ressentir ainsi, qu'il sépare l'esprit du corps. Vous restez conscient avec des hallucinations temporaires, mais votre corps, lui, ne vous appartient plus. Par injection, l'effet est quasi immédiat. Il arrive que l'esprit se déconnecte, si l'apport est trop massif, d'où votre évanouissement final...

— Merci, docteur... Faites-moi signe si vous avez du nouveau.

— Vous ne me demandez pas comment il a pu se procurer la kétamine ?

— Je sais déjà comment... Il l'a subtilisée au laboratoire de vivisection d'HLS. À bientôt, docteur... »

Sibersky s'appuya avec le poids de l'inquiétude sur mon bureau. Il dit d'un ton aiguisé : « Cet enfoiré de tueur se permet de jouer les apprentis infirmiers. Il l'a maintenue en vie cinquante jours ! Vous rendez-vous compte de sa volonté ? Combattre à la fois la dénutrition et l'envie de mourir de la fille !

— On arrive à tout avec la volonté... Pour le meilleur et pour le pire... »

Il frappa avec les jointures de son poing sur le dossier de sa chaise.

« Calme-toi ! » ordonnai-je. « Fouille du côté des polycliniques, hôpitaux, ou centres spécialisés pour boulimiques. Faxe-leur l'une des photos de la victime. Il faudrait aussi interroger les pharmaciens du côté de Vernon dans un premier temps, se renseigner sur les achats de solution de glucose.

— On ne peut pas faire un appel à témoin à la télé ? »

Je claquai avec violence une photo de la victime sur la table. « Pour leur montrer une horreur pareille ? »

Il haussa les épaules. « Dites-moi, commissaire, ne pensez-vous pas que, parfois, nous sommes des travailleurs de la mort ?

— Explique-toi !

— Vous connaissez ces escouades de la mort, ces

172

insectes nécrophages qui arrivent par salves successives sur les cadavres pour se nourrir et qui, l'heure venue, abandonnent leur place aux escouades suivantes ? Nous sommes un peu comme eux. Nous travaillons dans le sillage de la mort. Nous arrivons sur le cadavre quand il est trop tard, bien trop tard, et nous nous nourrissons des restes que le tueur veut bien nous laisser...

— Notre rôle consiste justement à empêcher l'arrivée de l'escouade suivante... »

Je portai mon attention sur le *Docteur Jekyll et Mister Hyde* souligné dans le dossier. « Il faut persévérer dans les recherches sur Martine Prieur. Cette fille était-elle bien une sainte comme nous le pensons tous ? Relance le commissaire Bavière. Demande-lui de disséquer son passé, de remonter jusque dans sa scolarité. Nous devons fouiller au-delà des apparences... Quant à moi, je vais sur Nanterre.

— Voir s'ils ont du nouveau pour votre femme ?

— Tu as deviné... »

* * *

Pas un meuglement, grognement, aucune piaillerie ou turbulence de basse-cour dans l'immensité brune des champs. Dans le U central, un toit d'étable percé, un silo-cuve déchaussé, écrasé contre un hangar moucheté de champignons et de mousses vertes. Au fond, un château d'eau branlant. La ferme de Thomas Serpetti, aux allures de kolkhoze, de camp usé, respirait l'abandon, le travail inachevé, le laisser-aller de l'homme d'appartement. Mais, derrière les stalles de poussière, les auges noyées d'eaux croupissantes ou

173

les mangeoires percées, poignait une aurore limpide, celle de la liberté, de l'absence de soucis, loin du fracas métallique et des tours bétonnées de la Grande Pieuvre.

Thomas m'accueillit sur le perron, habillé d'un jean coupe large et d'une chemise à carreaux, genre Charles Ingalls dans *La Petite Maison dans la prairie*.

« Salut Franck ! Ne fais pas attention au bordel de la cour. Je n'ai pas encore eu le courage de m'occuper de l'extérieur. Mais ça viendra... Entre, je t'en prie... Dis-moi, t'es obligé de te mettre en costume, même pour te rendre chez tes amis ?

— Question d'habitude. Tu m'enlèves mon costume, c'est un peu comme si tu ôtais le nez rouge d'Auguste le clown... »

Les grandes lignes parallèles des pièces dégageaient une impression de froideur intense. Le labeur, la dure vie des gens qui avaient habité ici, continuaient à infuser l'air de leurs parfums de terres humides, de foin coupé. L'agencement des fauteuils à oreillettes, des écoinçons patinés ou de la cheminée de salon, ne réchauffait qu'illusoirement une atmosphère à l'épaisseur de la pierre.

Au fond, dans une salle annexe, sous des lumières bleutées, se déployait une merveille de technologie, une œuvre incroyable de précision, un mélange d'âme d'enfant et de patience réfléchie.

Des dizaines de locomotives – de marques Hornby, Jouef, Flecihmann – dansaient dans un ballet électrique, croquaient le rail, tractaient des marchandises sous l'œil timide de chefs de gare en plâtre. Et, outre les gares, se déployaient des usines, des arbres, de l'herbe et des pieds de vignes en lichen, de l'eau dévalait des montagnes... Un réseau magnifique, une réussite parfaite, féerique.

« Magique, n'est-ce pas ? Tout est contrôlé par un ordinateur qui pilote les aiguillages, les dételeurs, les usines de chargement, les plaques tournantes, j'en passe et des meilleures ! C'est tout cela que j'aimerais te transmettre, Franck. Ce foisonnement miniature de vie est tellement... passionnant ! Planifier tous ces trajets, orchestrer ces croisements, maîtriser ces enchevêtrements de métal dans un ballet grandiose... Quelle joie !... Tu as pu faire fonctionner Poupette, au fait ?

— Oui, je te remercie du cadeau. Il est vrai que cette petite locomotive à vapeur est très agréable. Dis, tu donnes des noms à tous tes trains ?

— Bien sûr ! Chacun d'entre eux possède un caractère, une destinée, comme nous. Tu vois, le grand noir qui double tous les autres ? Il s'appelle Thunder. La loco pépère rouge et blanche, c'est Vermeille. Lui, là-bas, celui qui traîne sa dizaine de wagons, se nomme Hercule. Je suis un peu leur père, à tous. »

De retour dans la salle à manger, je désignai la paire de bas pendue sur un dossier de chaise : « On sent qu'il y a une présence féminine ici !

— Oups, excuse-moi ! » Il s'empara des bas et les dissimula dans sa poche. « Yennia a toujours la tête dans les nuages.

— Je n'aurai pas la chance de la rencontrer ce soir, alors ?

— Non, désolé. Comme je t'ai dit au téléphone, à l'heure qu'il est, elle doit se trouver au pays des Rosbeefs... »

Il me tendit un verre de genièvre de Houle, mon alcool préféré.

« Belle bouteille », répliquai-je avec l'œil de l'expert. « Tu sais que tu me fais vraiment plaisir ?

— Je connais tes origines nordistes, c'est tout... Du nouveau pour la personne de la photo ? A-t-on espoir de la retrouver ?

— Elle est morte... Je l'ai découverte dans la nuit, dans le ventre pourrissant d'un abattoir désaffecté.

— Seigneur ! » Il se mordit les doigts. « Comment as-tu réussi à retrouver cette fille ? C'est incroyable qu'à partir d'une photo...

— Je préfère ne pas t'en dire davantage. Je ne veux plus t'impliquer dans l'affaire...

— Je ne peux pas vous abandonner ! Ni toi ni Suzanne. Jamais je n'aurais cru pouvoir te venir en aide dans une affaire criminelle. Aujourd'hui, j'en ai l'occasion. Ne me prive pas de ça, Franck. Je tenais beaucoup à Suzanne, moi aussi, tu le sais. Laisse-moi faire ce geste pour elle.

— N'oublie pas que tu n'es plus seul. Tu as Yennia, et tu dois veiller sur elle. La menace est vraiment réelle, Thomas.

— S'il y a danger, tu pourras faire surveiller ma ferme, non ? Vous faites ça dans les films, d'habitude. Allez, suis-moi, j'ai des choses à te montrer... »

Il m'emmena dans un bureau, à l'étage. Un antre de technologie, là encore, une caverne de traitement de l'information. Un PC et deux serveurs LINUX tournaient en permanence ; sur l'un d'eux, défilaient à des rythmes fous des combinaisons de chiffres et de lettres. Des scanners, imprimantes, graveurs et lecteurs de DVD s'empilaient en une tour d'où clignaient des diodes vertes et rouges. Dans la pièce, la température avait grimpé d'au moins trois degrés. Un magnifique poster, une espèce de tapisserie luisante, couvrait le mur arrière du bureau et j'y posai mon regard un long moment, comme absorbé par la beauté hypnotique du paysage.

« Ravissant, n'est-ce pas ? Ce sont les marais du Tertre Blanc, un bled que j'ai découvert au hasard d'une randonnée à l'ouest de Melun. J'ai tiré la photo

176

moi-même. Un paysage magnifique... J'aime penser à de tels endroits lorsque je travaille... ça... comment dire ? Me donne de l'inspiration... Tu vois ce petit chalet, à l'arrière-plan ? Un jour, je me l'achèterai.

— Tu as pourtant les moyens.

— Il faut faire durer le plaisir, sinon que deviennent les rêves si l'on obtient tout ce que l'on souhaite ? Bien... » Il déploya un geste théâtral. « Voici mon jardin secret. C'est d'ici que je traverse le monde... »

Des ventilateurs à processeurs tournaient à pleine puissance dans un ronflement soporifique.

« Parle-moi du tatouage », le priai-je.

« OK. C'est BDSM qui m'a mis sur la voie, un sigle existant sur une bonne partie des sites sados. BDSM4Y est une extension signifiant *Bondage Discipline and Sado Masochisme For You*, et désigne un groupement de sados français qui évolue dans l'ombre d'Internet.

— L'ombre d'Internet ? Que veux-tu dire ?

— Les sites pornos et sados prolifèrent sur la Toile. Tu en trouves pour tous les goûts. Fétichistes des pieds, des ongles, dominants et dominés, bondage, fans du latex, du pissing, de la zoophilie, de tout ce que tu veux. Dans les sillages poisseux de ces vitrines se dissimulent des choses bien plus ignobles, un monde caché où se propagent le vice purulent, l'extrême, l'insupportable... »

Il me déroula un listing d'adresses Web craché par une imprimante laser. Des constellations de lignes sur le ciel blanc du papier. « Regarde. Des adresses de sites pédophiles à n'en plus finir. Des scandes à Hitler, au nazisme, des appels au retour de la race supérieure. Et ceux-ci, dédiés à Ben Laden et au réseau Al Qaïda. Des invitations à la guerre, à la déchéance. Tu trouves même comment fabriquer des bombes, comment devenir un bon kamikaze sur fond de Coran... J'en ai gravé

177

des piles de CD et pourtant, le commun des mortels ne s'aperçoit de rien en surfant... Tu vois cet ordinateur, dans le coin ? »

J'opinai. La liste qu'il dépliait dévoilait des adresses, des www à n'en plus finir. Il continua. « Ce serveur LINUX est en relation directe avec le SEFTI. Il leur transmet en temps réel les informations des sites suspects. Mais nous évoluons sur un terrain mouvant. Ces terroristes, ces sadiques de l'ère moderne, sont prudents et instruits, plus que quiconque. Ils savent effacer les traces de leur passage, ce qui les rend pratiquement insaisissables. De toutes ces adresses, je ne suis pas sûr que demain, il en reste une seule valable. »

Ses doigts s'élancèrent sur le clavier d'un ordinateur, chevauchèrent les touches. Il tapa une adresse complexe, impossible à retenir ou à trouver au gré de la navigation sur la Toile. « Voilà ce qui nous intéresse. » Un écran d'identification apparut, Thomas y saisit un identifiant puis un mot de passe, la juste combinaison ouvrit les portes de l'inconnu.

« Bon sang ! Comment as-tu fait pour en arriver là ?

— Des zéros et des uns, Franck, des zéros et des uns !

— Explique !

— J'ai gratté, gratté, gratté. J'ai arpenté et crois-moi avec dégoût, les sites sadomasos. De liane en liane, d'indice en indice, comme tu le fais pour ton enquête. Je me suis immiscé dans les discussions en ligne, jusqu'à rencontrer des détenteurs de secrets qui m'ont permis de remonter aux origines de BDSM4Y. Et je suis tombé sur ce site...

— Mais pour l'identifiant et le mot de passe, comment as-tu réussi à contourner le système de sécurité ? »

Il désigna une seconde machine, celle où défilaient sans répit les soupes de chiffres, les nuées de lettres.

« Enfantin ! J'utilise un robot, un logiciel intelligent qui teste jour et nuit des combinaisons possibles d'identifiants et de mots de passe. En conditions normales, même si l'ordinateur vérifie plusieurs centaines de couples à la minute, il faudrait des mois. Sauf que les internautes, toi comme moi, utilisent des mots de passe faciles à retenir. Dates de naissance, noms propres, prénoms, combinaisons de moins de six lettres de mots ou expressions triviales du genre *tototo* ou *tititi*... Mon robot travaille à partir de fichiers préétablis de mots. Les combinaisons peu probables sont éliminées, ce qui fait que l'on bascule de plusieurs mois à un jour ou deux de recherches. Vois-tu, ici, le logiciel a retourné David/101265. Le prénom et la date de naissance du type, probablement. Magique, non ? »

Le site ne payait pas de mine. De pauvres pages sans vie, sans couleurs, mal organisées. Une autre fenêtre fleurit lorsque Serpetti cliqua sur l'un des rares liens. Des noms apparurent, des phrases, des dialogues par écrans interposés circulèrent. Le *chat* vibrait de vie.

« Voilà leur espace de travail », commenta Thomas. « Ils discutent en direct à longueur de journée. Certains partent, d'autres arrivent et ça tourne continuellement... Regarde. Actuellement, il y a cinq personnes différentes, cinq pseudonymes. Cinq vicieux...

— Je connais ce genre de salon. Ils devraient détecter ta présence, non ? Car d'ordinaire, lorsque l'on se connecte, notre pseudonyme apparaît automatiquement. »

Ses yeux reflétèrent la ruse du renard. « Oui, sauf que j'ai trafiqué mon logiciel. J'observe sans être vu...

— De quoi discutent-ils ?

— De techniques de ligotage. De la façon dont ils font jouir leurs partenaires en les harnachant, en leur coupant la circulation sanguine ou en les étranglant jusqu'à la limite de l'asphyxie. Ils se considèrent comme les maîtres absolus de la douleur mêlée au plaisir. Quand je dis *ils*, je généralise, car certains pseudonymes, certaines façons de parler, indiquent que des femmes font partie du groupe. »

Des femmes. Des Rosance Gad...

« Tu parles de la face cachée, noire, d'Internet. Il s'agit de sadomasochisme à dominante perverse, je suis d'accord avec toi. Mais cela reste tout de même assez commun dans le milieu, non ?

— Tu connais les sociétés secrètes ?

— Comme tout le monde. Les Francs-Maçons, l'ordre des Templiers, les Cathares...

— Les sociétés dont tu parles sont des sociétés initiatiques, composées de gens de la haute bourgeoisie, de chevaliers, de chapelains, de sergents mus par de nobles causes, même si des pages sombres de l'Histoire ponctuent leurs cours. D'autres sociétés de subversion, vouées au culte du satanisme, de la magie noire, de la sorcellerie ont existé aussi, notamment aux alentours du XVII⁰ siècle, mais, parce qu'elles effraient, on préfère les ignorer plutôt que d'en parler. Par exemple, la Sainte-Vehme, ça te dit quelque chose ?

— Il me semble qu'il s'agissait d'une confrérie qui servait à maintenir la paix et punir le crime ?

— Au sein de cette société, un groupuscule d'initiés, de grands maîtres, agissait dans le secret absolu, protégé par la coupole de la confrérie. Une sorte de société dans la société. Ces francs-juges vouaient une passion exacerbée à la douleur qu'ils infligeaient. Ils débordaient d'imagination pour torturer les accusés qu'on leur *confiait*. Je pense notamment à la Vierge de

Nuremberg, une statue en bronze, creuse, une espèce de sarcophage dans lequel le supplicié devait entrer. La Vierge se refermait et la victime se retrouvait empalée sur des pieux tranchants soudés aux portes, dont deux à la hauteur des yeux. Et le châtiment ne s'arrêtait pas là. Le socle s'ouvrait et le condamné tombait entre des cylindres armés de couteaux qui le réduisaient en pièce avant que la chair et les os ne soient emmenés par une rivière souterraine.

— Tu veux dire que BDSM4Y serait une société secrète à caractère pervers, vouée au mal, au culte de la douleur, bien au-delà de ce que l'on peut lire dans ces échanges ?

— Je crois, oui. La notion d'ordre, de hiérarchie, de règles et de secrets, reste très présente dans leurs conversations, ce qui laisse penser à une organisation de type confrérie. Tout a l'air de reposer sur de solides bases organisationnelles, comme dans une entreprise. Concernant leurs actions, d'après ce que j'ai pu lire, ils explorent la souffrance jusque dans ses derniers retranchements, jusqu'à la limite ultime de la mort. La douleur devient une source d'inspiration, un objet divin qu'ils veulent maîtriser de façon absolue. »

Il se tut un instant puis grinça : « Putain, Franck, ces types-là sont des tarés ! »

Je me penchai vers l'écran et les mots inscrits pénétrèrent ma chair comme la pointe d'un fouet. Les propos étaient si crus, si cyniques, tellement bestiaux que j'eus du mal à croire qu'il s'agissait bien d'humains.

Le tueur se nichait sans doute parmi cette meute, aux aguets, prêt à s'empourprer les rétines de sang. Je demandai : « Comment fait-on pour pénétrer dans la société ?

— Tu rigoles ou quoi ? Jamais tu ne pourras entrer là-dedans ! Ces types sont des courants d'air, extrêmement dangereux et, crois-moi, prêts à tout !

— Dis-moi comment percer la carapace !

— Il faudrait arpenter les milieux SM. Les actes qu'ils décrivent sont typiques de cruauté sadomaso-chiste poussée. Je pense que les membres de la société se voient recrutés selon leur assiduité aux milieux SM, leurs penchants pour la bizarrerie, ainsi que leur sens du secret, de la discrétion. Certains sont peut-être des gens haut placés. La prudence reste leur fer de lance, donc, à mon avis, mieux vaut ne pas jouer l'intrusion. En deux temps trois mouvements, ils te tomberaient dessus. Imagine le sort que ces tarés de la douleur pourraient te réserver ! »

Je me pris la tête dans les mains. « Quelle bande d'allumés, bon sang ! »

Les phrases continuaient à défiler devant moi sur l'écran couleur. Des allusions à la douleur extrême, au plaisir de la chair, à la volonté de répandre le vice. Nous devions aller plus loin, il le fallait. Dans ce laby-rinthe de pseudonymes, évoluait à l'évidence le tueur, bien protégé dans l'anonymat induit par Internet.

Une étincelle, deux silex que l'on frotte, illumina mon esprit.

« On peut mettre la main sur le responsable du site ! »

Le visage de Serpetti ne s'alluma pas pour autant. Idée pas si géniale, semblait-il.

« Peu probable. Le site est hébergé chez Wirenet, un fournisseur d'accès gratuit. N'importe qui peut y construire un site en restant parfaitement anonyme. Il suffit de créer un compte. Rien de plus simple. Bien entendu, ils exigent des informations comme ton nom, prénom ou adresse, mais rien ne t'empêche de rentrer des coordonnées bidons.

— Envoie l'info au SEFTI, demande-leur quand même de vérifier.

— Déjà fait... J'ai même transféré des fichiers au format texte qui contiennent tous leurs dialogues depuis deux jours. En fouillant, ils dénicheront peut-être des indices. Tu sais, je n'ai pas le flair du policier.

— Non, tu as celui d'un chien de chasse. Tu m'as fait avancer d'un grand bond.

— Que vas-tu faire à présent ?

— Essayer de retrouver ces fanatiques. Le tueur doit en faire partie. Tu as des noms d'endroits SM qu'ils pourraient fréquenter ?

— Oui. J'ai pas mal cherché. Il y a le Black-Dungeon, le Bar-Bar et le Pleasure & Pain, certainement le plus hard de tous. Tu ne comptes pas fourrer les pieds là-dedans, quand même ?

— Pas le choix. On ne doit pas perdre leur trace. Tout laisse présager que le tueur risque de recommencer, très bientôt. »

Je me levai et lui emboîtai le pas dans l'escalier. « Comment va ton frère, Thomas ? »

Il me répondit sans se retourner, voûté sous les lattis inclinés de la descente d'escalier.

« Mal. Il n'a pas supporté l'arrivée de Yennia dans son monde. Il la prend pour une conspiratrice des Russes, ceux qui veulent lui voler ses formules secrètes. Le fait qu'elle soit d'origine slave n'arrange pas les choses... Ma tante a dû prendre le relais et s'en occuper, mais elle ne tient plus le coup. Nous avons dû signer des formulaires pour une demande d'interne-ment... Franck, pourquoi une telle injustice existe-t-elle ? Sur quels critères Dieu s'appuie-t-Il pour infliger la souffrance à tel ou tel être jusqu'à la fin de ses jours, hein, dis-moi ?

— Je n'en sais rien, Thomas, je n'en sais fichtre rien... »

Nous parlions de schizophrénie, prêts à attaquer les pizzas, lorsque mon cellulaire nous dérangea.

« Salut mon ami... Je ne te dérange pas, j'espère ? »

Résonance de copeaux d'acier, étouffements de sciure de bois. Tonalités métalliques, écaillées, distordues par l'électronique. Le tueur me contactait ! Je décollai du fauteuil et, au travers de mon chahut de gestes désordonnés, Serpetti comprit et m'amena une feuille de papier ainsi qu'un stylo. Je déchiffrai l'ergot de la terreur dans son regard.

« Tu vas m'écouter bien sagement, fils de pute, parce que je ne recommencerai pas.

— Qu'est...

— Tu sais que tu as gâché plus d'un mois de travail ? Je t'attendais à l'abattoir, mais pas si tôt... Je suis allé loin, avec la fille, très loin. L'exploration s'est avérée longue et fastidieuse, mais tellement enrichissante. Tu veux le détail ?

— Pourquoi faites-vous ça ? »

Voix de petite fille à présent. « Sache que ma bouche se mêlait à la sienne, ses lèvres craquaient comme des cerises trop mûres, à l'opposé de ses seins qui gonflaient d'infection, tendres, charnus de féminité. Elle m'a avoué qu'elle m'aimait, tu te rends compte ? Je me suis offert à elle comme elle s'est offerte à moi. Nos âmes ont communié au travers du trait de sa douleur. Oh ! Je l'aime, je l'aime, je l'aime... »

Je notai le plus de choses possibles dans les moments de silence, des idées en vrac. L'envie de hurler me brûlait la langue.

« Crois-moi, la fille ne naîtra pas, parce que je l'ai retrouvée. L'étincelle ne volera pas et je nous sauverai, tous. Je corrigerai leurs fautes... » Un déclic, à l'autre bout de la ligne. La voix changea, encore et

184

encore. « Je n'ai pas trop apprécié ton intrusion sans invitation. J'ai été poli avec toi et je pensais que tu en ferais tout autant. N'oublie pas, n'oublie jamais que je reste celui qui t'a épargné ! Tu me dois beaucoup à présent... » Voix de vieille dame. « Je relève ton défi. Tu veux jouer, on va jouer. Attends-toi au pire...

— Où voulez-vous en venir ? »

Sons caverneux, bande défilant au ralenti. « Tu impliques du monde dans notre affaire. Des gens innocents, que tu mets en danger presque intentionnellement, semble-t-il. Je devine tout, je vois tout, je suis ton ombre. Quelqu'un va payer, ton meilleur allié, maintenant !

— Arrêtez ! Non ! »

Déclic cru. Panique franche. Un magma sous ma chair.

« Bordel, il a raccroché ! » Je lâchai le téléphone, serrai, lâchai, comme si je tenais une braise.

Pouce enfoncé sur la touche de rappel automatique. Numéro masqué. Appel impossible, non mémorisé. Je criai : « Cet enfoiré va peut-être tuer quelqu'un ! Il faut que j'appelle ! Si seulement elle pouvait avoir le téléphone, bon sang ! »

Je reconnus la voix du lieutenant Crombez, de garde à la brigade criminelle.

« Commissaire Sharko ?

— Envoie une équipe immédiatement chez ma voisine, chez Élisabeth Williams et ici, chez Thomas Serpetti ! Qu'on appelle Williams ! Vérifiez que tout va bien ! Le tueur rôde dans les parages ! Où est Sibersky ?

— Parti il y a une demi-heure !

— Appelle-le sur son portable et dis-lui de me rejoindre chez moi le plus tôt possible ! »

Thomas m'agrippa l'épaule. « Mais qu'est-ce qui se passe ?

— Désolé, Thomas ! Je dois partir ! Enferme-toi !
Une voiture de surveillance va arriver. Il va falloir que
tu lâches l'affaire. Ça devient trop dangereux.

— Mais explique-moi donc, Franck ! Je ne... »

Il ne finissait pas sa phrase que la porte d'entrée
battait déjà. Les tracés funestes de la mort s'ouvraient
devant moi, là-bas, telles deux rangées de flambeaux
dans la marmite orangée de la capitale.

Ma berline arrachait l'asphalte, dévorait les lignes
de signalisation.

Je calai le cellulaire sur son support et composai en
catastrophe le numéro de Rémi Foulon, le patron de
l'Office Central pour la Disparition Inquiétante de Personnes.

« Rémi, Shark à l'appareil ! J'ai besoin d'un service ! »

L'OCDIP avait ses entrées dans tous les fichiers
privés, en particulier ceux chargés d'enregistrer les
appels entrant et sortant d'un téléphone portable, quel
qu'il soit. Rémi Foulon m'envoya, d'une voix à la
dureté du diamant : « Il est tard, Shark. J'allais partir.
Abrège, s'il te plaît !

— C'est d'une importance capitale ! Le tueur que
je traque m'a appelé ! »

Silence à l'autre bout de la ligne.

« Envoie ton numéro ! » finit par cracher la voix.

Je lui transmis mon numéro de portable.

« OK. Je te rappelle d'ici une heure. »

* * *

« Alors, commissaire ? À quoi ce feu d'artifice
rime-t-il ? » s'enquit Sibersky. « La vieille dormait
comme une souche. Rien de spécial non plus chez
Williams, ni chez votre ami, Serpetti. »

D'un geste las, je me tournai vers la fenêtre de ma cuisine. Un rideau de pluie chiffonnait la robe opaque de la nuit. En bas, sous les aiguilles d'eau battant le bitume, deux parapluies noirs s'escarmouchaient avant de fondre dans les bouffées froides de l'inconnu.

« Il joue avec nos nerfs. Il surveille nos agissements, nous observe, embusqué quelque part dans l'ombre. » Je serrai le poing, repliai les doigts à m'enfoncer les ongles dans la chair, puis adressai un regard dur à Sibersky. « Du nouveau pour la victime de l'abattoir ?

— Que dalle. La piste des hôpitaux n'a rien donné pour le moment. Des inspecteurs cherchent encore à la brigade. Leur nuit risque d'être plutôt blanche.

— Et sur le passé de Martine Prieur ?

— Rien de spécial. Une vie sans anicroche. Père décédé d'un anévrisme au cerveau quand elle avait cinq ans. Sa mère l'a élevée, couvée, presque surprotégée jusqu'à ce que Prieur entame des études de médecine. Après trois ans d'internat, elle a tout plaqué. Selon sa mère, elle ne supportait plus le stress ni la vue journalière des cadavres. Dès lors, changement de style complet.

— Comment ça ?

— Son look. Sa mère m'a laissé parcourir les albums de photos. On a du mal à reconnaître la même fille entre deux clichés de la même année. Peau ivoirine, cheveux longs couleur corbeau, vêtements sobres genre costume d'enterrement à la fac de médecine ; un peu style gothique, mystique, si vous voyez ce que je veux dire. Quelques semaines plus tard, une fois ses études arrêtées, on la retrouve le teint hâlé, sûrement des UV, une coupe au carré, vêtements clairs et clinquants.

— Qu'a-t-elle fait ensuite ?

— Elle enchaîne les petits boulots, caissière, vendeuse... La chance lui sourit lorsqu'elle rencontre Sylvain Sparky, un notaire de dix ans son aîné. Il est riche, possède une belle villa à Fourcheret. Vous connaissez la suite. Elle arrête de travailler et termine sa vie dans l'insouciance de l'argent...

— Vers quelle spécialité médicale s'était-elle orientée ?

— Je n'en sais rien, je n'ai pas pensé à demander.

— Je suppose que tu ne t'es pas rendu non plus à la faculté de médecine pour jeter un œil dans les dossiers, voir qui elle côtoyait à l'époque et surtout, savoir ce qui a bien pu lui faire stopper net ses études ? Autre que le *stress* ? »

Un spasme nerveux remua la paupière du lieutenant et elle se mit à battre comme une aile de colibri. La sonnerie de mon téléphone le tira d'embarras. « Laisse tomber la piste de Prieur. J'irai faire un tour à la fac demain. Reste encore deux minutes, s'il te plaît... »

Je décrochai. Rémi Foulon m'arracha un ressac d'adrénaline.

Je m'exclamai d'une voix impatiente : « Dis-moi que tu as quelque chose sur le numéro !

— Tu vas halluciner, Shark ! Ton correspondant est un numéro vert, celui de "SOS femmes battues" !

— C'est un gag ?

— Je vais essayer de t'expliquer simplement. Les numéros du genre "SOS femmes battues" sont gérés par des autocommutateurs, des PABX. Pour des raisons de maintenance de ces machines, il existe des combinaisons de touches à pianoter pour pouvoir pénétrer dans le cœur du système. Dès lors, le technicien habilité accède à la fonction de routage vers le réseau téléphonique et là, il peut atteindre n'importe quel numéro de téléphone sur le compte du PABX.

— Comment se procure-t-il cette fameuse combinaison ?

— Des fuites, des annuaires de numéros gratuits qui se monnaient au même titre que les free cards.

188

— Le personnel des différents services de répression du banditisme peut avoir accès à ces données ?

— Bien sûr, le fichier est accessible depuis n'importe quel SRPJ de France. Dis-moi, tu ne penses quand même pas à quelqu'un de la maison ?

— Disons que j'envisage toutes les possibilités.

— Ne pousse pas le bouchon trop loin, quand même... Je te laisse. Ma femme m'attend.

— Merci pour la mauvaise nouvelle, Rémi... »

Je m'adressai au lieutenant, appuyé mollement contre un dossier de chaise. « Tu te souviens de Fripette ?

— L'exhibitionniste en conditionnelle que vous avez coincé avec les Mœurs il y a deux ans ? Celui qui a couru à poil dans tous les couloirs de la Crim' ?

— Oui, celui-là. Demain, à la première heure, tu vois avec le patron des Mœurs s'il connaît ses activités actuelles. Tu me le retrouves et tu me sonnes dès que tu as son adresse, OK ?

— Pas de problèmes. Mais... Pourquoi ?

— Ce type est ma clé d'entrée dans les milieux sados... »

Avant de me coucher, j'envoyai un e-mail à Élisabeth Williams, en retranscrivant les propos du tueur tels que je les avais notés sur ma feuille de papier.

Instinctivement, je mis en route Poupette et observai, dans la pénombre, son voyage incessant sur les voies miniatures. Elle allait, venait, imperturbable, tournait à n'en plus finir, comme prisonnière d'un carcan de métal, mais pourtant tellement libre ! Je m'étendis sur le lit, bercé par son chant mélodieux.

Une idée me traversa l'esprit.

Je filai dans la salle de bains, récupérai un ancien flacon de parfum de Suzanne et en versai quelques gouttes dans le réservoir d'eau de la loco. Oh ! Cette odeur qu'elle diffusa dans toute la pièce ! Je fermai les yeux, imaginai Suzanne ici, à mes côtés. Je palpai son corps, caressai ses cheveux. Pensées souples et déliées, souvenirs heureux, joies inattendues... Poupette me portait ailleurs, sous un ciel pur, moucheté de sourires, de joies d'enfants...

Chapitre sept

Un rideau sombre de pluie se mit à marteler mon pare-brise avec la rage des mauvais jours au moment où je sortais de la berline. Sous les traits inclinés, j'enfilai mon imperméable plié dans le coffre et courus jusqu'à une petite enseigne discrète, plantée sur un vieux mur de briques effritées. L'antre de Fripette, l'exhibitionniste reconverti en propriétaire de sex-shop, m'ouvrait ses mâchoires.

Parmi un échantillon de cinq mille individus déjà particulièrement laids, vous prenez celui qui a un nez comme un brise-glace, un autre avec des chicots à donner à son dentiste l'envie de se suicider et finalement, un dernier aux yeux de merlan frit. Vous fusionnez les trois, vous obtenez une espèce de tête à laquelle vous ôtez les cheveux, vous la déposez sur un corps chétif et cela vous donne Fripette. Une tronche à effrayer un calamar géant...

Lorsqu'il m'aperçut, ses petits yeux de jais brillants semblèrent s'échapper de leurs orbites sous l'effet de la surprise. Il se terrait derrière son guichet, recroquevillé comme un rat, à trier des cassettes de pornographie. L'inlandsis de son crâne luisait sous la lumière bleue d'un néon.

« Salut, Fripette ! Je vois que tu ne chômes pas. Une reconversion digne de ta personne, tout en finesse. »

Il disparut derrière une pile de cassettes. « Qu'est-ce que tu veux, commissaire ? Alors qu'est-ce que j'ai pour toi... Un coffret de six doigts chinois ? Un kit orgasmique duo ? Attends... Du Bois-bandé, ta femme devrait apprécier ! »

J'ignorai la remarque... ou plutôt la mis de côté. Encore une comme ça et je lui enfilerais un gode-miché au travers de la bouche. Je demandai d'une voix dure : « Tu fréquentes encore les milieux SM ?

— Non. »

Je saisis le manche d'un fouet et le claquai contre le guichet. La bouteille de stimulant sexuel se brisa sur le sol alors que de petits sexes mécaniques se mettaient à bondir et à avancer tout seuls, comme des pingouins sur une banquise. Fripette pesta : « Putain, tu vas payer mec ! Tu sais combien ça coûte, le Bois-bandé ?

— Je réitère ma question, tête de nœud. Tu fré-quentes encore les milieux SM ? »

Il glissa sur le côté et s'engagea dans une allée sans me répondre, des DVD encore emballés dans les mains. Le sang me monta aux tempes. J'arrachai l'in-secte chauve du sol, le plaquai contre une étagère qui bascula lourdement.

« Arrête ! » hurla-t-il. « Tu vas tout me saccager. Je vais...

— Tu vas quoi ? » Je renforçai mon étreinte et obtins en retour un gargouillis aigu.

« Lâche-moi, c'est bon ! » Il se dégagea d'un geste sec comme s'il avait eu le dessus. « Oui, je fréquente ! Et tu sais quoi ? Plus que jamais ! Je m'éclate comme un fou !

— Tu connais le Bar-Bar, le Pleasure & Pain ?

— Pas trop mon style. C'est du hard de chez hard. J'y suis allé une fois ou deux. Je suis plutôt branché latex et bondage.

— Qu'est-ce que tu appelles du hard de chez hard ?

— Bondage avec torture des seins ou du pénis. Ventes aux enchères pour fessées. Domination extrême, avec esclavagisme poussé, pissing, caning. Un beau petit monde.

— Qui fréquente ces milieux ?

— Tu trouves de tout. Ça va de l'avocat au sadique pur et dur qui passe ses journées de chômage à se branler.

— Il y a des femmes ?

— Je veux, mon neveu ! Et je pourrais même te dire qu'elles sont carrément plus cruelles que les hommes. De belles chiennes ! La dernière fois que je suis allé au Pleasure & Pain, une salope s'est amusée à presser les testicules d'un type avec un casse-noisettes. Le gars est reparti avec les couilles enflées comme des œufs de poule. »

Un type trempé entra et fit demi-tour immédiatement. La peur d'être reconnu, dévisagé...

« BDSM4Y, ça te dit quelque chose ? »

D'un coup, son teint bleuit. « D'où tiens-tu ce nom ?

— Peu importe. Dis-moi ce que tu sais d'eux. »

Il se cala entre des ensembles de latex et de vinyle noir.

« C'est une légende urbaine, une rumeur. Un fantasme de sado, comme il en existe tant dans le milieu. Ce groupe n'a jamais existé.

— J'ai retrouvé une fille avec ce tatouage sur le corps.

— Et alors ? Il y en a bien qui ont des tatouages de Jésus sur la fesse, qu'est-ce que ça prouve ? Qu'ils en sont la réincarnation ?

193

— Ils existent. J'en ai la preuve. Crache ! Qu'est-ce qui se dit sur eux ? »

Mon poing serré à deux doigts de son nez le fit parler.

« Il paraîtrait que le groupe est constitué d'intellos mêlés aux pires espèces de malades. Les intellos organisent, les malades exécutent les actes obscènes. Ils sont puissants, influents, vifs et furtifs comme le vent. On dit qu'ils jouent avec la mort, ils en approchent les frontières du plus près qu'ils peuvent. Mais toujours des on-dit. Personne ne sait s'ils existent.

— Explique ! Qu'entends-tu par jouer avec la mort ?

— Ils feraient des expériences sur des animaux... Il paraîtrait aussi qu'ils ou elles recueillent des clochards ou des prostituées dans différentes villes de France, pour les emmener avec leur consentement dans des endroits isolés. Ils leur offrent de grosses sommes d'argent en échange de leur silence et de leur totale soumission le temps d'une soirée. Apparemment, ces types inspirent confiance, puisque les victimes, si on peut parler de victimes, les suivent sans broncher.

— Et après ?

— Ils disposent de tout ce qui peut exister en matériel de torture, en gadgets sexuels, ils sont équipés de médicaments pour calmer leurs victimes, sédatifs, drogues, anesthésiques. Une véritable organisation, disent les rumeurs. Ensuite, ils vont au bout de la douleur, ils se régalent de la souffrance de leurs cobayes. Il paraît que certains n'en sont jamais revenus.

— Et les autres ? Ceux qui survivent ?

— Ils se taisent. S'ils parlent, ils sont morts. Et puis, l'argent leur est réellement versé.

— Tu as l'air d'en connaître un rayon.

— Je te répète juste ce qu'on m'a raconté.

— Qui t'a raconté ça ?

— Quelqu'un à qui on a raconté la même chose...
Et ainsi de suite... »

La porte grinça. Un couple entra.

Une femme d'une centaine de kilos, cintrée dans un
ensemble de cuir comme si elle avait gonflé à l'intérieur, et un type aussi petit qu'elle était large, au
regard de fouine.

Fripette les chassa en un tour de main. « Privé ! Je
suis fermé. Revenez plus tard ! »

Je m'approchai de lui avec un visage de glace. Il
gardait ses distances, de peur que mes doigts agiles lui
caressent la joue.

« Ce soir, tu vas m'accompagner au Pleasure & Pain. »

Dans un brusque mouvement de recul, il renversa
une pile de revues. « T'es un givré, mec ! Je mets pas
les pieds là-dedans, encore moins avec un flic ! »

— N'oublie pas que tu es en conditionnelle. On
peut venir fourrer le nez dans tes petites affaires, si tu
veux. »

Je m'avançai dans le rayon hard des cassettes vidéo.
« Gang-band, sodomies, intéressant... Tu vends ça
combien ? Cinquante euros ? Faut pas se gêner ! Les
inspecteurs risquent de s'y retrouver difficilement dans
tes comptes. On peut éplucher ça aussi, si tu veux.
D'ordinaire, le petit recel n'est pas bien grave, mais,
pour un gars en conditionnelle...

— Tu ne ferais pas ça quand même ? Je suis clean,
je n'ai rien à me reprocher ! C'est pas de ma faute s'il
y a des tarés qui mettent des fortunes pour ces cochon-
neries ! »

Mon œil glissa sur un mot qui me gifla l'esprit,
VIOL. « Bon sang ! Mais qu'est-ce que c'est que ça ? »
Je m'emparai du DVD intitulé *Viol pour quatre*. Un

seul nom au bas de la cassette, Torpinelli. Le magnat du sexe. Au dos de la pochette, des scènes d'une extrême cruauté m'éclaboussèrent les rétines.

Fripette me l'arracha des mains. Il cracha : « Ce n'est pas pour de vrai, il n'y a que des acteurs là-dedans ! L'une des dernières nouveautés de Torpinelli. Une espèce de viol filmé en direct dans des conditions qui rappellent la réalité. Ça plaît énormément, tu sais ? J'en ai déjà maté et c'est extrêmement troublant. On dirait carrément du réel... Y a pas mal de types qui se branlent là-dessus... Ça leur évite de passer à l'acte, tu vois ce que je veux dire ?

— Espèce d'enfoiré ! Demain, t'as le fisc derrière ton sale cul. »

Je pris la direction de la sortie, mais il se glissa devant moi. « C'est bon ! C'est bon ! Je vais t'emmener là-bas ! Mais si tes découvertes sur le BDSM4Y s'avèrent exactes, tu nous conduis direct à l'abattoir !

— À moi de juger.

— Si tu y vas fringué en pingouin, tu ne franchiras même pas la porte d'entrée. Enfile des fringues banales, genre jean et pull-over. Les SM portent toujours un sac avec leur matos. Les soirées au Pleasure & Pain sont *dressées*, ça signifie que tu dois te changer avant d'entrer dans les donjons de soumission ou les salles de vente ; latex, cuir, masque, cravache. Bref, l'équipement qui te transpose dans le monde du bizarre, leur monde. De ce côté-là, je peux te fournir. Tu souhaites toujours y aller ?

— Le masque m'arrange... Continue.

— Dans ces backrooms, trois catégories de personnages ; les soumis, les dominants et les mateurs. Dans notre cas, le mieux est de se positionner dans les mateurs, à moins que tu aies d'autres préférences ? »

Il me décocha une espèce de sourire. Ses dents res-

semblaient à des runes vieilles de plusieurs siècles.
« Mais dans ce type de jeu, même les mateurs ont un
rôle. Ils provoquent l'excitation chez le dominant, ils
l'encouragent. Prends garde à tes mimiques. Le
moindre trait froissé et tu provoqueras la méfiance du
groupe. Il faut que tu donnes l'air de prendre ton pied.
Tu pourras passer le masque, justement pour éviter
qu'on te mate trop. Heu... Faut que je te familiarise
avec le vocabulaire SM et les comportements à adopter... Mais, au fait, qu'est-ce que tu cherches là-bas ?

— Ne pose pas de questions, il vaut mieux... »

Sorti de chez Fripette, j'eus l'impression d'être
mentalement sali. J'allais devoir me prêter à des actes
qui me répugnaient, entrer dans un monde parallèle de
créatures étranges, à la face humaine mais aux pensées
démoniaques. Des centaures bouillonnant de fantasmes, des maîtres d'ouvrage capables de transformer
l'homme en objet par le biais du cuir et du latex, dans
des pièces sombres, enterrées dans des sous-sols puru-
lents de déchéance.

Comme la fleur a besoin de la fraîcheur secrète de
la terre pour accumuler la force qui éclatera à la
lumière du jour, les membres de BDSM4Y se nourris-
saient de la substance de leurs victimes pour s'épa-
nouir, pour ressentir leur espèce de gloire sur la vie,
sur la douleur, sur Dieu. Je ne réussissais pas à leur
donner un visage. Qui étaient-ils ? Comment imaginer
des avocats, des professeurs, des ingénieurs, des
défenseurs de principes, mêlés par le biais du vice à la
décadence, aux bas-fonds de la morale, brassant le mal
jusqu'à en récolter les fondements nourriciers ?

En plongeant dans la marmite du Diable, j'espérais
quelque chose. Je ne savais pas quoi exactement. Peut-
être sentir la présence de l'Homme sans visage, cette
étrange sensation qui m'avait ébranlé quand j'étais à
sa merci au fin fond de l'abattoir.

Par le biais d'Internet, de cette Toile merveilleuse aux yeux de l'ignorant, de l'utilisateur lambda, j'allais m'immerger dans les milieux les plus sordides du Paris nocturne.

* * *

Opéra de Paris, au dôme lustré par les pluies, le bronze doré de ses statues érigé vers un ciel de mercure. Élisabeth Williams s'était réfugiée sous l'une des arcades de la façade, à proximité de quelques touristes japonais regroupés entre les colonnes monolithiques. Je traversai en oblique l'avenue de l'Opéra, l'imperméable levé au-dessus de ma tête, les épaules serrées. La nuée écarlate des feux-stop des automobiles trouait la grisaille comme des signaux de détresse, dans un fracas de coups de klaxon.

Élisabeth parla la première. « Je vous ai donné rendez-vous ici en espérant que nous pourrions discuter dans ce magnifique monument, mais je n'ai pas pris garde aux travaux de restauration. Une belle erreur, parce qu'à présent, nous voici tous deux piégés dans un étau de pluie !

— Vous êtes parée pour un sprint d'une centaine de mètres ? Il y a un pub sur le côté. »

Je haussai les épaules. « Désolé, mais je n'ai pas de parapluie.

— Moi non plus », répliqua-t-elle avec un sourire. « La pluie m'a eue par surprise. »

Nous battîmes l'asphalte du boulevard Haussmann à pas pressés, serrés sous mon imperméable-parapluie. Les passants s'étaient amassés sous les enseignes, les tonnelles ou au bord des terrasses, visages levés vers un ciel résolument noir. Une fois installés à l'intérieur du Pub Louis XVI, je nous commandai deux chocolats chauds.

« Thornton ne vous colle pas trop aux baskets ? »
m'enquis-je alors qu'elle se secouait les cheveux.

« Il faut bien faire avec... Je n'ai pas trop l'habitude
que l'on remette en question mes capacités. De ce
côté, les gendarmes sont bien plus disciplinés que
vous, les policiers. »

Elle me glissa sous les yeux une photocopie couleur, sortie d'une pochette à élastiques. « Ça vous dit
quelque chose ? »

Le cliché représentait un buste de sainte. Des
étoffes souples et glissantes se tordaient dans leur
abondance sur l'arc de sa tête jusqu'au vallon de ses
épaules. Le mouvement violent de torsion imprimé
à l'ovale du visage rendait une aura de souffrance
indescriptible qui allait bien au-delà de la simple photographie. La bouche ouverte implorait, les yeux
adressaient une supplique agonisante au ciel. Les
entailles creusées par le temps et l'usure fendaient le
visage sculptural de chaque côté des joues.

« Où avez-vous trouvé ça ? On dirait... l'expression
infligée au visage de Martine Prieur ! Les étoffes sur
la tête, les yeux levés au ciel, les entailles joignant les
lèvres aux tempes ! C'est... C'est identique !

— Exactement. Mon théologien, Paul Fournier, a
déniché des pistes très intéressantes. Les propos, la
manière d'agir du tueur, sont axés autour du thème de
la douleur, au sens réel du terme, mais aussi au sens
religieux, comme je le pensais. La photo du phare
fouetté par la mer en furie qu'il a accrochée chez
Prieur, ce cliché de fermier envoyé par courrier électronique, représentent des symboles profonds de souffrance à connotation biblique. Connaissez-vous le
Livre de Job ?

— Pas plus que ça.

— Il a été rédigé avant ceux de Moïse. Job y

raconte l'histoire d'un homme mis à l'épreuve par Dieu, en sept points principaux axés sur des concepts de souffrance, de Bien et de Mal. Dans certaines épîtres, nous sommes les fermiers de Dieu. Nous ne pouvons être glorifiés aux yeux du Seigneur qu'en subissant l'épreuve, le fermier représente celui que la longévité et la rudesse de l'épreuve n'altèrent pas, un symbole de courage ; il endure la souffrance en silence.

— Et le phare ?

— Prenez un phare en pleine mer. Par une nuit calme, pouvons-nous affirmer que l'édifice est ferme ? Non. Par contre, si la tempête se déchaîne sur lui, alors nous saurons s'il tient bon. L'épreuve reflète la nature profonde des choses, c'est le miroir de la personnalité ! »

Elle me présenta la lettre rédigée par l'assassin, ponctuée de notes désordonnées, et poursuivit d'un ton neutre.

« Regardez, les phrases soulignées sont extraites en partie du Livre de Job, à laquelle l'auteur a ajouté sa petite touche personnelle. Le tueur parle d'*armures abîmées*, de *ce soldat qui subit les épreuves sans ciller*, de ce *dieu qui essuie les larmes*. Citations du Livre, presque mot pour mot. »

Je me serrai la tête entre les mains. « Vous allez me prendre pour un attardé, mais je ne vois pas bien ce que le tueur cherche à prouver.

— J'y viens. Selon les écrits de Job, l'expérience de la douleur n'est pas une fin en soi, mais une étape qui rapproche de Dieu. La souffrance, sous une forme ou une autre, est la destinée de tous ceux qui veulent mener une vie pieuse et doivent s'absoudre de leurs péchés. En ce sens, le pardon de Dieu s'obtient par l'épreuve, et l'épreuve uniquement. Assurément, ces femmes torturées ont péché. »

À présent, la pluie violentait les vitres de la brasserie avec caractère. Des gens se tassaient devant l'entrée, d'autres s'engouffraient dans la bouche de métro Opéra ou cavalaient en direction des Galeries Lafayette.

Élisabeth me questionna. « Avez-vous un moyen quelconque de dépister les personnes qui empruntent tel ou tel ouvrage dans les bibliothèques ? Un fichier centralisé, comme celui du FBI ?

— Non, non, bien sûr que non. En matière de tueurs en série et de centralisation de fichiers, nous avons un retard phénoménal sur l'Amérique. Et on ne peut pas dire que ce type d'assassins coure les rues en France.

— Nous en avons pourtant un sérieux sur les bras », répliqua-t-elle.

« En effet... Mais rien ne nous empêche de nous passer d'un fichier central et d'écumer une à une les bibliothèques, de vérifier quel abonné a emprunté le livre recherché...

— Cela risque de prendre du temps, mais vous allez devoir vous y coller... »

Je bus une gorgée de chocolat. « Comment donc êtes-vous remontée jusqu'à la photographie de cette sculpture ?

— Je me suis rendue à la bibliothèque François-Mitterrand dans la matinée. J'ai toujours pensé que la scène était empreinte d'un caractère religieux. La tête tranchée dans ses froissures d'étoffes, ce regard implorant le ciel, la pièce dans sa bouche. Je me suis donc penchée sur les représentations célèbres de la souffrance dans l'art pictural et sculptural, le tout sur fond de religion. Je suis assez vite tombée sur Juan de Juni, un sculpteur du XVIe siècle. Il évoque clairement que la douleur, l'affliction et la souffrance sont les seuls chemins ouvrant les voies divines. Pour transmettre ses sentiments, il utilise un mouvement puissant de torsion qui secoue ses figures et dénonce l'angoisse suprême. Ce que vous avez sous les yeux représente le buste de sœur Clémence, une œuvre longtemps interdite, très peu connue. »

Elle se laissa un instant distraire par une altercation qui explosait devant le café. Une histoire de coup de parapluie...

« À l'aube du XVᵉ siècle, Madeleine Clémence, fuyant son village, s'est réfugiée dans les ordres religieux pour expier ses péchés, notamment l'adultère. Elle a totalement changé de vie, espérant ainsi adoucir sur son sort le regard de Dieu, être protégée de ses dénonciateurs potentiels. Au Moyen Âge, la répression des crimes par le pouvoir laïc est légitime, surtout pour les cas d'adultères qui peuvent conduire à la peine de mort. Cinq années plus tard, on captura sœur Clémence dans un couvent. Sous les ordres de l'inquisiteur d'Avignon, elle fut torturée à mort pour donner l'exemple. Un modèle de discipline véhiculé dans de nombreux écrits de l'époque... »

La pécheresse reconvertie en bonne sœur. Martine Prieur, aux cheveux couleur aile de corbeau, à l'allure macabre, transformée en fille au style clinquant, menant une vie tranquille, oubliée. Pouvait-il y avoir un quelconque rapport ? Sur le frontispice de mon esprit tambourinaient maladivement deux mots, toujours les mêmes, *Jeckyll, Hyde*... La lumière, les ténèbres. « Quel est le rôle du tueur si vos constatations sont avérées ? Agit-il comme un envoyé de Dieu ? Un justicier, un censeur ?

— Les tueurs qui accomplissent leur office au nom de Dieu prolifèrent aux États-Unis. Ils se disent poussés par des voix célestes. Cependant, très peu prennent la peine de maquiller leur crime de cette façon. Soit ils le déclarent ouvertement, par exemple en l'écrivant sur les murs avec le sang de leur victime ; soit ils le revendiquent lorsqu'ils se font appréhender. Ici, tout se joue dans la subtilité.

— Si on peut parler de subtilité...

— Je suis persuadée que vous m'avez comprise. Rappelez-vous le cadre du phare ou cette photo du fermier. Ces indices recelaient une double signification ; l'une religieuse, l'autre purement factuelle. Il fait preuve d'une intelligence troublante. Cependant la partie des fantasmes, cette volonté d'appliquer la douleur, non pas dans le but de punir mais dans celui de prendre son pied, domine chaque fois qu'il martyrise ses victimes.

— Pour quelle raison ?

— Mais... parce qu'il les filme, il divulgue ses sentiments par ses lettres, ou ce coup de fil que vous avez reçu. Là, il exulte.

— Justement, que pensez-vous de cet appel téléphonique ?

— Vous avez noté, entre autres : *Crois-moi, la fille ne naîtra pas, parce que je l'ai retrouvée. L'étincelle ne volera pas et je nous sauverai, tous. Je corrigerai leurs fautes...* Vous avez une idée de la signification de cette phrase ?

— Absolument pas. On aurait dit, malgré la voix truquée, qu'il divaguait complètement. Ce pan de monologue n'a rien à voir avec ce qu'il a dit avant, ni après. Je ne sais pas, ça tombait comme un cheveu sur la soupe... Vous avez pu découvrir quelque chose, vous ?

— Non, le sens de cet avertissement demeure malheureusement trop flou. Mais, lorsqu'il dit *parce que je l'ai retrouvée*, je pense qu'il parle plutôt de la mère. Il a peut-être retrouvé une future mère. Auquel cas cette femme doit se trouver en danger...

— Mais comment savoir, bon sang ! » Je bouillais intérieurement. « Dites-moi, avec la deuxième fille, celle de l'abattoir, où voulait-il aller ? Cette façon dont il l'a positionnée a-t-elle un équivalent religieux, genre sculpture ou peinture ? »

Son attention se focalisa soudain sur un éclair qui craquela le plafond du ciel. Ses lèvres se mirent à remuer, faiblement mais distinctement. Elle comptait, les secondes s'égrenaient sur le rebord de sa bouche.

« Mais qu'est-ce que vous faites ? » questionnai-je en posant ma tasse dans sa soucoupe.

Sans détourner son regard de la vitre, elle agita une main qui m'invitait à me taire. Quand l'éternuement de Zeus ébranla le ciel, elle se tourna à nouveau vers moi et s'interrogea. « Obtiendrai-je un jour la réponse ?

— À quoi donc ? Vous semblez perplexe ! »

Elle se colla un doigt sur la tempe, comme pour focaliser les ondes.

« Depuis toute petite, chaque fois que je vois le premier éclair d'un orage, je compte pour savoir à quelle distance l'orage se situe. Et, chaque fois, irrémédiablement, je tombe sur sept. Jamais six ni huit, mais sept. C'est systématique... »

Le velours de sa voix charriait de l'intensité, de la franche émotion. Je l'imaginais, petite, penchée à sa fenêtre, mesurant mentalement la distance la séparant de l'orage. Et à tomber irrémédiablement sur ce nombre, sept... « Peut-être provoquez-vous inconsciemment ce phénomène ? Sans vous en rendre compte, vous rallongez ou raccourcissez les secondes pour arriver à sept...

— Peut-être bien, peut-être bien... »

Ses yeux l'emmenèrent ailleurs. Je nous replongeai dans le vif du sujet. « À votre avis, où voulait-il aller avec la deuxième victime, celle de l'abattoir ?

— Difficile à dire, son travail ayant été interrompu. Mais, encore une fois, on peut déceler un certain symbolisme. Les échardes représentent des symboles souvent cités dans la Bible. Elles matérialisent la souffrance du croyant. » Elle chassa ses cheveux légèrement mouillés vers l'arrière.

« Les victimes, comme je l'ai déjà signalé, n'offrent pas de points communs particuliers en ce qui concerne leur physique. Ce rapport doit se cacher ailleurs, certainement dans le passé de ces femmes. À l'évidence, Prieur a cherché à dissimuler un terrible secret, tout comme sœur Clémence avec son adultère. L'assassin agit alors comme un messager, un juge ou un bourreau, il est celui qui punit mais aussi celui qui absout ses victimes. Il les lave de leurs péchés en les soumettant au calice de douleur absolue. Rappelez-vous l'état de propreté des corps et surtout, le fait qu'il ne les viole pas ; je crois que, dans les tous derniers instants, il les respecte... » Elle fit courir sa main sur la table, comme une caresse. « Puis, il y a la deuxième personnalité, celle qui prend du plaisir dans l'acte, celle qui torture pour matérialiser ses fantasmes, celle qui filme pour les prolonger. Cette face-là de l'être est certainement la plus noire, la plus sadique. Je soupçonne que nous avons affaire à, non pas un, mais bien deux meurtriers en série, unis dans le même corps sous l'égide d'une terrible intelligence ! »

Un coup de tonnerre fit trembler les vitres. Les nuages cavalaient dans le ciel et le filet de l'obscurité s'abattit sur la capitale comme une gigantesque tache de pétrole.

« Nous sommes coincés ici un bon bout de temps ! » lançai-je en m'accoudant à la table. « Il tombe des briques ! »

Elle ne releva pas. Je sentais une onde froide en

205

elle, une puissance crue qui lui durcissait le sang...
J'imaginais le tueur tel un dragon à deux têtes, une
Hydre de l'Herne écumant des rouleaux de feu, vomissant les charognes digérées de ses précédents repas. Je
me souvins de cette force qui m'avait tiré dans l'abattoir, qui avait exécuté son châtiment dans les cris, la
rage, tout en m'épargnant.

Je voyais la femme en face de moi distante, ailleurs,
et je songeai à Suzanne. Des phrases, des mots fémi-
nins résonnèrent dans ma tête, comme des coups de
feu. Ma femme vivait, quelque part, j'en étais persuadé. Une autre partie de moi aurait préféré qu'elle
fût morte, au chaud et à l'abri dans l'éclat des étoiles...
À présent, sans comprendre pourquoi, j'apercevais des
marécages nauséabonds, des canaux tortueux de pourriture et de saletés, je la devinais, là, au milieu de cet
enfer d'eau et de mort. Pourquoi ?

« Vous souhaitez me parler de votre femme ? »
devina Élisabeth en entrecroisant ses doigts sous son
menton. Ses joues avaient recouvré la couleur de la
vie. Avait-elle fouillé dans mes pensées inconsciemment ? Possédait-elle réellement un don, comme l'affirmait Doudou Camélia ?

Nous discutâmes de Suzanne longtemps, très longtemps. Je me vidai de tout ce qui me pesait sur le
cœur, comme quand on crache une bonne toux.
L'orage s'épuisa, la pluie cessa, le calme d'un souffle
apaisé balaya le café tel un petit vent tiède. Je me sentis bien, soulagé, rassuré aussi. Nous avions parlé
comme deux vieux amis... Nous nous quittâmes dans
le ronflement lointain de l'orage passé ; elle, du côté
du Louvre, moi, du côté de la place Vendôme...

* * *

Monsieur Clément Lanoo, le professeur d'anatomie de la faculté de médecine de Créteil, dégageait une impression de puissance, de maîtrise absolue. Ses mains assurées lançaient des doigts habiles, démonstratifs, qui couraient sur les planches anatomiques pour en absorber la consistance et les retransmettre à un public captivé. Je m'installai au fond de l'amphithéâtre, attirant sur moi quelques regards de futurs médecins et deux ou trois chuchotements.

Lorsque sortirent les étudiants, je m'avançai vers le pupitre. L'homme déchaussa ses lunettes et les rangea dans un porte-lunettes en velours.

« Puis-je vous aider ? » s'enquit-il en enfournant ses fiches dans une pochette noire en cuir.

« Commissaire Sharko, de la police judiciaire. Je souhaiterais vous poser quelques questions concernant une étudiante qui a fréquenté votre faculté, voilà de cela cinq ans. Elle se prénommait Martine Prieur. »

Le calme coulait comme un souffle dans le vaste amphi et nos voix s'envolaient par les travées de sièges vides jusqu'aux murs du fond.

« Ah oui, Prieur... Je me souviens... Une brillante étudiante... Remarquable de rigueur et d'intelligence. Un problème avec elle ?

— Oui, un léger problème. Elle a été assassinée. »

Il posa sa pochette sur le pupitre, les deux mains regroupées sur la poignée.

« Seigneur ! Que puis-je faire pour vous ?

— Répondre à mes questions. Vous brassez énormément d'étudiants par année, non ?

— Plus de mille huit cents par an. Les structures vont bientôt nous permettre d'en accueillir sept cents de plus.

— Et vous les connaissez tous personnellement ?

— Non, à l'évidence non. Je suis amené, au cours

de deux entretiens annuels, à tous les rencontrer, mais ça s'arrête là pour certains. Le suivi se fait surtout par les résultats obtenus aux devoirs. »

La porte du fond battit, une tête passa avant de disparaître. Je continuai : « Comment Martine Prieur s'est-elle distinguée de la masse pour qu'après cinq ans, vous vous souveniez d'elle ?

— Vous ne pouvez pas savoir combien les connaissances anatomiques des internes de chirurgie sont misérables. Je suis conférencier et professeur d'anatomie, monsieur Sharko, et c'est avec une immense désolation que j'appréhende le progrès. Les jeunes de maintenant sont rompus à l'informatique, l'ordinateur est devenu l'outil incontournable. Les films remplacent les manipulations. Cependant, vous pourrez regarder autant de vidéos que vous voudrez, vous ne saurez jamais comment palper un foie, tant que vous n'aurez pas un interne, un chef de clinique ou un patron qui vous dira *tes mains, il faut les placer comme cela*, sur un vrai ventre, d'un vrai malade. Mettez-leur un cadavre bien réel sous les yeux, la moitié d'entre eux s'enfuit en vomissant. Prieur ne faisait pas partie de cette catégorie. Elle avait le sens de la précision, de l'exactitude du dessin, elle vous disséquait un cadavre en un tour de main. Très vite, je l'ai nommée chef de travaux d'anatomie. Une place chère, privilégiée, vous savez ?

— En quoi cela consistait-il ?

— Donner des cours de dissection, tous les jours, aux étudiants de première année.

— Martine Prieur tuait ses journées à explorer les cadavres, si je comprends bien ?

— On peut dire ça comme ça. Mais tuer n'est pas le terme exact...

— Comment se comportait-elle avec ses camarades ? Quel ressenti aviez-vous sur sa personnalité en dehors du cadre médical ? »

Un nuage traversa son regard. « Je ne suis pas très au courant de la vie privée de mes étudiants. Leurs sauces personnelles ne m'intéressent pas. Seuls les résultats comptent. Les meilleurs restent, les autres partent. »

Je le sentis soudain se replier comme une feuille que l'on froisse. « Pourquoi a-t-elle brutalement tout plaqué ? »

Il descendit prudemment de l'estrade et s'avança dans la large rangée centrale. « Je l'ignore. Il arrive que certains se découragent, quelle que soit la motivation, quelle que soit l'année. Je ne sais pas ce qui se trame dans la tête des gens, je ne le saurai jamais, même si je disséquais un à un leurs neurones... J'ai une réunion importante dans peu de temps, monsieur le commissaire. Alors, si vous permettez... »

Je bondis de l'estrade, alpaguai sa veste d'une poigne qui indiquait clairement ma détermination. « Je n'ai pas fini mes questions, monsieur le professeur. Veuillez rester encore un peu, s'il vous plaît. »

Il bascula l'épaule pour se dégager de mon étreinte avec un geste de désinvolture.

« Allez-y », cracha-t-il. « Et vite !

— Vous n'avez pas l'air de bien saisir, alors je vais vous expliquer. Prieur a été découverte la tête tranchée, les yeux arrachés puis remis dans leurs orbites. Elle a subi des mutilations pendant de longues heures, suspendue à des crochets d'acier. Et ceci tourne peut-être autour du personnage qu'elle était en dehors des apparences. Un *Docteur Jeckyll* et *Mister Hyde*, si vous voulez. Alors, maintenant, je souhaiterais que vous me disiez pourquoi elle a arrêté ses études brutalement ! »

Il me tourna à nouveau le dos, buste droit, épaules carrées. Un totem... « Suivez-moi, commissaire... Sharko... »

Nous descendîmes un couloir en pente s'enfonçant dans les entrailles cachées de la faculté. Au fond, une porte épaisse. Il chercha la bonne clé, déverrouilla et nous entrâmes.

Trois halogènes chassèrent l'obscurité, dévoilant un peuple silencieux qui évoluait dans du liquide transparent. Des êtres dépigmentés aux visages boursouflés, aux orbites vides, aux bouches freinées dans leur cri, flottaient verticalement. Des hommes, des femmes, même des enfants, nus, suspendus dans les cuves de formol... Des accidentés, des suicidés, propres et sales à la fois, poupées de chiffon à la merci de la science... Le professeur trancha le silence : « Voici le monde dans lequel évoluait Martine Prieur. De toute ma carrière, je n'avais jamais vu une élève passionnée à ce point par la dissection. L'approche de la mort est une étape très difficile à franchir pour nos étudiants. Elle, rien ne l'intimidait. Elle pouvait passer des heures, des nuits, ici, à réceptionner les corps de la morgue, leur injecter du formol et les préparer pour la dissection.

— Pas mal, pour quelqu'un qui ne supportait pas les cadavres...

— Comment ?

— C'est le motif fourni à sa mère quant à son départ de la faculté. Dites-moi, ne devait-elle pas se contenter d'assurer les travaux pratiques auprès des élèves de première année ?

— D'ordinaire, nos étudiants se relaient pour faire ce qu'ils appellent le sale boulot. Prieur insistait pour gérer ces tâches toute seule. Après tout, cela faisait aussi partie de ses responsabilités.

— Pourquoi m'avez-vous amené dans cet endroit épouvantable, professeur ?

— Les corps, une fois autopsiés, sont conduits à l'incinérateur, dans une autre pièce. À l'époque, monsieur Tallion, un employé de la fac, s'occupait de la crémation. Prieur lui déposait le corps après la dissection. Le rôle de Tallion consistait à arracher l'étiquette du pied du cadavre, la consigner dans un registre, puis plonger le corps dans le four une fois la chauffe effectuée. Un soir de ce fameux hiver 1995, il a fait si froid que les canalisations extérieures ont gelé. Une nuit sans chauffage dans l'internat. Bien entendu, le four n'a pas fonctionné. Tallion, pris de panique, a dissimulé le cadavre dans la chambre froide où nous conservons les corps avant de les traiter au formol.

— Je ne saisis pas bien... »

Il s'appuya contre une cuve comme on le fait banalement dans la rue contre un mur. La chose baignant dans le liquide ne le dérangeait absolument pas.

« Prieur et lui cachaient un lourd secret...

— Quel secret, bon sang ? On n'est pas dans un film à suspense, monsieur Lanoo !

— Prieur mutilait les cadavres... » Il avait parlé à voix basse, comme si nos spectateurs allaient casser, de colère, leurs vitres de plexiglas pour nous serrer la gorge. « Elle leur tranchait le pénis, leur entaillait les parties anatomiques non disséquées, leur coupait la langue...

— Leur ôtait-elle aussi les yeux ?

— Oui... Oui, elle leur arrachait les yeux... »

Les aquariums à humains se mirent à tourner autour de moi...

Ces corps déchirés par la mort, comme suspendus dans l'air, cette odeur de formol flottant dans la lumière tranchante, blanche, blessante, m'obligeaient à sortir...

« Excusez-moi, monsieur le professeur... Je n'ai pas beaucoup dormi, et j'ai juste pris un café... »

211

Il ferma la porte à double tour. « Il n'y a pas de honte à avoir. Ce n'est pas le genre de musée que l'on paierait pour visiter, n'est-ce pas ? Quoique... » Petit rire cynique.

« Pourquoi l'employé, ce Tallion, n'a-t-il jamais rien dit ? » tentai-je avec quelques trouées sonores dans la voix.

« Elle couchait avec lui... Quand nous avons découvert ce cadavre mutilé, Tallion a tout déballé dans l'espoir de préserver son poste.

— Que faisait Prieur des organes qu'elle prélevait ?

— Rien du tout. Elle les faisait brûler aussi.

— La suite de l'histoire ?

— Nous avons demandé à Prieur de quitter la faculté...

— La solution de facilité... Pas d'enquête, pas de fuites, pas de mauvaise publicité, n'est-ce pas ? »

Il stoppa devant une photo de Sir Arthur Keith, les mains dans les poches, la tête levée comme pour contempler la voûte du ciel qui tapissait le toit de verre, et avoua : « La solution la moins pénible pour tous, en effet...

— Pour quelle raison réalisait-elle ces actes odieux ?

— Attrait immodéré pour le morbide. Besoin d'explorer si intense qu'il menait à la mutilation, peut-être face à l'incompréhension de certains phénomènes. Que cherchait-elle dans les toiles mortes de ces corps ? Nous ne l'avons jamais su. Nécrophilie, fétichisme ? L'anatomiste veut toujours aller au-delà des apparences, il se sent tout-puissant s'il ne contrôle pas ses sensations... Facile, lorsqu'on a un scalpel en main et un cadavre devant soi, de se prendre pour Dieu...

— Tallion vous a-t-il parlé de sa relation avec Prieur ?

— C'est-à-dire ?

— Était-ce une relation sexuelle classique ? Sado-maso ? »

Il plissa le visage. « Mais comment voulez-vous que je le sache ? Vous me prenez pour sœur Teresa ? Nous avons réglé cette histoire rapidement...

— Où puis-je rencontrer ce Tallion ? »

Une inspiration leva sa poitrine. « Mort avec sa femme et ses deux enfants dans un accident de voiture, voilà trois ans... »

L'univers de Prieur s'évanouissait comme une brume dans l'aube. Les cadavres jonchaient sa vie, sa mort, tout ce qu'elle avait été... J'ajoutai, d'une voix qui trahissait un dépit évident : « Avait-elle des amis privilégiés parmi les étudiants ? Des personnes suscep-tibles d'être au courant de ses penchants nécrophiles ?

— Comme je vous l'ai dit, je ne m'immisce pas dans la vie de mes étudiants.

— Pouvez-vous me sortir le listing de vos élèves de 1994 à 1996 ?

— Il risque d'y en avoir un sacré nombre. Je vais demander à la secrétaire... Je vous laisse, commissaire. Le temps est mon pire ennemi et l'âge n'arrange rien.

— Il se pourrait que je passe à nouveau.

— Dans ce cas, prenez rendez-vous... »

La vérité avait éclaté. Prieur avait baigné dans l'ob-scène, emmurée dans les recoins obscurs de la faculté à mutiler davantage ce qui l'était déjà. Elle avait laissé l'horreur derrière elle en quittant l'école, changeant d'apparence, de vie, plaquant ce côté morbide, le ter-rant dans les profondeurs enténébrées de son âme. Cherchait-elle alors à se guérir d'une espèce de mala-die qui lui empoisonnait l'existence et la contraignait à vivre dans le secret de l'inavouable ?

Le tueur avait découvert son jeu. Il avait agi, cinq

années plus tard, alors qu'elle se sentait protégée dans le cadre de sa petite vie rangée. Il lui avait rendu la monnaie de sa pièce, une souffrance volontaire, provoquée, odieuse. Œil pour œil, dent pour dent. L'analyse d'Élisabeth Williams se tenait, tout concordait ; le tueur jouait sur deux terrains différents.

Tout concordait, mais rien ne me rapprochait de lui. Il errait dans le crépuscule parisien en toute liberté, tel un aigle dominant un large terrain de chasse. Il traquait, jouait, frappait en un éclair, puis disparaissait dans l'ombre du sang. Il maîtrisait la mort, il maîtrisait la vie, il maîtrisait la croisée de nos destins...

* * *

L'heure d'entrer dans le monde de la douleur vint avec les vapeurs suaves de la nuit. Le Tout-Paris nocturne s'illuminait comme un fourmillement de lucioles.

Proximité du métro Sébastopol. Un couloir de bitume ouvert au sexe, quelques voitures garées sur les trottoirs, une lignée de lampadaires usés qui trouaient à peine la nuit. Des ombres circulant à pas pressés dans les mailles du deuxième arrondissement, dos voûtés dans des imperméables, les mains dans les poches, regards braqués au sol. Deux, trois filles, appuyées contre les murs, un talon aiguille enfoncé dans les vieilles briques des façades.

Alors que nous marchions, Fripette me dicta les dernières recommandations.

« Ne parle pas, surtout pas de questions, je m'occupe de tout. Si on vient à savoir qu'on met le nez dans les affaires de ces gens-là, on recevra plus de coups en un quart d'heure qu'en quinze rounds contre Tyson. Tu n'as pas ton feu sur toi, j'espère ? Ni ta carte de police ? On va être fouillés.

— Non, c'est bon.

— Et tes papiers ?

— Je les garderai sur moi.

— Très bien. Tu n'as rien à faire, sauf à mater et à la fermer. Tu te colleras le masque de cuir sur le visage, comme le pire des sadiques sexuels. Ni vu, ni connu, OK ?

— OK.

— Nous allons entrer dans les backrooms les plus hards du Tout-Paris, toujours partant ?

— Plus que jamais... »

Il me posa une main sur l'épaule. « Dis-moi, commissaire, pourquoi t'envoies pas tes larbins, tes sbires au casse-pipe ? Pourquoi tu veux tout faire toi-même ?

— Raisons personnelles.

— T'es pas du genre bavard, toi, quand il s'agit de parler de ta vie perso... »

Quarante-huit, rue Greneta. Une porte de métal. Une petite trappe qui s'ouvre. Un masque de cuir troué de deux yeux qui apparaît. « Fripette. Qu'est-ce que tu veux, sale enfoiré ?

— Charmant accueil. On veut entrer. On a envie de s'éclater un peu.

— Ça fait un bail qu'on t'a pas vu.

— Je remets ça.

— T'as du pognon ?

— Mon pote est plein aux as. »

Un nez renifla par la trappe. Une langue courut sur le cuir. « Y veut quoi, ton pote ?

— C'est un putain de mateur. Un comme t'en as jamais vu. Laisse-nous entrer, maintenant !

215

— Il ne sait pas parler ? Il a pas la gueule de l'emploi, je l'aime pas...

— Laisse-nous, j'te dis. Y a pas de lézard.

— Vaudrait mieux pour ton petit cul. Tu connais le dress code de ce soir ?

— Uniformes. On a ce qu'il faut. »

La porte s'ouvrit dans un splendide grincement. Fripette fourra deux cents euros dans la paluche de Face-de-Cuir. Pressé dans une blouse d'infirmier et des bottes de cuir blanc montant jusqu'aux genoux, l'homme puait le vice à plein nez. Pour trouver l'endroit accueillant, il fallait beaucoup, mais vraiment beaucoup d'imagination ; à côté de ça, une cave aurait fait office de palace. Une grande femme sexy, moulée dans une pièce unique de vinyle violet, se dressait comme une chatte derrière une espèce de bar, d'où jaillissait la lumière d'ampoules rouges qui réussissaient à peine à éclairer un long couloir. La Chatte nous tendit des jetons en plastique de différentes valeurs. « Soirée fessées au tribunal, si vous voulez », lança-t-elle d'une voix de disque rayé. « Vestiaires à droite. Allez vous changer, esclaves ! » ordonna-t-elle en crachant un long rire cynique.

Autre pièce, autre lieu de désolation, murs briquetés et bancs en métal. Nous nous changeâmes en silence sans nous regarder. L'étrange sensation que l'on nous surveillait depuis notre entrée m'écrasa. J'enfilai ma blouse d'infirmier, les bottes généreusement fournies par Fripette et le masque de cuir noir, qu'il m'aida à lacer à l'arrière de mon crâne. J'avais honte et je remerciai le ciel de ne trouver nul miroir dans ce cloaque.

« T'es une vraie beauté ! » me lança Fripette.

« Ferme-la ! »

Il coiffa son crâne d'albâtre d'une perruque de juge

et endossa sa toge d'homme de droit. Il cacha ses yeux derrière un loup de cuir, me marmonnant : « C'est parti. Nous allons nous balader dans les différents donjons. Essaie de dégotter ce que tu recherches, et vite. Suis-moi et n'oublie pas, tu peux ouvrir les oreilles, mais tu fermes ta grande gueule ! »

Je n'aimais pas son ton et me promis de lui envoyer mon poing dans la figure en sortant d'ici. Si nous sortions...

Le long du sombre couloir pendaient toutes sortes d'affiches, du genre *Ludy et Mister Freak se marient. Venez assister nombreux à la cérémonie organisée par maître S'ADO. Fessées à volonté.* Le claquement sec du fouet, des cris étouffés de peine et de plaisir filtraient au travers des différentes portes entrouvertes.

Première salle, salle médecine. Fripette me tira par le bras ; nous nous fîmes une place contre l'un des murs, dans le clair-obscur de la lampe pendue au-dessus d'une table d'opération fabriquée maison. Au centre, un homme bedonnant, riche en poils, sanglé sur la table tel un porc bien rose. Quatre femmes masquées, déguisées en infirmières, lui flagellaient avec tact les parties sensibles, lui arrachant à chaque fois un râle de douleur. Ses bourses enflèrent et son sexe se tendit comme une matraque de CRS. Les officiants disposaient de divers instruments, genre rouleaux à ramollir les pâtes à pizza et, éventuellement, le sexe, des martinets, des sortes d'étaux à seins, ou encore, des vibromasseurs.

Autour de nous, ça chuchotait. Les langues tournaient sur les lèvres, les mains fondaient sous les costumes en vue d'une probable masturbation. Je fouillai du regard mes voisins, devinant en ceux non masqués, des personnes à qui l'on aurait pu confier ses enfants avant d'aller au cinéma.

D'autres observateurs dégageaient une impression de rigidité, se régalant de la souffrance de l'homme attaché, comme d'un gâteau à la chantilly. Certains se parlaient à l'oreille puis disparaissaient dans une autre pièce.

À présent, le patient sexuel hurlait. Un bourreau lui envoya des échardes de lumière dans les yeux alors qu'une autre lui lâchait des pinces crocodile sur la membrane nervurée des bourses. Le spectacle s'équilibrait de lui-même ; ceux qui sortaient étaient remplacés par de nouveaux mateurs ou guignols en costume. Les mots me brûlaient au bord des lèvres ; quelqu'un, parmi cette cohorte d'obsédés, appartenait forcément à BDSM4Y, probabilité oblige. D'un coup, mon regard se bloqua. Je reconnus Face-de-Cuir à l'entrée de la salle. Il me dévisageait, pénétrait en moi comme une lame dans la chair, ses poings serrés dans ses gants. Je braquai à nouveau mon regard vers la scène de violence, fis mine d'apprécier le spectacle... Aussi facile que d'avaler une boule de pétanque...

Puis, une femme de l'assemblée remplaça l'homme meurtri, se laissa sangler et le show reprit de plus belle. Nous nous frayâmes un chemin pour quitter la pièce.

Changement de décor, tableau identique ; pièce médiévale, croix à sangler, maîtres, dominés, mateurs. Pas de lampe, juste des torches qui éclaboussaient des parties de membres, des peaux humides, des visages pétris de douleur. De nouveaux arrivants se serrèrent tout contre nous. Chaleur des corps, mélange des sueurs, noir complet, traits de lumière parfois. Nous ne faisions qu'un. Je me penchai vers mon voisin, sans savoir s'il s'agissait d'un homme ou d'une femme.

« Quel pied... » lui murmurai-je à l'oreille. Pas de réponse. Fripette me pressa l'épaule et, protégé par le noir, je lui collai un coup de coude dans les flancs. « Tu viens souvent ? » continuai-je à susurrer. La forme s'éloigna et disparut, laissant la place à un autre paquet de chair, plus corpulent, puant le dessous de bras.

Mes yeux commençaient à s'accoutumer à l'obscurité. Je distinguais à présent les courbes des corps des mateurs, tassés contre les murs, comme nous. Je percevais l'odeur âpre de leurs chairs en ébullition, de leurs sens retournés par le spectacle. Deux types en treillis attachèrent une femme à la croix, lui enfoncèrent un anneau de métal dans la bouche et lui bandèrent les yeux. Après lui avoir arraché l'uniforme, ils lui collèrent sur les seins et le clitoris des pastilles conductrices reliées à une batterie douze volts, du genre de celles que l'on trouve sous les capots des voitures. Lorsqu'ils envoyèrent le jus, la fille hurla, puis la fille jouit, puis la fille en redemanda...

Subitement, Fripette me tira avec fermeté par la blouse. Nous sortîmes par une autre porte, tombâmes dans la salle du tribunal où un juge tapait du marteau sur les fesses d'une femme accroupie, longeâmes les murs avant de retrouver le couloir. À l'autre bout, devant la salle de médecine, des carcasses d'hommes balèzes s'agitèrent.

« Laisse tes fringues dans l'vestiaire ! On s'casse ! Ils se doutent de quelque chose ! »

Nous remontâmes le couloir et prîmes la forme de courants d'air devant le bar. Des courants d'air dans des uniformes...

« Arrêtez-les ! » cria une voix qui se voulait tout sauf rassurante. La Chatte lança une bouteille de whisky pleine qui me frôla le sommet du crâne. Un sosie de Face-de-Cuir s'interposa devant la porte de sortie, brandissant une lame. Je lui allongeai sans réfléchir un coup de botte sur la poitrine, lui ravalant son nez d'une manchette serrée. Fripette ouvrit le loquet et nous nous élançâmes dans la rue. La meute s'agglutina aux abords du donjon avant de rentrer, après quelques échanges à voix basse et des doigts tendus bien haut.

« Putain, mais t'es con, bordel à chiotte ! » Fripette envoya un magistral coup de semelle dans une poubelle de métal avant de crier de douleur.

« Putain, bordel ! J'me suis fait mal ! Chiotte ! » Il versait des torrents de larmes. « J'suis grillé à cause de toi ! Foutu ! J'suis déjà mort ! Ils vont me faire la peau, putain ! Je t'avais dit de fermer ta grande gueule !!! »

Je jetai la blouse d'infirmier sur le sol. Un couple, nous découvrant accoutrés de la sorte, moi avec mes bottes et Fripette dans sa tenue de juge, préféra changer de trottoir. Un doute m'assaillit. Je plongeai ma main dans la poche arrière de mon jean et, à ce moment, sentis mon aorte se dilater comme si elle allait éclater à l'intérieur de mon corps.

« Ils m'ont volé mes papiers ! Ces enfoirés m'ont volé mes papiers ! » m'écriai-je.

Ces ombres, serrées contre moi dans la salle médiévale... Face-de-Cuir avait dû se douter de quelque chose, alors il avait envoyé un sbire pour me tirer mon portefeuille. Fripette décocha un sourire triste. « T'es dans la même merde que moi, mon gars. Attends-toi à avoir une petite visite un de ces quatre. Et s'ils apprennent que t'es flic, ils te feront bouffer ton uniforme. Ils sont puissants et organisés. Ce que tu as vu ce soir n'est que la face visible de l'iceberg. Il y a une mafia dans le domaine du hard, comme dans la drogue ou la prostitution. Seulement vous, les flics, vous êtes bien trop beaufs pour fourrer votre moustache là-dedans ! »

La moutarde me monta au nez. Je me ruai sur lui, levai la main pour lui fracasser la mâchoire mais me retins au dernier moment ; ce type d'une laideur extraordinaire n'avait rien demandé et il risquait de payer les pots cassés à ma place.

« Casse-toi, Fripette », lui lançai-je en baissant finalement le poing.

« Qu... quoi ? Tu ne vas pas m'envoyer des flics pour qu'ils me protègent ? Putain, mais t'es cruel, mec ! Qu'est-ce que tu crois que je vais devenir maintenant ? »

Je m'avançai vers lui, dents pointues, yeux fulminants d'éclairs. Il corrigea : « OK, OK mec ! » Ses pas se mirent à claquer dans la nuit. « Putain ! T'es le pire des cons que je connaisse ! Va te faire foutre ! Allez tous vous faire foutre ! »

Dans le métro presque vide où n'aurait pas traîné un fantôme, deux jeunes embarquèrent à Châtelet et vinrent m'encadrer. « Pas mal tes bottes, mec ! T'as vu ça ? Il sort d'où ce gars ? Sale PD ! File-nous tes bottes !

— Qu'est-ce que tu vas faire avec ça ?

— Qu'est-ce que ça peut te foutre ? J'te demande juste tes bottes. Puis ton fric, tant que tu y es ! Ouais, mec ! Allonge ta thune ! »

J'enlevai les lacets lentement, empreint d'une tristesse profonde. J'avais brisé une piste sérieuse. Avec mes papiers, ils découvriraient mon identité. L'affaire remonterait jusqu'à l'organisation BDSM4Y et ces tarés disparaîtraient dans la nature, essayant peut-être de me faire la peau avant.

« Tes bottes, connard ! Magne-toi ! »

J'enlevai la botte et, d'un mouvement circulaire, envoyai le talon en pleine figure de l'abruti qui gesticulait à ma gauche. Un arc épais de sang gicla, accompagné d'une petite dent, une canine, qui bondit sous les sièges libres. Avant que le second dégainât son cran d'arrêt, je lui pliai mes doigts sur la mâchoire. Des os craquèrent, probablement ceux de mes phalanges, mais aussi et surtout, ceux de son maxillaire. Il se pressa le visage dans les mains et gémit comme un suppliant. Je me levai, m'accrochai à une barre métallique et sortis à la station suivante pour continuer à pied. J'avais la main en sang et j'étais anéanti.

En rentrant, malgré le poids de la fatigue, une motivation étrange me poussa à démarrer Poupette. Sans succès. Les réservoirs étaient pourtant pleins, la pression grimpait dans la chaudière, mais la loco ne me rendit qu'un couinement désespéré, un gargouillis de vapeur, une plainte chevrotante. Comme un être humain agonisant... Souffrait-elle autant que moi, sous sa carapace de métal ?

Impossible d'invoquer les visions si belles de ma femme, cette fois. Partout, l'odeur de la mort... Je m'endormis mal à l'aise, tremblant et trempé de sueur, mon Glock couché sur la table de nuit...

Chapitre huit

Devant moi, le Maroni bouillonne et les pans d'eau qui se brisent sur les rochers émoussés par la force vive du courant grondent à l'unisson. Sur l'autre berge, en face, le sang ruisselle d'une femme nue allongée dans la boue, se mêle à l'onde du fleuve jusqu'à le rendre soudainement rouge. Elle tourne un regard dévasté de tristesse vers moi, tend ses mains, brandit ses doigts implorants dans ma direction comme pour m'attirer à elle. Le sein qui lui a été arraché baigne à ses côtés dans une petite flaque devenue rouge, elle aussi. Le long de son bassin, une entaille écarte cuirs et chairs pour laisser apparaître la pellicule translucide de l'utérus. Au-dessus de moi, le ciel s'assombrit, l'air se charge d'une chaude humidité, les nuages s'enroulent dans le vent d'altitude ; l'orage tropical s'apprête à faire trembler la terre.

Au loin, un zodiac défie les eaux, moteur hurlant, et combat le courant en direction de la rive opposée. À son bord, une silhouette agite les bras, crie à tue-tête des phrases en créole dont le sens m'échappe. L'engin range ses flancs de caoutchouc à proximité de la femme et son pilote se jette sur la berge, abandonnant le bateau aux appétits du fleuve, avant de partir brutalement se camoufler dans la flore avoisinante.

Dans mon axe de vision, deux fentes jaunes cerclées de noir, surgies des entrailles du fleuve, fendent l'eau, palpitent, sondent le terrain et pressentent la chaleur humaine. Très régulièrement, le voile transparent de la paupière s'abat sur l'œil avant de disparaître avec la même férocité. De larges narines, des volcans, soufflent un tourbillon d'eau et s'orientent vers la fille dont le sang s'épanche à n'en plus finir. Les crocs s'aiguisent, la mâchoire claque, les narines battent et hument les douceâtres effluves d'un repas exceptionnel. Là-bas, en Guyane, on m'a appris à deviner la taille d'un caïman en mesurant mentalement la distance qui sépare ses yeux et, au jugé, celui-là doit approcher trois mètres de férocité, de puissance, de cruauté absolue. La fille hurle, roule sur le côté dans un effort vain. Les arceaux de ses côtes lui transpercent la peau chaque fois qu'elle essaie de bouger. Je dois agir et, bien que le courant risque de m'emporter, m'élance dans les bras du Maroni. Le caïman tendu comme une flèche fonce vers elle et, avec une exquise lenteur devant l'impuissance de sa proie, remonte la berge, patte après patte, crocs flambant neufs.

L'eau s'écrase sur mon torse en jets de furie. La colère folle de l'onde me décale vers l'aval, mais je progresse, accroché aux rochers, aux branches de palétuviers qui flagellent l'eau ensanglantée chaque fois que le vent tord leurs ramures. La femme s'épuise les cordes vocales, gémit et, dans les intonations brasillantes de peine, prend le timbre de voix de Suzanne. Son visage revêt à présent les traits de ma femme. Et elle hurle, hurle à me crever les tympans. Des coups de feu font décoller une nichée de toucans. Le crâne trapézoïdal du caïman explose, la bête roule sur le côté, dévale la berge et se laisse avaler par le fleuve comme un tronc mort. La lisière de la jungle accouche d'une forme, d'une silhouette râblée, enveloppée d'une cape noire à l'intérieur rouge. Une capuche lui couvre la tête, mais il n'y a pas de tête, pas de visage, juste cette capuche appuyée sur des courbes qui n'existent pas. L'Homme sans visage se dresse devant moi...

Il se penche sur Suzanne, sort d'une de ses manches un coupe-coupe aiguisé. Il tire le sein restant par le téton et le tranche à la base d'un coup net de lame.

Quelques mètres seulement me séparent d'elle, mais le courant me plaque contre un rocher en forme de crâne, me broie la poitrine à presque m'empêcher de respirer. Si je bouge, les flots tumultueux m'emporteront vers les cascades écrasantes de puissance.

L'homme décoche un rire au moment où des trombes d'eau se mettent à dépouiller les arbres de leurs feuilles. Du talon, il chasse Suzanne le long de la pente. Le corps mutilé de ma femme glisse sur l'eau, se fait chahuter par la gueule du fleuve, dévale entre les rochers contre lesquels il se fracasse. Suzanne s'approche, avale des gorgées de boue et de sang, régurgite, sombre vers le fond puis surgit devant moi.

Je tends le bras, ses doigts m'écorchent la peau des mains. Elle se cramponne, le cou gonflé d'eau, mais le Maroni déchaîne ses rapides et me l'arrache, l'entraîne dans ses vapeurs avant de la précipiter au cœur des cataractes.

L'homme ricane inlassablement, devant. Comment réussit-il à rire, privé de visage ? D'où s'échappent les sons ? Son cri me brûle sans fin.

Je quitte mon rocher et permets aux flots démontés de me ramener dans les bras de ma Suzanne...

Mon réveil sonnait depuis un quart d'heure lorsque j'émergeai au milieu du lac de ma sueur, mes os cliquetant les uns contre les autres sous l'effet de la peur. J'éprouvai un mal horrible à comprendre que je venais d'ajouter, à l'épais catalogue de mes cauchemars, le pire de tous...

D'ordinaire, même en plein sommeil, j'étais capable d'entendre une mouche voler, de percevoir la respiration de Suzanne tout contre moi lorsque je la serrais dans mes bras. J'hallucinai, quinze minutes de sonnerie stridente et je n'avais rien entendu... La puissance du cauchemar avait-elle pu m'emprisonner à ce point ? Étrangement, je me souvenais de chaque détail, comme si la scène venait de se dérouler à l'instant devant mes yeux. Je sentais encore les effluves nauséabonds du fleuve, cette pluie tiède, ces nuages noirs en forme d'animaux. Je voyais l'eau jaillir des naseaux du caïman, j'avais sur les lèvres le goût du sang de Suzanne. Tout... Tout semblait... si réel !

Je jetai un œil à Poupette, noyée au milieu d'un mélange d'eau et d'huile. Pour elle aussi, la nuit avait été difficile. Je ressentis de la culpabilité, un sentiment de frustration de la voir en cet état. De son métal sans vie, filtrait une aura tiède, une chaleur qui me touchait le cœur, qui me rapprochait de Suzanne sans que je pusse expliquer pourquoi. Je me promis d'essayer de la réparer dans la soirée.

En buvant mon café, je laissai courir mes yeux sur le listing répertoriant les élèves de la faculté de médecine, de 1994 à 1996.

Des noms qui, comme j'aurais dû m'en douter, ne me disaient absolument rien.

Je parcourus rapidement l'e-mail de l'ingénieur d'Écully concernant les photos décryptées, puis me dirigeai vers la salle de bains. Un mont de linge y traînait. Des chemises que je n'avais pas encore eu le temps de repasser, des langues de cravates suspendues sur le rebord de la baignoire, des pantalons chiffonnés, voire déchirés. Je transportai l'ensemble dans un coin de notre chambre, donnai un coup sur le sol de la salle d'eau avant de faire ma toilette. Les noms d'étudiants continuaient à défiler dans ma tête, comme un film sans fin. Garçons, filles, Français ou étrangers, éparpillés dans tous le pays ou ailleurs...

Comment mettre la main sur ceux qui avaient côtoyé de près Martine Prieur, de si près au point de connaître son macabre secret ?

Sur une soudaine impulsion, à moitié dévêtu, je bondis sur le cellulaire.

Après une longue attente au secrétariat, on transféra enfin mon appel sur le poste du professeur Lanoo. Un sang chaud affluait déjà à mes joues. « Monsieur Clément Lanoo ? Commissaire Sharko !

— Monsieur Sharko ? Je vous ai déjà dit de...

— Ça va être très court, monsieur Lanoo. Martine Prieur est bien restée trois années à l'internat de la faculté ?

— Euh... Oui, en effet. Et alors ?

— Les chambres sont prévues pour deux personnes, n'est-ce pas ?

— Oui, surtout pour des raisons financières.

— Dites-moi avec qui Prieur a vécu durant ces trois années.

— Attendez une minute, je consulte mon ordinateur... »

L'attente fut horrible.

La voix à forte prestance trancha le silence. « Un seul nom, Jasmine Marival. Oui, ces deux filles ne se sont pas quittées pendant trois ans...

— Bon sang ! Vous n'auriez pas pu me dire ça hier ?

— Comment vouliez-vous que j'y pense ? Vous

m'avez demandé si je connaissais la vie privée des élèves, je vous ai répondu non. Je ne vois...

— Est-elle allée au terme de ses études ?

— Euh... Non... Elle a encore continué un an après le départ de Prieur, puis elle s'est arrêtée. Ses notes étaient devenues catastrophiques...

— Merci, monsieur le professeur. »

J'appelai au 36 et, dix minutes plus tard, après avoir enfilé mon trois-pièces, le lieutenant Crombez me contacta en retour. Il s'exclama : « On tient l'adresse de Jasmine Marival, commissaire ! C'est peu commun. La fille vit dans une vieille bâtisse, en pleine forêt de Compiègne !

— Et quelle est sa profession ?

— Elle est garde-champêtre.

— Elle était...

— Pardon ?

— Elle ÉTAIT garde-champêtre. Parce qu'il est fort probable que cette fille et celle de l'abattoir ne fassent qu'une... Où se cache le lieutenant Sibersky ?

— À la maternité, je crois. Il avait prévenu qu'il arriverait plus tard au bureau... »

* * *

Forêt de Compiègne. Près de quinze mille hectares érigés vers le ciel en harpons de chênes, hêtres et charmes. Un poumon naturel sillonné de veines d'eau, troué d'étangs, embelli par les tons ocre de l'automne naissant... Le village de Saint-Jean-aux-Bois traversé, nous nous engageâmes sur des routes de moins en moins larges, où l'asphalte en certains endroits devenait terre et la terre, boue.

Le lieutenant Crombez rangea le véhicule dans un chemin transverse à l'axe principal avant de poser pied à terre. Une flaque fangeuse accueillit l'une de mes toutes nouvelles chaussures en cuir véritable. Dans le silence blanc de la forêt, la clameur de ma colère ressembla à une déchirure.

Le lieutenant Crombez tourna sur lui-même, le regard au ciel, comme perdu loin de ses catacombes de béton et de verre. « J'adore la forêt, mais pas au point d'y vivre. Ça me ficherait presque la chair de poule d'habiter ici, au milieu de nulle part...

— Tu es sûr que c'est dans le coin ?

— D'après la carte, la baraque se situe à quatre cents mètres vers l'ouest.

— Tu as certainement manqué une route. On va devoir traverser ce bourbier. Avec la quantité de flotte tombée ces derniers jours, ça ne va pas être triste. Bon... Allons-y... »

Des murs de sureaux, de viornes et de ronces, se dressaient devant nous, encadrés de troncs rugueux envahis par les mousses et le lierre. Les épines ainsi que les branches nues des buissons s'acharnaient à entailler mes chaussures, ce qui fit allégrement monter ma tension nerveuse à la limite du supportable.

Les murailles serrées d'écorces et de feuilles ramenaient l'horizon au bout de notre nez. Je pestai : « Tu es sûr que tu ne t'es pas planté ? Maintenant, c'est mon pantalon qui est mort ! Dévoré par les ronces ! Tu veux ma ruine ou quoi ?

— On devrait arriver...

— Oui, on devrait... »

Un cri de linotte troua le limbe matinal, relayé dans son élan par d'autres cris qui roulèrent loin dans les chevelures des arbres.

Nous rejoignîmes, ô divine providence, une voie

plus large où réussit enfin à surgir le front carné du soleil. La densité arboricole s'affaiblit et, sur la gauche, légèrement en contrebas, s'alanguissaient sept étangs éparpillés dans le fouillis ordonné de la nature, au gré de leurs eaux dormantes.

« Voilà, on y arrive. Les étangs Warin. La bâtisse se tient certainement derrière les arbustes, au fond. Vachette ! C'est rudement sinistre comme coin ! On se croirait dans la forêt de *Blair Witch* !

— Quoi ?

— Laissez tomber... Un truc de jeunes...

— Je connais *Blair Witch*. Ne me prends pas pour une croûte. »

Le long des plans d'eau se miraient les frondaisons des ormes enracinés avec toute la force de l'âge dans la terre. La faune et la flore s'épanouissaient dans l'harmonie des terres oubliées, loin, très loin de la marée humaine où le lieutenant et moi survivions.

La grande bâtisse, construite en 1668 par une communauté de célestins, perça la bande continue des arbres, avec ses toits en pointe élancés vers le ciel, semblant même égratigner le plafond bas des nuages, ses trois étages puissamment ancrés en pierre jaune, ses fenêtres barlongues figeant la maison dans une expression de colère. Devant la façade, s'étirait un if aux branches arquées par le poids des aiguilles humides, imprégnées de l'odeur des époques passées. L'arbre, paraît-il, avait traversé les temps ancestraux. Je n'avais pas vu *Le Projet Blair Witch*, mais suffisamment de fois *Amytiville, la maison du Diable* pour affirmer que cette baraque lui ressemblait comme deux gouttes d'eau.

« Elle vivait là-dedans ?

— Dans une partie seulement. Selon l'Office des forêts, le rôle de Jasmine Marival consistait à habiter et entretenir les lieux pour éviter tout vandalisme ou le squat. Drôle de reconversion pour une fille qui a fait médecine, habituée à la grande ville et au contact !

— Elle aimait peut-être le lugubre. Comment a-t-elle obtenu cette place ?

— Rien de plus simple. Elle a remplacé son grand-père. Il a bousillé sa vie ici... »

Les étangs, sur notre gauche, dégageaient une odeur d'eau croupie, lézardée en surface par le chaos des têtards.

« Possible qu'elle ait pu disparaître plus d'un mois sans que les gars de l'Office des forêts s'en aperçoivent ?

— Vous savez, je crois qu'ils ne se seraient même pas aperçus de la disparition de la maison.

— Bon... On y va. Reste sur tes gardes... On ne sait jamais... »

Sur le seuil usé aux pierres éclatées par les gelures hivernales, nous nous plaquâmes contre les meneaux, arme contre joue. La porte bâillait légèrement, comme une mâchoire de piège à loup. Nulle lumière ne filtrait par l'embrasure. Je murmurai : « J'entre. Prends le champ gauche, je couvre à droite. »

À l'intérieur, l'immobilité des choses mortes nous assaillit. Le roucoulement épuisé d'un pigeon me hérissa les poils. Le couloir étranglé du hall d'entrée nous amena dans un salon gorgé de ténèbres, aux fresques écaillées, aux meubles engourdis.

Nous épousâmes les murs, furtifs, mêlés aux éléments comme des fluides. Les rayons du soleil éclatés par les branches des hêtres, étouffés par les vitres crasseuses, filtraient à peine, comme si la demeure refusait l'incursion de la lumière, le souffle de la vie. Dans le séjour, place à la fusion des couleurs morbides, des noirs nuancés, des gris passés. En face, les escaliers à vis en pierre s'envolaient vers l'obscurité plus épaisse des étages.

« On fouille le rez-de-chaussée... Suis-moi », marmonnai-je. Nous parcourûmes les pièces une à une, lorsqu'une petite caméra reliée à un ordinateur, dans la salle de bains, attira l'attention de Crombez.

« Vous avez vu, commissaire ? Une webcam, orientée en direction de la baignoire ! »

Nous en découvrîmes dans la cuisine, le salon, la montée d'escalier. Le lieutenant explicita : « Cette femme dévoilait sa vie sur Internet ! Vingt-quatre heures sur vingt-quatre ! Le moindre moment d'intimité retranscrit à des milliers de mateurs !

— C'est peut-être la raison pour laquelle il l'a punie. Tout du moins, cette vie mise à nu lui a facilité la tâche... » Je m'approchai d'un PC. « Les ordinateurs sont éteints... L'électricité doit être coupée... Tu as vu l'interrupteur général ?

— Non... »

Retournant dans la cuisine, j'ouvris quelques tiroirs et finis par dégotter une lampe de poche en état de marche.

« J'aurais dû prendre ma Maglite, bordel ! Bon... Vérifions la cave et nous nous chargerons ensuite des étages. »

Un escalier d'une vingtaine de marches plongeait dans une cave voûtée. Le faisceau de ma pauvre lampe n'éclairait qu'illusoirement et l'obscurité reprenait ses droits derrière nous au fur et à mesure de notre progression. Le plafond extrêmement bas nous contraignit à nous baisser. Une humidité verte, chargée d'odeur de champignons, exsudait des briques sombres et semblait se déverser sur nos épaules. J'évitai de justesse un nid d'araignées d'une flexion de jambes, mais Crombez n'eut pas le même réflexe et se prit le visage dans la toile grouillante de minuscules insectes.

« Putain de bordel de merde ! » grogna-t-il en se secouant les cheveux avec dégoût. « Cet endroit me répugne ! »

Au bas des marches, nos dents grincèrent lorsque ma loupiote croisa le regard perçant d'un renard à l'air offensif, museau braqué vers nous. Je faillis décocher une balle mais l'animal ne bougeait pas.

Il était empaillé.

« Qu'est-ce que c'est que ce foutoir ? » chuchota Crombez en chassant de son front les araignées rebelles.

Derrière le renard, plus au fond, des tribus muettes d'animaux de la forêt souffraient en silence sur des socles en bois, piégées à jamais dans l'immobilité de paille imposée par leur bourreau. Furets, lapins, chouettes, marcassins imploraient presque. Les billes de leurs yeux s'illuminaient sous le feu de ma lampe comme des lucioles, les crocs lustrés brillaient, comme s'ils cherchaient à mordre quand même.

En éclairant sur la gauche du renard, je crus me trouver dans le laboratoire expérimental du docteur Frankenstein. Sur une table métallique, étincelaient toutes sortes d'instruments de chirurgie utilisés pour le dépouillage, pincettes, scalpels, ciseaux, scies chirurgicales, couteaux de différentes tailles... Sous la table, une autre série d'outils qui, à l'évidence, avaient aussi leur utilité dans le funeste ouvrage, perceuse, presses, râpes mécaniques, toupies de menuisier...

« À droite », glissa Crombez « ... dirigez votre lampe à droite... ».

Je m'exécutai. Le pinceau bloqua sur une webcam.

« Mon Dieu ! » m'exclamai-je dans un murmure. « Elle filmait ça aussi !

— Remontons ! » souffla mon lieutenant d'une voix grelottante. « C'est un vrai repaire de saloperies, ici... »

En nous retournant, des cages de différentes tailles plaquées contre le mur porteur se découpèrent dans le cône de lumière. Des prisons destinées à enfermer des animaux vivants... Et, juste au-dessus, une seconde webcam... Quelle espèce d'être maléfique avait germé en Jasmine Marival ? Quelle jouissance avait-elle ressenti en se livrant au regard des caméras ? Quels étaient les pires ? Ceux qui se régalaient de ces images de torture, de taxidermie en direct, ou elle, Marival, qui leur offrait un spectacle ignoble à regarder ?

Comme Prieur, elle se délectait dans le vice. Comme Prieur, l'horreur, la souffrance infligée lui procuraient du plaisir. Et, comme Prieur, elle avait été sanctionnée...

Direction les étages. Nous grimpâmes les volées de marches côte à côte, martelés par le son creux du silence et de nos propres pas claquant sur la pierre. Des rideaux ténébreux s'abattaient sur nous comme des capes tranchantes ; nous évoluions au toucher, le long d'un couloir troué de lourdes portes de bois. Nous attendant au pire...

« Je ne peux pas croire qu'elle vivait là-dedans », frissonna Crombez. « On dirait un train fantôme, un manoir hanté. Vous croyez au Diable ?

— Occupe-toi de cet étage. Je vais voir au-dessus... Gueule s'il y a un problème.

— Vous pouvez compter sur moi... pour gueuler... Je tremble dans mes fringues comme un poulet dans une rôtisserie... »

J'avais l'impression d'errer dans l'intestin d'un monstre endormi, qu'un simple faux pas réveillerait. Je devinais des cadres accrochés aux murs, les visages peints piégés dans l'éternité, sentant ces regards me disséquer, m'épier, j'entendais presque les yeux cireux rouler dans les orbites.

Nouvelle volée de marches. Couloir identique un étage au-dessus. Pas de webcam. Elle ne se rendait probablement jamais ici.

J'ouvris une porte collée à sa feuillure par les toiles d'araignée et un élan vif de lumière embrasa la pièce au travers de l'arc cintré de la fenêtre. Des meubles disparus sous des draps blancs, du lit désossé, ravagé par l'abandon, s'exhalait la lourde odeur du passé, de ce qui fut, de ce qui ne serait plus. Je m'approchai de la fenêtre, caressai des yeux les cimes des arbres dressés juste devant moi, à l'extérieur.

Au travers des feuillages, j'entrevis les nappes verdâtres des étangs et un coup d'œil circulaire me révéla un point brillant, noyé dans la touffe serrée de la forêt, plus à l'est. Le mélange de tôle et de verre poli que je découvris, me fouetta le visage ; les reflets provenaient d'une voiture dont je n'arrivais pas à distinguer la couleur précise.

Cascade d'adrénaline, turbulences acides au fond de la gorge. Quelqu'un se terrait dans la maison, piégé par la pierre, acculé par notre présence dans un recoin inexploré de la bâtisse assassinée...

Je m'éjectai de la pièce, glissai le long des murs et des lambris, évoluai comme un souffle intime dans l'âme boisée de la demeure. Je regagnai l'escalier, dévorai les marches, m'élançai dans le couloir presque infini du premier étage.

Craquement soudain, grincement de porte, ombre trapue arrachée à l'obscurité, vomie par une pièce latérale. In extremis, gâchette mi-enfoncée, je reconnus la solide charpente de Crombez.

« Commissaire ? Je...

— Tais-toi... » Je courus vers lui, me penchai vers son oreille. « Quelqu'un est ici ! Il y a une voiture dehors ! »

Une tension nerveuse arqua mon lieutenant.

« Seigneur... Je... Je n'ai rien relevé à cet étage... Toutes les pièces sont vides, les meubles de certaines d'entre elles se cachent sous des draps, comme des fantômes...

— Rien au deuxième non plus... »

Nous murmurâmes d'une seule voix : « Il est au troisième ! »

L'étau rêche de l'angoisse me serra la gorge. Au fur et à mesure de notre avancée dans le lugubre, les mauvais souvenirs de l'abattoir m'assaillaient, me trouaient l'estomac comme des stylets de métal. Une puissance lourde flottait dans l'atmosphère, une force surprenante qui semblait émaner des murs oubliés de ce couloir. À présent, je subodorais une présence perchée derrière l'une de ces portes, prête à frapper. Je demandai à Crombez de redoubler de prudence...

Porte après porte, ouverture après ouverture, le soufflet de la tension gonflait puis crevait devant l'immobilité flagrante renvoyée par les pièces. Nos nerfs nous effleuraient la peau. Le plus insignifiant grincement des boiseries renforçait l'étreinte de nos phalanges sur la gâchette de nos armes.

Dans ces moments d'attention extrême, mon corps communiait avec ce qui l'entourait, comme si chaque objet, chaque son, analysé par mon ouïe ou ma rétine, était décomposé à l'infini avant d'atteindre la machinerie affairée du cerveau.

L'odeur infecte émanant de la dernière porte, au fond du couloir, nous assaillit. Un mélange âcre de gasoil, de sang et de chair grillée me leva le cœur et contraignit Crombez à enfouir son nez dans l'encolure de son trois-quarts. Nous nous plaquâmes de chaque côté du bâti, lèvres cousues, sueurs froides. Crombez poussa, j'entrai, il talonna, je basculai, il couvrit. Puis, le lieutenant s'écroula à genoux sur le sol, l'arme suspendue à l'index, la bouche ouverte. Je compris alors qu'il s'était mis à prier...

Une masse sombre se détachait dans la pénombre de la pièce. Des persiennes tirées des fenêtres, ne filtraient que des lames de clarté essoufflées par les feuillages fournis des arbres, cependant, le sang généreusement répandu sur le parquet mosaïque réfléchissait quand même un éclat rouge tendre, cerclé de noir sur les bords des flaques.

Le corps nu s'affalait sur une solide chaise de bois, saucissonné de cordes qui disparaissaient dans les bourrelets enroulés des cuisses et de la poitrine. Sur le grand lac charnu du ventre et aux abords des membres, la peau brûlée par endroits craquait, se repliait, s'enroulait jusqu'à laisser transparaître la chair rosie des muscles et la coulée grisâtre des graisses.

Une aube de sang couvrait le large front de Doudou Camélia, comme suintant du crâne lui-même.

Dans la lueur ocrée d'un trait de lumière, sur la table, j'aperçus la bulle molle du cerveau, cette blancheur virginale mêlée aux pourpres, qui rayonnait comme une aura divine. Le crâne avait été découpé, le cerveau ôté et disséqué ; puis, soigneusement, le couvercle osseux avait été reposé à sa place, vidé de sa substance pensante, de ce qui rend humain.

Derrière, sur le mur à la tapisserie gonflée d'humidité, s'inscrivaient ces mots en lettres de sang : *les raccourcis qui mènent à Dieu n'existent pas.*

Je m'apprêtai à me laisser succomber aux flagellations insipides du désespoir, mais le hurlement âpre de la vengeance me gorgea de haine, d'envie de tuer à mon tour. J'enjambai le corps plié de Crombez et m'élançai dans les escaliers avec l'espoir d'arriver avant l'assassin à la voiture camouflée dans les fourrés. Une puissante vague de gasoil m'agressa les narines au moment où mes pieds s'enfonçaient dans une immense mare irisée, entre le premier et le deuxième étage. J'eus à peine le temps de faire demi-tour, qu'un embrasement furieux dévasta tout le bas de la cage d'escalier et s'appropria le couloir du premier étage, dans un roulement sourd. Les dents carnassières des flammes dévoraient déjà les solives et les poutres du plafond, dansant sur le plancher en crépitant de colère et de joie mêlées. La fuite par le bas devenait impossible.

Je grimpai à nouveau, me ruai dans la chambre de l'horreur, foudroyé par la panique. L'esprit de Crombez semblait flotter dans la pièce, même si la carcasse de l'homme, recroquevillée dans un coin, oscillait d'avant en arrière comme un carillon déréglé. Le jeune lieutenant venait d'entrer par la grande porte dans le monde de l'Homme sans visage. Je hurlai : « Il faut sortir d'ici ! Il a mis le feu au premier. Impossible de descendre ! »

Crombez se jeta dans le couloir, où des rouleaux de fumée rampaient le long du plafond comme des milliards d'insectes minuscules. « Seigneur !

— Va vite me chercher des draps dans les autres pièces ! Magne-toi ! »

Je ressentis tout le mal du monde à me faufiler le long du corps prostré de Doudou Camélia. Son regard de cendre suppliait, ses lèvres gonflées s'encroûtaient déjà de rigidité, de froideur, et j'eus l'impression en la frôlant qu'une petite main, une main d'enfant, me tirait l'arrière de la veste.

Au-dessus de ma tête, les premières nuées grises de fumée envahissaient la salle mortuaire, en chassaient l'air vicié pour le remplacer par pire encore. Je poussai les persiennes avec des mouvements saccadés, abrupts, ouvris la fenêtre puis récoltai un maximum des draps qui couvraient les vieux meubles et le lit à baldaquin. Crombez réapparut.

« Allez ! Noue les bouts ensemble ! Et serre de toutes tes forces ! » m'écriai-je en rassemblant les linges en bordure de fenêtre.

Sous nos pieds, le plancher craquait sous les assauts répétés de l'intense chaleur qui se propageait à l'étage inférieur. L'haleine du feu se rapprochait dangereusement et la fumée roulait désormais teintée de rouge et d'orange. Le feu flairait l'humain, le feu progressait, le feu jouait, avec cette volonté affirmée d'anéantir tout ce qui se dresserait sur son passage, mort ou vif.

Je jetai le cordage de fortune par la fenêtre, en attachai l'extrémité autour du tuyau d'un radiateur et poussai Crombez devant moi. « Vas-y le premier ! Grouille ! » J'entendis des fenêtres exploser, des poutres s'effondrer, un grognement ignoble se répandre dans les murs comme un navire qui va se rompre en deux. Crombez enjamba la croisée, s'agrippa au tissu. Les fibres de lin se tendirent sous l'action de la masse de son corps. L'ensemble tenait mais ne supporterait jamais le poids de deux hommes.

À mi-course, Crombez hurla. Le bas de la corde flambait et, autour, à l'extérieur, les flammes louvoyaient dans l'air par la gueule béante des fenêtres éventrées.

« Descendez, commissaire ! »

Sans attendre, je chevauchai l'appui, m'accrochai à ce qui me retenait encore à la vie et me suspendis dans le vide. Le tissu couina, éprouvé à l'extrême, frôlant la rupture. Je vis Crombez se propulser comme un homme-araignée et s'écraser dans la boue cinq mètres plus bas. Un craquement atroce parvint jusqu'à mes oreilles, s'ensuivit un hurlement de douleur qui me laissa peu optimiste sur l'état de ses chevilles. Sous mes semelles, des flammes s'accrochaient à la corde et entamaient leur repas. Des geysers rougeoyants jaillissaient de partout, comme attirés par la verdure avoisinante. Le feu était affamé.

Les six mètres me séparant du sol me parurent plus profonds que le Grand Canyon. D'ici, j'allais m'aplatir comme un œuf frais. Le choix me paraissait pourtant assez restreint, mais, quitte à tomber, je préférai abandonner la corde et engager mes doigts dans les larges fissures des pierres qui offraient de bonnes prises d'escalade. Je gagnai ainsi quelques mètres avant de finalement me lâcher, les extrémités des doigts en sang, les genoux et les coudes éraflés.

La chute s'avéra raide mais supportable, sauf qu'au moment de l'impact je crus que le totem ivoire de la colonne vertébrale allait me transpercer l'arrière du crâne.

Crombez gémissait, les mains enlacées autour de sa cheville qui décrivait un angle impossible avec le reste de la jambe. Il avait atterri sur la seule pierre du jardin.

La folie meurtrière du feu avait gagné les artères centenaires de la demeure, ravageant les trois étages jusqu'à la moelle de la pierre. Des torsades braisées de cendres s'enroulaient et dansaient haut dans le ciel, entraînées ensuite par un farouche vent d'ouest. Je tirai Crombez par les bras au travers du tapis de boue, le déposai à l'abri loin du déluge et appelai les pompiers. Puis je me laissai choir, le dos contre un hêtre, la tête entre mes mains ouvertes au désespoir. Encore une fois, mon chemin venait de croiser celui du tueur. Encore une fois, j'étais arrivé trop tard et Doudou Camélia avait récolté les fruits de mon incompétence. Par quel incompréhensible moyen l'assassin était-il remonté jusqu'à elle ? Je voyais encore cette phrase, ces lettres de sang, *les raccourcis qui mènent à Dieu n'existent pas.*

Avait-il deviné le don de voyance de la vieille Noire, pressentant qu'elle pourrait remonter jusqu'à lui ? Après avoir franchi les parvis sacrés de son âme, il l'avait éliminée sans un poinçon de pitié, avec le luxe de la traîner jusqu'ici pour profiter pleinement de ses cris d'agonie dans le cimetière vert de la forêt.

Pendant combien de temps l'avait-il ligotée sur la chaise ? Combien de brûlures, de tortures morales lui avait-il infligées ? Était-elle encore consciente au moment où il s'apprêtait à lui prélever le cerveau ?

Devant moi, dans cette pluie incandescente de flammèches, le monde de la Guyanaise, de cette force généreuse, périssait dans un tourment de fumée. La matière même qui symbolisait son passage sur Terre s'envolait en spirales grises, loin du regard du monde, loin de la cruauté de l'Homme sans visage, peut-être à l'abri quelque part à l'orée du ciel...

Tout s'effondrait, s'évanouissait. Les indices, les données précieuses enfermées dans les ordinateurs, les empreintes. J'étais maudit... J'étais vraiment maudit...

L'Homme sans visage... Un rapiéçage de cruauté démesurée, un souffle de feu qui se déplaçait de corps en corps, de victime en victime, abandonnant dans son sillage mort et désolation. Un esprit voué au Diable, aux pires horreurs de ce monde, transformant même ce pire en inconcevable, par le biais d'une seule couleur, le pourpre.

Il se perfectionnait, jour après jour, enrichi de ses atrocités, peaufinant ses techniques de chasse, plongeant un peu plus à chaque fois dans une démesure indescriptible. Il jouait avec la mort, bafouait les lois, l'humanité, la vie et toutes les choses qui donnaient un sens à l'existence. Il était celui par qui le Mal se répandait. N'était-il pas lui-même le Mal ? Je me posais sérieusement, très sérieusement la question...

* * *

Je me souviendrai toute ma vie du jour de mon mariage, de ces visages sertis de liesse, de ces rubans blancs frémissant dans l'air d'été et sur les tôles lustrées des voitures.

Un jour, en fouillant dans la commode de notre chambre, j'y avais découvert la vieille boîte en carton dans laquelle était soigneusement pliée la robe de mariée de Suzanne. J'avais frôlé du bout des doigts la dentelle Valenciennes, remuant le feu ardent des souvenirs et m'étais transporté par le biais du rêve dans l'aube claire, tellement lointaine, de mon passé jadis heureux. Du toucher de l'âme, je m'étais rappelé la petite église de Loos-en-Gohelle devant laquelle Suzanne se dressait au bras de son père, son bouquet de roses, de camélias et d'orchidées pressé contre la poitrine. Je me souvenais aussi des poignées de riz offertes au ciel, de notre course folle vers la Déesse apprêtée sous les rires des enfants, des robes des demoiselles d'honneur ondulant juste derrière...

Une fleur reste ce qu'elle est, même privée de ses feuilles, même fanée ou brûlée par l'œil rouge du soleil. Les souvenirs s'estompent mais ne disparaissent pas, ils vont et viennent comme ces langues d'écume qui s'échouent sur une plage avant de repartir grandies par leur substance même. Ils tissent ce que nous sommes, bien plus que ce que nous avons été... Je m'accrochais à cela chaque jour pour surmonter la disparition de ma femme, de ma Suzanne.

Le plus frappant, c'est la façon dont les jours maudits restent eux aussi figés dans le pavé de la mémoire, comme une brûlure morale dans l'écorce de l'âme. Enfant – je venais d'avoir dix ans, un mardi – j'avais vu un chien, un berger allemand, aspiré et déchiqueté par les roues d'un semi-remorque. Nous revenions d'Annecy, les rares vacances ayant ponctué mon enfance. Des moments de joies inoubliables dans le grand lit blanc des montagnes, entre mes parents, à manger des glaces italiennes sur les pédalos. Mais ce chien, son ultime regard, ce cri glacé... Je revoyais encore les billes noires de ses yeux chargées d'effroi, comme dans le miroir, mon propre reflet.... L'image, arrimée aux wagons de mes souvenirs, m'accompagnerait n'importe où j'irais, même dans mon sommeil. Et, tel un vieux fantôme, elle me harcèlerait jusqu'à ce que je sois tombé, moi aussi, dans le Grand Canyon.

Le jour de la mort de Doudou Camélia creusa un sillon de feu dans les lignes tourmentées de mon esprit et jamais, jamais, le futur ne chasserait les horreurs que j'avais vues ce jour-là...

Lorsque mon téléphone sonna, juste après l'arrivée des pompiers, je sus que la longue épine du malheur venait à peine de me frôler.

« Shark ! Ici Leclerc ! L'inspecteur Brayard a dégoté quelque chose de sérieux !

— Qu... Qu'est-ce que vous dites ?

— Grâce à toi... Tu avais dit à Sibersky d'interroger le STIC chaque jour et, avant de partir pour la maternité, il a transmis le relais à Brayard. Bref, ce dernier a saisi les critères de recherche propres à chaque meurtre et, ce matin, une réponse est tombée. Une enseignante en chimie a été découverte chez elle, ligotée et bâillonnée exactement de la même façon que les précédentes victimes. Le type lui a lardé le corps de pinces crocodile avant de disparaître. Et devine quoi ? »

Ma tête me tournait. Les gyrophares des pompiers éclaboussaient mes rétines, pénétraient le cuir de mon esprit comme des flashes électriques.

« Sharko ? Tu es là ?

— Oui... Quoi ?

— La fille a été torturée, mais elle est vivante !

— Vivante ?

— Tu m'as bien entendu ! Les tortures demeurent superficielles, elle s'en sort sans trop de mal. Il l'a endormie avec un anesthésiant, mais on ne sait pas encore lequel.

— Kétamine ?

— Peu probable, étant donné qu'il a utilisé un chiffon imbibé, raconte-t-elle. Peut-être de l'éther ou du chloroforme... »

Avais-je encore les moyens de réfléchir ? Je fis signe à l'un des pompiers, qui accourut, et lui demandai de m'apporter une aspirine. Crombez, lui, avait été emporté sur une civière.

« Sharko ? Je te sens distant ! Qu'est-ce qui se passe ?

— À quelle heure s'est-elle fait agresser ?

— À 23 heures. Il a pris la fuite vers 2 heures du matin, affirme-t-elle. »

Théoriquement, le tueur avait pu accomplir les deux actes dans la même nuit. Peut-être était-il allé ligoter Doudou Camélia dans cette maison, puis il s'était occupé de la fille avant de revenir achever la vieille Noire. Ou alors d'abord la fille, puis Doudou Camélia chez elle, juste après.

Mais comment imaginer qu'au travers de son itinéraire de sang, il puisse laisser une victime en vie ?

« Bon, Shark, qu'est-ce qui se passe ? C'est quoi, ce boucan ?

— Je viens de tomber sur le cadavre de ma voisine en pleine forêt de Compiègne...

— Quoi ?! Je pensais que tu avais juste retrouvé la trace d'une amie de Prieur ? Que signifie ce bordel ? »

Bribe de silence. Claquement de chewing-gum de l'autre côté du fil.

« L'assassin s'est chargé de ma voisine, il l'a traînée ici pour la torturer en toute tranquillité !

— Mais... Bon Dieu ! Qu'est-ce que tu me racontes ! Je n'y comprends rien ! Quand ? Comment ? Explique-toi !

— Cette nuit aussi. Il l'a attachée sur une chaise, l'a torturée, puis lui a extrait le cerveau pour le poser sur une table.

— Pourquoi ta voisine ? Quel est le rapport avec les autres victimes ?

— Pas de rapport direct. Mais c'est elle qui m'a guidé sur la piste de l'abattoir. Je ne sais pas comment le tueur l'a appris, mais il l'a appris. Elle possédait un don de voyance. Il devait craindre qu'elle le reconnaisse. Qu'elle ne découvre enfin qui se cache derrière l'Homme sans visage...

— L'Homme sans visage ??? Mais où te crois-tu... ? Dans une mauvaise série B ? Bordel de Dieu, Shark ! À quoi tu joues ? »

J'écartai le combiné de mon oreille un instant, avalai mon aspirine dans un verre d'eau et repris : « Y a-t-il moyen d'interroger cette enseignante ?

— On risque d'avoir un gros problème de paperasserie. L'affaire, à l'heure actuelle, repose entre les mains des gendarmes. Le procureur de la République refusera de fusionner les dossiers tant qu'il n'y aura pas de preuve formelle que nous avons affaire à une seule et même personne, notre tueur. La loi est mal foutue, mais il faut faire avec.

— L'enquête risque de nous glisser sous le nez ?

— Officiellement, oui. Mais va quand même jeter un œil là-bas. La femme habite en banlieue parisienne, à Villeneuve-Saint-Georges ; pour l'instant, elle se trouve à l'hôpital Henri-Mondor de Créteil... Plus choquée psychologiquement qu'autre chose. Dis-moi, tu penses qu'il s'agit du même tueur ?

— Les techniques s'apparentent étrangement... Il n'y a pas eu de fuites avec la presse ?

— Ces fumiers de journalistes ne cessent de fouiner. Probable que, dans quelques jours, la phobie générale s'installe autour de la capitale, voire dans tout le pays. Mais pour le moment, non, pas de fuites. À part notre équipe restreinte, personne ne connaît exactement la façon dont ont été perpétrés les crimes... » Un bruit ignoble brouilla la ligne. Un tremblement de terre. Leclerc se mouchait. « Je commence à me choper un rhume avec le changement de température de ces derniers jours. Alors, même tueur ?

— S'il n'y a pas eu de fuites, difficile de penser autrement. Le tout est de comprendre pourquoi il l'aurait épargnée...

— Dis-moi... J'en reviens à cet Homme sans visage, comme tu dis... Tu ne crois pas à ce genre de choses, quand même ? »

Je feignis l'ignorance. « À quoi donc ?

— À ces sornettes de l'au-delà. Ces histoires de voyance, de forces occultes, d'esprits frappeurs revenus sur Terre pour se venger ?

— Il faut que vous envoyiez une équipe ici. On a des marques de pneus et peut-être d'autres indices dissimulés çà et là dans la forêt. Il faut ratisser le coin au peigne fin. Je rentre chez moi, je vais essayer de reconstruire le scénario de sa virée nocturne... Quant à ces histoires de l'au-delà... Non, je n'y crois pas... »

Je raccrochai sur un mensonge. En fait, je n'avais pas réellement menti. J'y croyais sans y croire, un peu comme lorsqu'on mange sans faim.

Je ne savais pas où ces voies de sang me mèneraient, mais, dorénavant, je n'espérais qu'une chose. Que cette longue torture mentale cesse, le plus vite possible...

Chapitre neuf

La police avait investi mon immeuble et plus particulièrement l'appartement de Doudou Camélia. Dans
le carré extérieur, au milieu du petit parc fleuri entre
les tours, les badauds s'étaient regroupés, curieux et
oppressants, se demandant, pour ceux qui la connais-
saient, ce qui avait bien pu arriver à la vieille Noire,
cette dame sans histoires. Les journalistes de la chaîne
locale s'étaient mêlés à la foule, jouant du micro
auprès des gros malins qui donnaient l'impression de
savoir ce qu'ils ignoraient toujours.

Le divisionnaire Leclerc, appuyé contre la porte de
mon appartement, battait du talon. Des inspecteurs en
civil allaient et venaient du couloir à l'ascenseur.

« Shark. Tu m'offres un café ?

— Oui. Si vous me laissez le temps d'entrer. »

Il me toisa de la tête aux pieds. Il y avait de quoi.
Chaussures ravagées, pantalon tapissé de boue, veste
balafrée de traces d'herbe et d'écorce, sans oublier
l'odeur de feu que je trimbalais, à rendre jaloux un
jambon fumé. Je demandai : « Qu'ont-ils découvert ?

— C'est le serrurier qui a ouvert parce que la porte
était fermée à clé. Aucune trace de lutte à l'intérieur,
pas d'objets déplacés ni de traces suspectes. On a
relevé les empreintes de deux personnes différentes.

249

— Elle ne recevait jamais. Elle n'a pas de famille, ici, en France. Les empreintes doivent être les miennes... Quel est le scénario probable de sa disparition ?

— L'épicier du coin ferme à 20 h 00, elle venait lui faire souvent le brin de causette, jusqu'à 20 h 15. C'est certainement au moment où elle rentrait chez elle qu'il lui est tombé dessus. L'un des locataires affirme qu'hier, aux alentours de 20 h 00, quelqu'un a sonné à l'interphone. Et devine quoi ? C'est ton nom que le type a donné : *C'est monsieur Sharko. J'ai oublié la clé de la porte d'entrée. Vous pouvez m'ouvrir s'il vous plaît ?*

— Merde !

— Comme tu dis ! Le gars s'est probablement planqué derrière la cage d'escalier, dans l'ombre. Quand elle est entrée, boum ! Il l'a ensuite traînée jusqu'à la porte du parking souterrain et là, il l'a embarquée dans sa voiture, dans le coffre probablement. Vu le poids qu'elle pesait, le travail n'a pas dû être facile, mais il y est arrivé.

— Et... la caméra de surveillance a pu filmer quelque chose ?

— Brisée.

— Qu... quoi ?

— Oui. Elle pendait au bout de son fil... »

Six mois plus tard, je crus revivre la nuit de la disparition de ma femme. La caméra détruite, l'enlèvement dans le parking, la fuite sans témoins. Un scénario huilé à la perfection, sans faille...

Juste une coïncidence ? Deux hommes différents auraient partagé la même méthode ? J'ouvris la porte de mon appartement et m'engageai dans l'ascenseur.

« Mais, Sharko, qu'est...

— Je reviens commissaire ! Je dois juste vérifier

quelque chose au sous-sol. Une intuition... Entrez et préparez le café... »

Les portes coulissantes se refermèrent ; les pulsations de mon cœur se mirent à accélérer comme si j'étais piégé dans un manège infernal. Le voyant lumineux de l'indicateur électronique se déplaçait lentement, d'un bouton à l'autre, jusqu'à s'illuminer sur *niveau – 1*. Les battants s'écartèrent, je déverrouillai une autre porte pour, finalement, tomber dans le silence sépulcral de ce satané sous-sol, cimetière de voitures et de tôles mortes.

Sous la lueur laiteuse des lampes intégrées au plafond, je m'orientai vers la place vide numérotée trente-neuf. Je m'avançai à pas lourds, comme robotisé, guidé par mon subconscient, par des choses que je ne maîtrisais plus.

Et je la découvris. Les larmes me montèrent aux yeux, instantanément. Un râle d'agonie s'échappa de ma poitrine et inonda la voûte de béton jusqu'à, par un jeu d'échos, revenir percuter mes propres tympans. Je tombai sur le sol, les genoux en avant, comme Crombez l'avait fait en découvrant le corps torturé de Doudou Camélia. Et je pleurai, pleurai à n'en plus finir, à m'arracher la voix. Une petite pince à cheveux jaune gisait contre le mur, à l'endroit précis où, la première fois, j'avais découvert celle de Suzanne...

Il était revenu. Il était revenu prendre ma voisine après s'être occupé de ma femme six mois plus tôt. L'Homme sans visage... L'Homme sans visage était celui qui détenait Suzanne...

Soulevé par une quinte de colère, je me levai et frappai de toutes mes forces contre un pilier de béton, à me fracasser le poing et me briser tous les doigts. Le sang coula de la peau arrachée de mes phalanges, mais je cognai encore et encore, jusqu'à ce que la douleur, devenue trop forte, me contraignît à m'arrêter.

Des pas perturbèrent le silence, derrière moi, comme des clappements ralentis de castagnettes. On venait dans ma direction mais je ne bougeai pas, recourbé sur moi-même contre le pilier. Je considérais mon poing ensanglanté et mes doigts gonflés, sans réfléchir, sans penser, comme si j'avais perdu toute notion de temps et d'espace.

Une main se posa sur mon épaule, tendre et fragile, une main de femme.

Je crus halluciner, je devais halluciner, parce que je devinais le parfum de ma Suzanne. La présence se fit de plus en plus insistante et, cette fois, je fus persuadé de sa réalité. J'osai enfin lever les yeux...

« Commissaire ?

— Madame Williams... »

Mon regard se posa à nouveau sur le sol, sur ce flux pourpre qui coulait de mes phalanges.

« C'est bien lui ? C'est lui qui a enlevé votre femme ? » demanda-t-elle d'une voix comme brûlée par de la chaux vive.

Je levai mes yeux rougis, gorgés de larmes, dans sa direction. « Comment savez-vous ?

— Elle a toujours su, elle, Doudou Camélia... »

Elle s'accroupit à mes côtés. « Cette nuit, il s'est produit quelque chose d'étrange, d'inexplicable. » Elle me tendit un mouchoir de papier. « J'ai fait un rêve encore si tenace dans mon esprit que j'ai l'impression qu'il se déroule à l'instant devant mes yeux. Vous et votre femme en faisiez partie... »

Moi aussi, je me souvenais de mon cauchemar avec une précision étonnante. Le caïman, Suzanne, mutilée de l'autre côté du Maroni...

« Pourquoi me racontez-vous cela ?

— Je me trouvais dans un zodiac sur le Maroni, en Guyane. Je ne suis jamais allée dans ce pays et pourtant, je parlais couramment le créole. À mon réveil, j'ai écrit les phrases que j'avais prononcées en créole et suis allée vérifier à la bibliothèque... C'est absolument prodigieux ! Ces mots, ces expressions que j'employais, existent bel et bien ! »

Je secouai la tête, complètement déboussolé. L'irrationnel s'immisçait comme une couleuvre dans mon univers cartésien. J'y croyais, j'y croyais vraiment et l'ombre de mon rêve qui agitait les bras dans ma direction depuis le zodiac, c'était elle, Élisabeth Williams !

« Élisabeth ! Je crois que nous avons partagé le même cauchemar, mais avec deux visions différentes !

— Dans la mienne, vous vous teniez sur la rive...

— À votre droite lorsque vous remontiez le courant ! Ma femme se trouvait en face ! Et vous êtes allée vous camoufler auprès d'elle ! Pourquoi ? Pourquoi ne pas l'avoir secourue ? Qu'avez-vous essayé de me dire ? Bon sang ! Mais que se passe-t-il ?

— Je vous criais de vous éloigner, je voulais vous éviter d'avoir à affronter l'agonie de votre femme. Je savais qu'il allait arriver pour l'achever et que ni vous ni moi ne pouvions rien y faire.

— Vous pouviez intervenir !

— J'ai bien essayé ! Lorsque j'ai atteint la berge, j'ai entendu l'assassin se frayer un chemin au coupe-coupe dans la jungle. Mes visions se réalisaient ! Il venait accomplir son funeste ouvrage ! Je... Je n'ai pas eu le courage de l'affronter, alors je me suis cachée à proximité...

— Vous l'avez aperçu de près ! Dites-moi à quoi il ressemble ! »

Son regard fuyant se posa sur un tube d'aération qui longeait le parking souterrain. « Je n'en sais rien... Impossible à définir. C'est très étrange, mais je ne me souviens pas de son visage.

— Tout simplement parce qu'il n'avait pas de visage... »

Ses lèvres se détendirent, comme si ce point obscur prenait soudainement de l'éclat.

« Vous avez raison ! En fait, je me souviens parfaitement de lui, mais, comme vous dites, il n'avait pas de visage ! » Elle tourna son regard vers moi. « Il lui a murmuré des choses avant de la pousser dans le fleuve.

— Quoi ?

— Il lui pardonnait... Il lui pardonnait pour tout ce qu'elle avait fait... »

Ma main avait pratiquement doublé de volume. Le sang séchait en croûte sur mes doigts boursouflés, des aiguillettes de douleur se hissaient en moi jusqu'à me faire mordre la langue. « Vous... Vous croyez qu'il l'a tuée ?

— Que vous dire, Franck ? Un événement hors du commun a eu lieu cette nuit, un phénomène inexplicable, dans une dimension autre que celle de notre conversation. Je crois que votre voisine a fait communier nos âmes... Avant de mourir, elle a dû dégager une puissance psychique faramineuse pour nous toucher, nous faire savoir qu'il la tenait. Et si l'homme n'avait pas de visage, c'est parce qu'elle n'a jamais pu l'identifier précisément... »

Alors, mes propos me surprirent moi-même, tant ils défiaient l'entendement ; hors contexte, on m'aurait pris pour le roi des fous. « Et si l'Homme sans visage détenait les mêmes pouvoirs qu'elle, mais pour accomplir le mal ? Et si, effectivement, il existait un rapport avec Dieu, avec le Diable, avec des forces qui nous surpassent, qui dépassent l'imagination ?

— Les meurtres et les mutilations sont bien réels ; ces atrocités doivent nous ancrer dans la réalité. Si nous sortons de ce cadre et nous basons sur des histoires de forces maléfiques, alors tout sera joué d'avance. Et jamais nous ne le piégerons.

— D'accord avec vous. Mais rien ne pourra m'ôter de l'esprit que l'irrationnel tient une place prépondérante dans l'histoire. Notre rêve commun, la façon dont il a deviné les dons de Doudou Camélia et puis, cette invisibilité, l'absence d'indices...

— N'oubliez pas que l'enseignante, celle qui est peut-être tombée entre ses mains, est toujours vivante !

— Pourquoi l'aurait-il laissée en vie si c'est bien lui ?

— Le comportement de ce genre d'individus reste très difficile à cerner, mais il arrive que les tueurs épargnent leurs victimes, simplement parce que ces dernières ont réussi à éveiller en eux de la sensibilité, c'est-à-dire à montrer qu'elles étaient humaines et non des objets. »

Une nouvelle rafale de larmes m'assaillit. « Et cette barrette que j'ai retrouvée ici... à l'identique d'il y a six mois... J'ai toujours cru que Suzanne m'avait laissé volontairement cet indice... Et si c'était lui ? S'il avait déjà tout prévu comme s'il avait pu lire dans la carte de nos destins ? Comment pouvait-il savoir que je découvrirais une première fois la pince, puis une seconde fois aujourd'hui ? C'est invraisemblable... Osez me dire que tout ceci est rationnel ! Osez me dire que tout ceci est le fruit du hasard !

— Non, Franck, bien sûr que non... Je... Je ne comprends pas plus que vous... Que voulez-vous que je vous réponde ? »

Je me décollai du sol en m'aidant juste de la main épargnée par ma colère. « Je n'en sais rien. Pour une fois, j'avais juste besoin d'être rassuré... »

Elle me tira par le bras précautionneusement.

« Vous vous êtes bien arrangé », me dit-elle en soufflant sur mes doigts. « Il faut soigner ça. Avez-vous des antiseptiques et des bandages dans votre appartement ?

— Peu importe. Il faut que je retrouve ce fumier, coûte que coûte ! Et je le tuerai, je l'achèverai de mes propres mains ! »

Elle m'attrapa par la manche alors que je m'élançais d'un bloc en direction de l'ascenseur.

« Calmez-vous, Franck ! Vous ne devez pas vous laisser emporter, c'est ce qu'il recherche ! Il veut déchaîner votre rage. Il vous sait vulnérable si vos sentiments dominent votre logique et votre capacité à réfléchir. Allons tranquillement panser cette main, manger un morceau et après, nous aviserons. Laissez vos inspecteurs, vos lieutenants, tous ces policiers et gendarmes, accomplir leur travail...

— Mettez-vous à ma place, Élisabeth... Mettez-vous une seule seconde à ma place !

— Je sais, Franck... Je sais... »

Mon portable sonna. Je décrochai et Sibersky m'annonça la naissance de son fils, un petit Charlie de 2,8 kilos. Je fis un effort surhumain pour laisser transparaître un soupçon de joie dans ma voix...

« J'ai besoin que tu me fasses un point, Shark ! » envoya le divisionnaire Leclerc d'un ton à faire pousser des roses sur du marbre. « On ne te voit pratiquement plus au 36 et les cadavres t'accompagnent partout où tu te déplaces, comme si tu avais de la moutarde dans le cul ! T'es plus à l'antigang, bordel de Dieu ! Quant à vous, madame Williams, vos rapports sont... surprenants, d'une incroyable précision. Trop précis, peut-être. Trop... comment dire... scolaires. Je me demande s'ils ne vont pas nous conduire sur de fausses pistes... »

Le divisionnaire ne s'était pas assis à table avec nous. Il se tenait debout, bras croisés, aussi nerveux qu'un poisson dans une poêle à frire.

Élisabeth prit la parole la première. « Ma profession est encore très mal connue, vous savez. Les criminologues existent aux États-Unis depuis près d'un demi-siècle contre quelques années seulement en France. Je ne suis pas là pour vous apporter le tueur sur un plateau, mais pour vous accompagner dans votre démarche, aiguiller vos hommes. Mon métier n'est pas une science exacte. Il peut arriver en effet, comme le prouvent certaines grandes affaires, de se tromper. L'assassin n'entre pas dans un moule préétabli. Ils n'ont pas tous des mères surprotectrices ou des pères alcooliques. Cependant, certains traits évidents, certaines caractéristiques du tueur ressortent autour des scènes des crimes, des trajets empruntés, des indices abandonnés volontairement. Le cœur même de mon métier consiste à trier ces données, à en extraire des liens pour établir un profil psychologique, une manière de se comporter. C'est tout. Libre à vous de suivre, ou pas, mes recommandations. »

Elle serra un bandage autour de ma main si fort qu'elle m'arracha un petit cri de douleur. Les flèches plantées par Leclerc dans son amour-propre, se matérialisaient par la brutalité soudaine de ses gestes.

« J'ai bien pris note », dit Leclerc. « À toi, Shark ! »

J'avais l'impression que ma main, gonflée de sang, s'apprêtait à éclater sous le bandage.

Je lançai à Leclerc : « Vous avez lu mes rapports, non ?

— En effet. Mais j'ai l'impression de planer à dix mille, parfois ! Dis-moi à nouveau ce que vient faire ta voisine dans l'histoire et comment il se fait que tu l'aies retrouvée là où tu recherchais une amie de fac de Prieur !

— Reprenons. Doudou Camélia m'a orienté vers la fille de l'abattoir. Elle parlait sans cesse de chiens qui hurlaient dans sa tête. En enquêtant sur le vol du matériel au labo HLS, cette histoire de chiens m'a conduit à l'abattoir où j'ai retrouvé Jasmine Marival. Le tueur m'y a surpris, m'a épargné. Puis, il m'a téléphoné pour m'annoncer qu'il allait s'occuper de ceux ou celles qui, d'un moyen quelconque, m'aidaient dans l'enquête. Et il a réussi à retrouver ma voisine. Comment, je suis bien incapable de vous le révéler pour le moment. Et il l'a assassinée... »

Je m'échappai un instant du bouillon de mes pensées avant de poursuivre.

« ... Madame Williams m'a indiqué ensuite une piste intéressante, en découvrant que le tueur agissait en punisseur, sur des êtres qui avaient péché dans leur passé. Pour Prieur, nous avons relevé un changement important dans sa vie, avant et après avoir plaqué ses études de médecine. Je suis allé enquêter à la faculté. Le professeur d'anatomie m'a avoué que, responsable des dissections, elle mutilait les cadavres, de mèche avec l'employé chargé des incinérations. Son macabre jeu a été découvert et, en fait, on lui a demandé de prendre congé, bien sagement, sans faire de bruit. »

Je trempai le bout des lèvres dans mon café, en humai l'arôme. « Je me suis dit que Prieur avait peut-être partagé son secret avec quelqu'un de proche, à qui elle aurait pu se confier. Comme sa colocataire par exemple, Jasmine Marival. Trois ans de vie commune, ça crée des liens, forcément. Voilà ce qui m'a mené en pleine forêt de Compiègne...

— Et pourquoi s'en est-il pris à celle-là ? Quel

péché a-t-elle bien pu commettre pour subir une telle colère ?

— Elle filmait son quotidien et ses scènes de tortures animales avec des webcams. Possible que le tueur ait retrouvé sa piste sur le Net. Peut-être pioche-t-il ses victimes en les observant au travers de caméras, ou en circulant sur des forums où ces femmes confient leurs penchants morbides... Je vais coordonner une action avec le SEFTI, qu'ils essaient de remonter jusqu'à l'adresse du site où étaient diffusées les images de Marival. »

Leclerc allait et venait, toujours les bras croisés, comme s'il était prisonnier d'une camisole de force. « Qu'a donné la piste des milieux sados ?

— L'échec pour le moment. Milieu très fermé, difficile à percer. Il est évident que le tueur y puise son inspiration, mais l'enquête va s'avérer délicate. Les langues ne se délieront pas facilement. D'autant plus qu'ils doivent se douter qu'on veut les infiltrer... Cela peut être très, très risqué...

— Il nous faut des oreilles, je vais organiser une réunion avec le patron des mœurs. On va essayer de glisser des taupes. Ses inspecteurs ont l'habitude de ce genre d'intrusions. Nous devons focaliser nos énergies sur cette... société BDSM4Y... puisque tu penses que le cœur du problème vient de là.

— Que les hommes restent extrêmement prudents...

— Expose-moi ton plan d'action.

— Je vais aller ce matin interroger la prof agressée. Je reste sceptique, mais il est possible qu'elle ait bien eu affaire au tueur.

— Sois très discret. Tu n'as aucun droit sur le dossier pour le moment. Les gendarmes mènent la danse sur ce coup-là... Pas d'entourloupes, OK ? Si tu fous la merde, mon patron risque de ne pas apprécier, et moi non plus ! Madame Williams, essayez de voir, selon ce que vous racontera cette enseignante, si le profil correspond avec notre tueur. Bordel ! Il ne manquerait plus que ce soit une autre personne et qu'ils se multiplient comme des vermines ! On a déjà plus d'une centaine de policiers sur le coup, éparpillés tout autour de Paris ! Et pas une piste, que des suppositions ! Mais où va-t-on ? Où va-t-on ? » Il disparut dans une vague de colère en claquant la porte derrière lui.

« Je ne suis pas sûre que nous l'ayons rassuré », confia Élisabeth en enfilant sa veste. « Pourquoi ne lui avoir rien dit pour votre femme ?

— Je crois qu'il aurait pété un boulon si nous lui avions parlé de notre rêve commun.

— Est-ce bien la seule raison ?

— Non... Il aurait été capable de me retirer l'affaire. C'est à moi que l'Homme sans visage a déclaré la guerre. Depuis le début, depuis plus de six mois, il s'acharne à me pourrir la vie... Je ne sais pas ce qu'il me veut, mais ce que je sais, par contre, c'est que jamais je ne le lâcherai ! Jamais ! J'irai au bout, l'un de nous deux y restera. Tout est déjà tracé, absolument tout... C'est ainsi que cela finira. J'en ai la ferme conviction... »

Je me dirigeai vers ma chambre. « J'ai besoin d'être seul un moment, Élisabeth. Je passe vous prendre tout à l'heure et nous irons à l'hôpital...

— Très bien, répliqua-t-elle. Ne faites pas de bêtises, Franck... »

Et comme si ce feu d'artifice de malheurs ne suffisait pas, Serpetti m'annonçait, par e-mail, qu'il avait perdu la trace de BDSM4Y. L'enquête régressait proportionnellement au nombre de cadavres qui s'entassaient comme du linge sale autour de moi...

Le pire se produisait et pourtant, à cet instant, je ne pensai qu'à réparer Poupette. Son emprise grandissait, se déployait en moi comme un cancer. J'éprouvais un besoin puissant de cette odeur dans la pièce, ces flots agréables qui m'envahissaient chaque fois qu'elle tournait, ces réminiscences de ma femme. Sombrais-je dans la folie ?

J'essuyai l'huile et l'eau sur le sol, donnai un coup de chiffon sur le chariot. Aucune fuite apparente. Pas de pièce abîmée. Je fis l'appoint en liquide avant de tenter une mise en marche. Poupette vibra, s'élança droit devant elle dans un sifflement de renaissance. Que dire alors de cette panne au moment où Doudou Camélia agonisait et de ce débordement d'énergie, aujourd'hui ? Rationnel, irrationnel ?

La douce odeur que j'attendais tant, s'appropria la pièce, souleva mon âme dans les volutes limpides de la béatitude. De toutes les drogues, celle que diffusait Poupette était certainement la plus fulgurante...

* * *

Le grand vaisseau blanc de l'hôpital Henri-Mondor se dressait devant nous, chargé de malades, de blessés, de personnes venues y couler leurs derniers jours. Nous prîmes la direction du service de soins, dans l'aile droite, côté maternité, derrière le bâtiment ultra-moderne de cardiologie. Devant les portes coulissantes de l'entrée, des malades à la mine ravagée fumaient, emmitouflés dans des robes de chambre, les regards las et vitreux posés nulle part. Nous grimpâmes au troisième étage, chambre trois cent trente-six. Je détes-tais ces odeurs de produits qui empestaient l'air, ces pièces aveugles peuplées de métal et de médicaments. Tout, ici, rappelait franchement la fragilité de l'être, la puissance de la mort et l'infime frontière qui sépare l'une de l'autre.

Julie Violaine se reposait au-dessus de ses draps, la poitrine mouchetée de petits pansements. Ses pupilles étaient dilatées, explosées dans le blanc de l'œil par des pensées encore trop violentes. Accroché au plafond, un téléviseur diffusait un vieux Tex Avery en noir et blanc. Elle tourna la tête lentement dans notre direction, avant de se plonger à nouveau dans le dessin animé qu'elle ne regardait même pas. Elle dit dans un souffle léger : « Encore les gendarmes ? J'ai déjà tout raconté, au moins trois fois de suite. Je suis plus que lasse, si fatiguée... Vous pouvez comprendre ça ? Sortez, s'il vous plaît. Je ne vous dirai rien...

— Nous avons juste quelques questions, mademoiselle Violaine.

— Sortez, je vous dis. Ou j'appelle une infirmière ! »

Élisabeth Williams se pencha sur le lit. « Cela ne vous dérange pas si je m'installe à côté de vous, sur cette chaise ? J'aimerais que nous parlions tranquillement, rien qu'à deux, entre femmes. » Elle se tourna vers moi. « Vous pouvez sortir, monsieur Sharko, s'il vous plaît ?

— Mais, Élisabeth ! Je dois rester ! »

Elle me tira par le bras à l'extérieur de la chambre. J'obtempérai.

« Écoutez-moi, commissaire. Laissez-moi quelques instants avec elle. Je sais comment procéder, faites-moi confiance. Cette fille a besoin d'être rassurée, vous comprenez ? Elle a subi un traumatisme très important, il faut y aller doucement. Allez prendre un café ou un chocolat en attendant.

— Essayez de tirer le maximum de renseignements. Nous devons avancer !

— OK. Mais elle ne se confiera pas devant un homme, encore moins un commissaire de police. Alors, disparaissez !

— Elle ignore que je suis commissaire, elle nous prend pour des gendarmes !

— Vous croyez que c'est mieux ? Disparaissez !

— À vos ordres, madame... »

Je redescendis dans le hall d'entrée, glissai une pièce dans le distributeur de boissons et sortis avec mon chocolat chaud devant l'hôpital, à l'air frais. Une vieille femme au dos en carapace de tortue, coiffée d'un bol de cheveux gras, m'envoya un sourire dévoilant un cimetière de dents digérées par le tabac. Elle rampa vers moi en boitillant.

« Une petite Gitane ? » poussa-t-elle d'une voix roulante de toux.

Je disséquai des yeux le paquet bleuté aux bords écornés. Une envie monta en moi, si impérieuse que le refus n'était pas envisageable. « Pourquoi pas... Ça fait huit ans que j'ai arrêté, mais je crois qu'aujourd'hui, c'est la bonne journée pour recommencer.

— Pour sûr, gars », râla-t-elle.

À la première bouffée, je crus avaler un chardon. Ma respiration se bloqua une dizaine de secondes. Un millénaire. Les sept couleurs de l'arc-en-ciel défilèrent sur mon visage, du violet au rouge.

La vieille dame me frappa sur le dos de ses maigres mains, de plus en plus fort jusqu'à ce que, finalement, le réflexe de la respiration reprît de lui-même. Un filet de salive pendait entre ma bouche et le sol. « Dis donc, gars, j'ai bien cru que t'allais rester sur le carreau ! »

Je me mis à éclater de rire, un rire franc, un doux

acide qui me dénoua l'estomac. « Ma p'tite dame, il faudra bien plus qu'une cigarette pour me laisser sur le carreau !

— Eh bien moi, c'est la cigarette qui m'a foutue sur le carreau. J'ai un cancer du poumon, un putain de cancer du poumon !

— Et vous fumez encore ?

— Il faut bien combattre la maladie, non ? »

Elle me décocha un rire qui se termina dans une toux ignoble. Pliée en deux, elle cracha sur le sol ce qui ressemblait à un morceau de poumon, en plus foncé. Elle pila son mégot dans un parterre de fleurs avant d'attaquer une autre cigarette sans filtre. Écœuré, je jetai ma clope à peine entamée dans une poubelle et rentrai. Je décidai de gravir à pied les trois étages plutôt que de prendre l'ascenseur.

En cours de route, je redescendis en trombe à l'accueil et demandai si une certaine madame Sibersky n'avait pas été admise en maternité. On m'aiguilla vers un autre accueil, dans l'aile ouest, où l'on m'apprit qu'effectivement, elle avait été transférée du service de soins vers la maternité l'avant-veille.

Je frappai à la porte et une voix fatiguée me pria d'entrer. Laurence Sibersky me gratifia d'un grand sourire de jeune maman comblée.

Le minuscule être reposait sur sa poitrine, la tête inclinée contre le cœur de sa mère. Charlie dormait d'un sommeil profond, paisible, et sa petite bouche remuait parfois, comme pour téter.

« Entrez, Franck », me chuchota-t-elle. « Mes deux bébés dorment. » Elle dirigea son regard vers le coin derrière la porte. Le lieutenant Sibersky, ramassé au fond d'une chaise pliante, avait la tête écrasée dans la main droite. Le plomb du sommeil l'empêchait de se réveiller malgré le bruit de mes pas.

« Je vous apporterai le cadeau la prochaine fois »,
murmurai-je. « Je devrais le recevoir bientôt... À vrai
dire, je passe au hasard, j'étais venu rendre visite à
quelqu'un d'autre et la providence a voulu que vous
vous trouviez dans le même hôpital. Comment allez-
vous ? »

Je posai ma main sur les petits doigts, minuscules,
semblables à de fines aiguilles. « Il est superbe ! C'est
un très beau bébé...

— Merci, Franck. Ça me fait plaisir de vous voir,
après tellement de temps... David me parle souvent de
vous, vous savez ?

— En bien, j'espère ?

— Il vous admire énormément. Il bosse dur pour
vous et il passe à l'hôpital en coup de vent... Il rentre
tard... Si tard... »

Je sentis l'écume de l'amertume au fond de ses
paroles, ce sel piquant qui brûle les lèvres de toutes les
femmes de flics. « David est un très bon élément. Un
grand ami aussi. Je sais que ce ne doit pas être facile
pour vous, mais sachez qu'il pense constamment à
vous, même au cours de nos missions parfois délicates...

— Nous formons une vraie famille à présent. Il faut
que vous preniez soin de lui, Franck. Je ne veux pas
qu'un soir l'on vienne m'annoncer que je ne reverrai
plus jamais mon mari ailleurs que dans un cercueil... »

Elle caressa du dos de la main les joues abricot du
nourrisson, les larmes au bord des yeux. Le silence
infernal de la pièce me mit mal à l'aise ; j'avais la
triste impression de ne pas me trouver à ma place en
ce lieu où, d'ordinaire, s'érigent les feux de la joie. Je
me levai doucement, presque sur la pointe des pieds
et, embrassant la main de la jeune maman, susurrai :
« Reposez-vous bien, Laurence. Ils vont mobiliser
toute votre tendresse...

— Passez ce soir à l'appartement. Je dirai à David de vous y attendre. Vous pourrez discuter... »

Je disparus, dos voûté, épaules tombantes, miné de peine.

Je croisai à nouveau des malades mal en point, des visages ternes, secoués de douleur. Les effluves médicamenteux, le goût de la cigarette encore accroché à ma langue, me montèrent à la tête.

Je m'enfermai dans les toilettes, taraudé par l'envie de vomir sans rien avoir à régurgiter. Le monde tournait, les murs, autour de moi, se resserraient puis s'écartaient, comme si j'étais encore sous l'emprise de la kétamine.

Les spectres des visages éteints paradèrent devant mes yeux. Prieur, Gad, Marival, Doudou Camélia. Et mon cœur se gonfla de chagrin, mon âme d'impuissance, mon corps tout entier me répondit que rien ne ramènerait les êtres de chair passés sous le scalpel de l'Homme sans visage.

Et, sans cesse, comme une comptine amère, le chant du cygne me frappait les tympans, me ramenait devant les yeux l'image floue de ma femme enfermée quelque part, nue, les pieds dans l'eau et le corps couvert de sangsues. Je la croyais en vie, je la savais morte... Ou l'inverse... Je ne comprenais pas... Pourquoi ? Pourquoi ? Pourquoi ?

Jamais je n'aurais dû mettre les pieds ici, dans cet endroit qui me rappelait trop bien de quoi était faite la réalité, ma réalité. Je remontai les marches, longeai les couloirs encroûtés par la maladie, jetai un œil par la fenêtre de la chambre de Julie Violaine et frappai. Élisabeth Williams, d'un signe de tête, m'autorisa à entrer.

La femme à la poitrine constellée de pansements, aux pupilles encore dilatées, avait recouvré un air serein.

Élisabeth me résuma la situation. « Nous avons pas mal discuté, Julie et moi. Elle m'a relaté tout ce qui s'est passé cette nuit-là, dans les moindres détails. Je reviendrai ici demain pour bavarder encore un peu avec vous, Julie, vous êtes d'accord ?

— Bien entendu », murmura la jeune femme. « Votre présence m'a fait tellement de bien. J'avais besoin de discuter, mais pas que de l'agression... »

Les images d'une série télévisée captivèrent son regard, elle s'abandonna au flux tumultueux de ses pensées. Nous sortîmes en silence.

« Alors, Élisabeth ! L'attente a été terrible !

— Vous m'offrez un café ?

— Oui. Mais ils ne sont pas géniaux, ici, ça ressemble à du jus de chaussette. J'ai repéré un petit bistrot pas loin de l'hôpital. Allons plutôt là-bas. J'ai envie de changer d'air. »

Dans le bar-tabac, nous optâmes pour une place près du billard, au fond.

« On fait une partie ? » me demanda-t-elle en désignant la surface feutrée. « À vingt-deux ans, j'ai disputé les championnats de billard, le Magic Billiard Junior 8 Ball Tournament en Floride. J'ai enrhumé à ce jeu les plus gros machos qui aient jamais existé. Je leur ai cloué le bec d'une telle façon qu'ils sont repartis la queue entre les jambes, si je puis m'exprimer ainsi !

— L'image est assez démonstrative, en effet.

— Je n'ai pas rejoué depuis une trentaine d'années, vous vous rendez compte ?

— Allons-y ! Mais je ne suis pas un champion. Je me débrouille, c'est tout... » J'agitai ma main bandée. « Et puis, vous partez avec un sacré avantage, quand même ! »

Je glissai une pièce dans la fente et laissai Élisabeth

disposer les boules sur le tapis. Elle cassa le paquet et entra directement deux boules dans les poches, tout en me racontant : « Julie Violaine s'est fait agresser juste avant de rentrer dans son pavillon ; l'agresseur, embusqué à l'extérieur, l'y attendait. Elle a été immobilisée fermement, puis a perdu connaissance lorsqu'on lui a placé un mouchoir imbibé devant le nez. De l'éther, selon les analyses, comme on en trouve dans toutes les pharmacies. Elle s'est réveillée ligotée et bâillonnée sur son lit, dans la chambre à coucher. Bien entendu, il lui avait bandé les yeux. »

Elle glissa la boule numéro sept dans le trou du milieu. « Il l'a caressée longuement, puis s'est mis à lui accrocher des pinces crocodile aux mâchoires extrêmement affûtées à l'extrémité des seins. D'abord le droit, puis le gauche. Elle a hurlé, mais le bâillon étouffait ses cris. Durant l'acte, elle a perdu la notion du temps, mais, apparemment, la torture n'a pas duré très longtemps. Elle l'a entendu ensuite se masturber, puis il s'est enfui, sans jamais prononcer un mot. »

La boule numéro quatre percuta la quatorze avant de manquer le trou de peu. « Ah ! On dirait que j'ai un peu perdu la main. À vous de jouer, Franck !

— Quinze direct ! » annonçai-je.

La boule percuta les bords du trou avant de s'y enfoncer.

« Joli coup ! » admit Élisabeth. « Pour moi, au vu de notre entretien, il ne s'agit pas du tueur. Elle a entendu le type effectuer sans cesse des allers et retours jusqu'à la fenêtre de la chambre, certainement pour vérifier que personne n'approchait de la maison. Elle l'a senti hyper nerveux, plus stressé qu'excité, ce qui va à l'encontre de ce que nous avons pu apprendre de notre homme. »

La treize me résista et Élisabeth ne perdit pas l'occasion de la chasser du tapis. Elle s'attaqua à la quatre, collée contre une bande.

« Lorsqu'un individu se masturbe, le désir retombe et l'acte de mise à mort, dans ce cas, ne peut que difficilement être accompli.

— Comment ça ?

— Pourquoi la majeure partie des tueurs en série violent-ils leurs victimes une fois celles-ci mortes ? Simplement parce que la puissance du fantasme est proportionnelle au désir sexuel. Ce que cherche ce type d'individus est justement d'entretenir ce fantasme le plus longtemps possible, de manière à ce que le plaisir de torturer la victime, de l'humilier et de la tuer, ne retombe pas. Dans le cas de Julie Violaine, lorsque l'agresseur s'est masturbé, il n'a pas jugé nécessaire de poursuivre, ni même de tuer. Il n'en avait plus l'envie, alors il est parti, tout simplement. L'Homme sans visage, tel que nous le connaissons, n'aurait jamais pu faire une chose pareille. »

Elle effectua un aller-retour jusqu'à la table afin de boire une gorgée de Brazil. Accoudés au comptoir, à l'entrée, des amateurs observaient la position de nos boules. Elle saupoudra une couche de bleu sur le bout de sa queue. « Très important, le bleu », annonça-t-elle. « Ça évite au bouchon de glisser sur la boule au moment de l'impact. Un peu comme le talc que les gymnastes se mettent sur les mains. »

Deux nouvelles boules regagnèrent leur tanière, illico presto. Je demandai : « A-t-elle la moindre idée de qui il pourrait s'agir ?

— Elle a l'air d'être une fille très honnête et rangée. Le champ d'investigations reste large, surtout si on considère le vivier d'étudiants qu'elle côtoie chaque jour.

— Quelqu'un aurait-il de bonnes raisons de lui en

vouloir ? A-t-elle remarqué des comportements étranges parmi les gens qui l'entourent ? S'est-elle sentie observée ?

— Ce qui est certain, c'est que l'agresseur la savait seule, étant donné l'heure assez tardive, 22 h 00. Elle rentrait de sa séance hebdomadaire de piscine. Donc, il connaissait son planning. »

Courte étude sur la position des billes. « Sinon, elle n'a rien pressenti de suspect dans son entourage. » Une autre boule goûta aux rebords feutrés de l'un des trous.

« Vous allez me mettre une pilée ! » constatai-je avec un sourire.

« Ne vous inquiétez pas, vous n'êtes pas connu, ici ! Personne n'ira raconter au 36 que vous vous êtes pris une raclée par une femme ! »

Cinq jeunes, deux filles et trois garçons, vinrent s'appuyer contre le mur des toilettes en face du billard. L'un d'eux, engoncé dans son blouson Bonhomme Michelin couleur pneu crevé, balança sa cigarette encore allumée à mes pieds, sur le carrelage. Derrière le bar, je vis le regard inquiet du patron se dissimuler derrière une bouteille de J & B de deux litres. Il feignait l'ignorance.

Élisabeth manqua son coup. Une pouffe se gaussa, le nez aplati dans le blouson de Bonhomme Michelin, son petit ami, une fouine à long museau et au crâne scellé sous une casquette qui lui cachait ses yeux miteux.

Les deux autres types, des tiges d'un bon mètre quatre-vingts, roulaient des épaules, chauffaient leurs doigts en les faisant craquer. Il devenait évident que l'orage risquait d'éclater.

« C'est à toi, la bagnole de flic, mec ? » vomit l'un des rats. « Et t'oses te pointer ici ? Ici, c'est chez nous, mec. Fous le camp, mec.

— C'est à vous de jouer, Élisabeth. Ne faites pas attention. » La criminologue fit le tour du billard, mais une pouffe lui barra le chemin. Elle portait plus de maquillage sur le visage que mon grand-père de charbon lorsqu'il remontait de la mine.

« Excusez-moi, mademoiselle ! » s'énerva Élisabeth. « Un peu de respect, s'il vous plaît ! Vous voyez bien que nous sommes en train de jouer ! »

Sans que j'eusse le temps de réagir, le pot de maquillage lui allongea une claque monumentale. Élisabeth piqua du nez sur le tapis de feutre.

Les trois types s'emparaient déjà des tiges de bois rangées dans le porte-queues.

« Allons-nous-en, Franck », supplia Élisabeth, la joue envahie d'un teint cerise.

« Elle baise bien, ta femme, enculé ? » m'envoya une voix, celle du rat numéro deux me sembla-t-il.

Je dis avec calme. « Attendez-moi à l'extérieur... J'arrive...

— Franck, laissez tomber, je vous en prie !

— Il n'y en a que pour deux minutes... »

Le patron du bar se rua dans notre direction, mais le feu d'artifice avait déjà démarré. J'encastrai ma queue dans l'abdomen de rat numéro deux et, tout en esquivant une attaque un peu lente, rangeai proprement l'extrémité la plus lourde de la tige dans le thorax de Bonhomme Michelin, juste au-dessous de la gorge. Sa respiration se bloqua, il bleuit et tomba sur le sol comme un pruneau d'Agen. Pot-de-maquillage enjamba le billard, se jetant sur moi avec un cri ignoble, alors que je m'occupais de rat numéro trois, le plus discret. Elle s'accrocha à mon dos comme une sangsue, me tirant le bouc et me griffant les joues du peu d'ongles qu'elle avait. Je hurlai et, tout en reculant, reçus un coup de poing dans la tempe. J'eus l'impression que mon oreille allait se décrocher. Le type qui s'était pris l'onde de choc dans l'abdomen commençait à s'en remettre. Cette fois, je décidai d'en finir le plus rapidement possible. Une manchette bien placée envoya la fille sur le carreau et un coup de semelle magistral coucha définitivement Bonhomme Michelin. L'une des filles restantes prit la fuite et son compagnon hésita avant de disparaître lui aussi, sans se retourner.

Élisabeth me fit penser à la double face du Jocker dans *Batman*, une moitié du visage rouge, l'autre blanche, les marques de doigts encore imprimées sur sa peau.

En ouvrant la portière de la voiture de fonction, je m'inquiétai : « Comment allez-vous ? Elle n'y est pas allée de main morte.

— Je m'en remettrai. J'aurais dû être plus prudente. Et vous, pas trop mal à la barbe ?

— Non, ça va. Décidément, ce bouc ne m'apporte que des soucis. Il y a deux ans, j'ai voulu cracher du feu pour impressionner mon neveu, le soir de la Saint-Jean. Plus jeune, j'avais appris cet art, mais, à l'époque, j'étais imberbe et très certainement plus doué pour ce genre de bêtises. Bref, ce soir-là, de l'alcool à brûler a coulé sur les poils de mon bouc. Je vous laisse deviner la suite... »

Elle se pencha vers moi, se barrant le torse avec sa ceinture de sécurité. « Je ne vous savais pas comme ça, Shark, téméraire et bagarreur.

— Shark ?

— C'est bien ainsi que vos collègues vous appellent, non ? Le requin ? Parfait diminutif de Sharko ?

— J'ai été élevé à l'école de la rue. Et, dans la rue comme dans l'océan, seul le plus fort gagne. » Je mis le contact ; les vitres vibrèrent sous les regards mitrailleurs des jeunes rassemblés au bas d'un immeuble. L'ambiance s'enflammait, il était plus que temps de mettre les voiles.

Je la relançai, un regard dans mon rétroviseur.

« Nous n'avions pas terminé notre conversation. Si vous êtes persuadée qu'il ne s'agit pas de notre tueur, comment pourrait-il utiliser les mêmes techniques de ligotage et de torture ? On ne peut tout de même pas laisser tout cela sur le dos de la coïncidence ?

— Non, en effet. Mais les techniques de torture diffèrent, plus légères dans ce cas-ci, sans effusion de sang, même si la douleur était bien présente. L'agresseur semble au courant des méthodes de notre tueur. Très difficile de savoir comment, si ce n'est que la presse commence à faire des vagues avec cette affaire. Nous avons été interrompus avant que je vous en parle ; mais, de mon entretien avec Julie, il ressort que le type se comporte comme un frustré sexuellement, qui a peur de s'affirmer.

— Comment ça ?

— Il n'y a eu ni viol, ni blessure profonde, ni meurtre. L'agresseur est venu assouvir un fantasme sexuel qu'il aurait très bien pu satisfaire dans tous ces milieux sadomasos, sur lesquels j'ai un peu enquêté, moi aussi. Les adeptes de la douleur existent, ce genre de tortures se pratique avec des femmes consentantes qui ne trouvent le plaisir et l'orgasme que dans la souffrance, justement. Je pense que l'agresseur se sent incapable d'affirmer ses penchants sadomasos. La peur d'être reconnu, démasqué, montré du doigt peut-être... Continuez à creuser la piste des bibliothèques, des vendeurs de cassettes et de revues pornographiques. D'après ce qu'elle m'a décrit, il a utilisé la technique extrêmement complexe du Shibari pour l'attacher, à l'identique de Prieur. Il s'est forcément instruit quelque part et Internet ne suffit pas toujours...

273

— OK, je mets des gars là-dessus dès que possible. En parlant d'Internet, Julie Violaine possède-t-elle une ligne ?

— Non, pas même un ordinateur personnel.

— Sort-elle souvent ? Bars, discothèques ?

— Pas d'après ce qu'elle m'a dit. Elle vivait encore chez sa mère il n'y a pas si longtemps que cela. Elle m'a tout l'air d'une vieille fille. »

Nous traversâmes le flux incandescent des bouchons sur la nationale, prîmes la direction de Villeneuve-Saint-Georges et parvînmes au pavillon de Julie Violaine.

Deux gendarmes de faction, un chef et un brigadier, devant la façade, mangeaient des sandwiches, la radio branchée sur un sketch de Jean-Marie Bigard. L'un d'entre eux, Thon-Mayonnaise, le chef, nous barra le passage. Une tache de sauce illuminait son col de chemise, provoquant le fou rire d'Élisabeth sans qu'il en comprît la raison. Je lui présentai ma carte tricolore qui généra un rictus de kapo sur ses lèvres.

« On n'entre pas là, commissaire. Et je crois que vous en êtes parfaitement conscient. Qu'est-ce que vous faites ici ? »

Élisabeth explosa à nouveau et dut se retirer au bout de l'allée pour apaiser son entrain.

Je me mordis les joues pour éviter de succomber à mon tour. Le chef lâcha son sandwich dans une poubelle. Je tentai : « Vous pouvez au moins répondre à quelques-unes de mes questions ?

— Pour quelle raison je le ferais ?

— Le lâcher de salopes... »

Le rire d'Élisabeth s'arrêta net.

« Qu'est-ce que vous dites ?! » hallucina Thon-Mayonnaise.

« "Le lâcher de salopes" ! C'est mon sketch d

Bigard préféré. J'adore quand il parle des méthodes de chasse. Criant de vérité ! » Je lui glissai un clin d'œil.

Il troqua son sale rictus pour un sourire et répliqua : « C'est vrai qu'il me poile bien, celui-là... Posez donc vos questions...

— Quels indices a-t-on relevés ?

— Un seul type d'empreintes dans la chambre de la fille. Plusieurs dans la cuisine. On a retrouvé un chiffon imprégné d'éther sur le sol. Le type a voulu essuyer ses pas dans le hall d'entrée avec une serviette de table, retrouvée dans une poubelle, couverte de boue. Mais on n'a pas eu de mal à identifier sa pointure, notamment avec les empreintes de ses chaussures laissées sur les marches extérieures. Du quarante et un ou quarante-deux.

— Des traces de pneus à l'extérieur ?

— Non, aucune récente. Avec les fortes pluies de la veille, nous aurions dû découvrir à proximité des marques fraîches, mais rien. Apparemment, le type n'est pas venu en voiture, ou alors il s'est garé extrêmement loin.

— Oui, probable. Il a déjà dû regarder quelques séries policières à la télévision. »

Thon-Mayonnaise tendit un sourire étoilé de miettes de pain. L'envie d'exploser de rire me chauffait de plus en plus et il dut le déchiffrer dans mes yeux. « L'enseignante attaquée dispense la chimie à l'École supérieure de microélectronique de Paris. Nous allons orienter nos recherches au sein de l'établissement. Cette femme sortait peu, si ce n'est pour faire son footing, aller à la piscine ou rendre visite à sa mère.

— Vous avez interrogé les voisins ? Les gens du patelin proche ?

— On commence seulement. Mais l'enquête n'est pas facilitée par l'isolement de la maison...

— Rien d'autre ?

— Non...

— Qui dirige les opérations ?

— Le capitaine Foulquier, de la gendarmerie de Valenton, à dix minutes d'ici.

— Combien d'hommes sur le coup ?

— Une dizaine... »

Élisabeth me glissa un coup de coude, alors que nous retournions vers mon véhicule. Elle moralisa : « Pas très subtil, le coup du lâcher de salopes ! Je vous croyais plus fin que cela.

— Je le suis. Mais il faut savoir s'adapter à l'interlocuteur... Dites, je vais vous déposer, je dois passer à l'école où enseigne Violaine.

— Que comptez-vous faire ?

— Récupérer la liste des étudiants et faire relever par mes inspecteurs ceux qui possèdent une liaison Internet ou une ligne haut débit... »

Chapitre dix

Thomas Serpetti me passa un coup de fil au moment où je m'apprêtais à me rendre chez Sibersky. Il m'annonça fièrement qu'il avait retrouvé la trace de BDSM4Y sur Internet et que mon coup d'éclat au Pleasure & Pain embrasait leurs conversations. Il ne me cacha pas que les esprits agités de cette bande de tarés étaient désormais braqués vers moi et que des actions allaient être entreprises sous peu. Involontairement, j'avais peut-être trouvé le meilleur moyen – certes risqué – de les approcher...

Je portais sous le bras une petite peluche que j'avais commandée sur le site Web d'*Oursement Vôtre*. Une espèce d'ours-buisson aux poils torsadés couleur épinard et à la mine franchement craquante. Sur l'écran de mon ordinateur, sa frimousse m'avait tout de suite plu, mais j'ignorais si le cadeau conviendrait à un enfant tout juste né. Au pire, il l'aurait pour plus tard...

Sibersky vivait à Créteil, pas très loin de chez moi en définitive. Je longeai le grand parc de la Rose, pris le centre-ville avant de gagner une impasse où je garai sans mal mon véhicule. Une vieille dame qui sortait son chien, un bâtard de chez Bâtard, me tint la porte un instant et je me faufilai dans l'ouverture en direction du deuxième étage. Sibersky m'ouvrit avant même que je ne frappe.

« Je vous ai aperçu par la fenêtre, commissaire.

— Tu as un bébé magnifique. Un David Sibersky en miniature... Les félicitations sont de mise... »

Je lui tendis la peluche-buisson. « Tu mettras ça dans le berceau du petit, de ma part.

— Il ne fallait pas... Installez-vous, commissaire.

— Je te préviens, on parle de tout sauf de l'affaire. Un seul mot sur ça et je te tords le cou ! Tu te mettras au courant toi-même après-demain. Ce soir, je voudrais juste oublier un peu... Oublier, ne serait-ce qu'une heure. Tu m'offres une bière ?

— Une Zywiec ?

— Je veux mon neveu ! Les bières polonaises ressemblent à de la pisse de bison, mais moi j'adore !

— Vous savez que la pisse de bison, c'est ce qui donne le goût à la vodka ? Sans la pisse, une vodka devient de l'alcool à patates imbuvable ! »

Je lui décochai un sourire franc. Je désignai son ordinateur, calé dans l'angle du salon. Des fenêtres s'ouvraient et se fermaient sur l'écran.

« Que télécharges-tu ?

— Des chansons en format MP3. Je grave mes propres albums, c'est beaucoup plus économique !

— Tu fais ça nuit et jour ?

— Le soir surtout. Il faut bien que je passe le temps... ça fait presque deux mois qu'ils retiennent Laurence à l'hôpital...

— Dès qu'elle rentrera à la maison, tu n'auras plus le temps de t'ennuyer !

— J'espère bien... »

De retour de la cuisine, il coupa une metka et disposa les rondelles dans une petite coupelle de bois.

« Vous mangez avec moi, n'est-ce pas ? Riz et courgettes farcies, ça vous tente ?

— Un régal. Suzanne en préparait de temps en temps. Chaque fois que nous remontions dans le Nord, ma mère lui donnait des courgettes du jardin, des bombes à faire pâlir un artilleur ! Ces semaines-là, c'était soupe de courgettes, courgettes farcies, courgettes en papillote ou à la vapeur ! »

Sibersky jeta un œil à la fenêtre, sa Zywiec à la main. « Vous vous rappelez, le curé voleur de troncs d'église ? »

J'avalai une gorgée de travers et la mousse faillit me ressortir par les trous de nez. « Oui ! Excellent ! Il m'était carrément sorti de la tête, celui-là ! Les mœurs nous avaient demandé de l'aide pour le violeur des églises et on avait, ou plutôt, tu avais, intercepté ce type-là parce qu'il s'était enfui en courant lorsqu'il nous avait vus. Le gars déguisé en curé pillait les troncs d'église ! Il grappillait à peine deux cents francs à chaque fois pour faire vivre sa famille ! Le pauvre type tombé au mauvais endroit au mauvais moment... Mais pourquoi donc me parles-tu de lui ? »

Il s'envoya le reste de sa bière polonaise sans ciller.

« Ce gars-là, le pilleur de troncs d'église, c'est mon voisin depuis la semaine dernière. Il vient d'emménager avec sa femme et ses deux enfants.

— Tu rigoles ?

— Il est peintre en bâtiment.

— Et il t'a reconnu ? »

Le lieutenant apporta un pack de six Zywiec fraîches et m'en proposa une nouvelle avant de se servir lui-même. J'avais avalé la moitié de la metka et mon cholestérol devait monter en flèche. Sibersky continua. « Plutôt deux fois qu'une. Vous auriez vu le regard terrorisé qu'il m'a lancé !

— Somme toute, c'était quand même un brave type... Mais la loi n'a pas d'états d'âme. Et nous représentons la loi... »

Sibersky envoya une nouvelle œillade au travers du rideau. « Dites-moi, commissaire, vous n'avez pas eu l'impression d'avoir été suivi avant d'arriver ici ? »

Je posai ma bière sur la table basse Bali et glissai jusqu'à lui. « Fais voir. »

Sibersky bascula sur le côté tout en parlant. « Le gars, dans la voiture, au bout de l'impasse... Je l'ai vu arriver en même temps que vous. Il vous a suivi tout à l'heure, puis est resté en bas un moment avant de retourner dans sa voiture. Il vous attend. Qu'est-ce qu'il vous veut ?

— Tu arrives à lire le numéro de la plaque ?

— Non, pas d'ici... Mais attendez, j'ai une paire de jumelles dans la chambre... »

Lorsqu'il réapparut, il ne restait de la Zywiec qu'il avait emportée que la canette vide.

« Note le numéro ! » m'enflammai-je. « 2185 AYG 92 !

— Donnez-moi les jumelles ! »

Je les lui tendis. « J'ai bien fait de vérifier ! Vos yeux vous jouent des tours... C'est 2186 et non pas 2185. 2186 AYG 92... Un lien avec l'affaire ?

— Disons que j'ai mis les pieds là où il ne fallait pas. Tu te souviens du tatouage sur Gad, BDSM4Y ?

— Bien sûr.

— C'est une société secrète composée d'espèces de tarés de la douleur. Une sorte de secte qui expérimente ses trouvailles sur des animaux ou des clochards. »

Sibersky se bascula contre le mur. « Le tueur en ferait partie ?

— Peut-être. Il y a moyen de sortir ailleurs que par le hall d'entrée ? Je compte bien le cueillir sur place.

— On peut appeler des renforts, non ?

— Pour quel motif ?

— Interpellation d'un suspect dans l'affaire...

— Tu penses... Non, il faut que je règle ça en tête

à tête avec lui. J'ai ma petite idée pour lui faire cracher le morceau.

— Une idée à la couleur de votre poing ?

— Exactement... Alors ? Comment sort-on sans être vus ?

— Il faut monter sur le toit et passer à l'arrière par l'escalier de sécurité. Vous croyez qu'il est armé ?

— Tu as déjà vu une abeille sans dard ? Bien sûr que oui, il est armé... »

Un croissant de lune nimbait d'argent les toits des appartements voisins. La température avait bien chuté depuis la semaine précédente et le vent frais venu du nord me glaçait le visage. L'escalier de métal à colimaçon nous déposa au rez-de-chaussée et nous longeâmes, dos courbé, une rangée de haies qui nous amena à une vingtaine de mètres du véhicule. Au travers des feuillages, on distinguait dans les nuances étamées de la nuit l'ombre du type qui gardait, semblait-il, un œil rivé vers les appartements. Il avait pris soin de se garer au bout de l'impasse, prêt pour la filature, à l'abri des lueurs franches des lampadaires qui éclaboussaient le bitume.

« On ne peut plus avancer », murmura Sibersky. « Pour l'atteindre, il faudrait sauter par-dessus la haie et se mettre à découvert. »

Une grande grille perpendiculaire aux haies nous empêchait d'aller plus loin. Impossible d'approcher sans se faire repérer. « Il faudrait le forcer à sortir... Tu as une solution ? »

Sibersky posa un genou dans l'herbe, genre position du tireur d'élite, avant de secouer la tête. « Non. Je ne vois pas...

— Merde ! Bon, on ne prend pas de risques. On remonte... On va le laisser mijoter... Allons manger ces courgettes farcies. J'en ai l'eau à la bouche.

— Mais... ?

— Ne discute pas ! Je l'attendrai de pied ferme ce soir, chez moi... »

Le temps de cuisson idéal pour le pâté de merles est de trois heures. D'ailleurs, quand on veut s'assurer que la cuisson est terminée, on plante une aiguille dans le pâté qui doit ressortir nette.

Le type, dans la voiture, devait être aussi moelleux qu'un bon pâté de merles. L'interminable attente avait certainement porté ses nerfs à fleur de peau, ce qui, psychologiquement, me donnait un avantage sur lui.

Je repris donc la route aux alentours d'une heure du matin. Côté discrétion, mon poursuivant assurait remarquablement bien, le pinceau de ses phares ne se reflétant que rarement dans mon rétroviseur.

Pour ne pas changer mes habitudes, je rentrai ma voiture au sous-sol. La porte électronique du garage contraignit le poursuivant à rester à l'extérieur. À peine garé, je me ruai vers l'entrée, puis dans l'ascenseur. Une fois dans mon appartement, je défis le lit et glissai des oreillers sous les draps en moulant la forme d'un corps. Rapidement, j'en vins à me demander si je n'aurais pas mieux fait d'appeler du renfort, d'intercepter le type et de l'emmener pour interrogatoire. Mais cet interrogatoire-là, je voulais le conduire moi-même, ici, loin des lois, dans l'intimité de mon Glock pointé sur sa tempe.

Comme de coutume, je fermai la porte à clé pour éviter d'attirer les soupçons, pris une chaise que je plaquai contre le mur dans le coin de ma chambre et attendis, l'oreille tendue, que l'abruti tombât dans mes filets. Poupette me dardait son triste regard d'acier, certainement mécontente de ne pas parader en clôture de soirée. Le tour d'honneur serait pour plus tard...

Après une heure d'attente, je me surpris à parler avec la locomotive...

Trois heures du matin... Peut-être s'attelait-il juste à l'exercice de filature ? Peut-être l'intervention serait-elle pour plus tard, à un moment où je ne m'y attendrais pas ? Le tic-tac amer de l'horloge dans le hall d'entrée me tapait sur le système. Au travers des persiennes à demi baissées, des rais de lumière artificielle projetaient des cicatrices sur les murs de ma chambre, de notre chambre. Un voile de brume se posait sur mes rétines et j'en vins à me demander si je ne rêvais pas ou si la fatigue n'allait pas m'emporter dans son traîneau d'argent...

Lorsque la sonnerie de mon portable déchira la toile tendue du silence, je crus que les battements de mon cœur allaient me crever la poitrine. Je sautai sur l'appareil et, à l'autre bout de la ligne, je n'entendis qu'un râle étranglé. L'écran à cristaux liquides indiquait le nom de Sibersky.

« Sibersky ! Qu'est-ce qui se passe ? Parle, bon Dieu ! »

Souffle taraudé au bout du fil, puis plus rien.

Je composai le numéro du SAMU tout en me propulsant dans l'ascenseur.

Jamais, de toute ma vie, je ne mis si peu de temps pour parcourir quinze kilomètres en banlieue parisienne. J'ignorai les feux tricolores, les lignes blanches, les panneaux de signalisation. La phrase prononcée par la femme de Sibersky trottait dans ma tête et je priais, priais de tout mon saoul pour que... *Prenez soin de lui, nous formons une famille... Prenez soin de lui, nous formons une famille...*

Lumière éteinte dans son appartement, au second. Je chevauchai les volées de marches dans un rythme à m'éclater les artères et les poumons. L'ambulance n'était pas encore arrivée. Aucun verrou ne retenait la porte, alors j'ouvris d'un coup sec. D'un mouvement circulaire de Glock, je balayai l'entrée, me précipitai dans la cuisine, puis dans la chambre.

Je le découvris, gisant sur le sol, sa main ensanglantée repliée autour de son téléphone portable. Des bulles de salive s'écoulaient de sa bouche ouverte, ses pupilles fixaient le plafond. Je ne sus pas qui remercier lorsque je perçus la palpitation de son cœur au bout de mes doigts. Pouls régulier, respiration cadencée. Je glissai doucement une main derrière sa nuque et un filet de sang s'évada de sa narine droite. Ils l'avaient arrangé au point de rendre son visage quasi méconnaissable, mais ils l'avaient laissé en vie, de plein gré. Je retournai son armoire à pharmacie, accrochée dans les toilettes, en extrayai de l'eau oxygénée, du Dakin, des bandages. L'odeur de l'antiseptique le fit revenir à lui.

« N'essaie pas de parler », lui ordonnai-je. « Les secours vont arriver dans quelques instants... »

Je lui passai de l'eau fraîche sur le front. « Ça va aller... »

Trois hommes, blousons siglés SAMU, se présentèrent cinq minutes après. « Il est salement amoché, leur annonçai-je, mais il est en vie. »

L'un d'entre eux posa un masque à oxygène sur le visage et ballonna. « La gorge est gonflée, mais ça passe... Pouls de quatre-vingts. T.A. de 12-8. Mais qu'est-ce qui s'est passé ?

— Il s'est fait agresser. »

Sibersky m'agrippa le poignet, chassa le masque de l'autre main et souffla : « Deux... Ils m'ont surpris... dans mon sommeil... pas vu leurs visages... des cagoules noires... Donnez-moi quelque chose... J'ai mal... la mâchoire...

— En route ! » lança un urgentiste.

En sortant, j'appelai le commissariat local tout en examinant la serrure. Rien n'avait été forcé...

J'obtins la permission de m'installer à ses côtés, à l'arrière du véhicule, pour accompagner Sibersky à l'hôpital.

« Qu'est-ce que ces gars voulaient ? Pourquoi l'agression ? Des voleurs ? »

Il articulait difficilement au travers de ses lèvres boursouflées, mais les sons sortaient audibles. « Ils m'ont... demandé pourquoi... on venait mettre le nez dans... leurs affaires... C'était... un avertissement... J'ai peur... commissaire... J'ai peur pour ma femme et mon fils... »

Les pulsations cardiaques indiquèrent le nombre de cent cinquante sur l'électrocardiogramme. Le médecin me fit signe d'y aller doucement. « Que t'ont-ils dit d'autre ?

— Rien... Je... leur ai demandé s'ils savaient... que les bisons pissent sur l'herbe à vodka... » Il m'adressa un sourire empourpré du sang des gencives. « Alors... ils m'ont salement amoché...

— Tu as pu remarquer quelque chose ?

— Il faisait noir... Et ils m'envoyaient le faisceau de leur lampe... dans les yeux...

— Comment sont-ils entrés chez toi ?

— Pas fermé la porte à clé... après votre départ... »

Il me prit la main et la serra avec le peu de forces qu'il lui restait. « Ne dites rien... à ma femme... Pas cette nuit... Laissez-la dormir en paix, avec... le petit... Charlie... »

Prenez soin de lui, nous formons une famille... Prenez soin de lui, nous formons une famille...

— Je te le promets... J'irai la voir demain matin... »

Il finit par fermer les yeux, laissant les sédatifs légers l'emmener loin de ce monde pourri.

Les radiographies ne révélèrent aucune fracture. Le nez avait tenu le choc, l'os ayant déjà été brisé dans la jeunesse du lieutenant. Seule la mâchoire inférieure avait réellement morflé, avec deux dents cassées et des gencives dans un sale état. Une fois hors de la salle de suture, il fut placé dans une chambre particulière et je tuai la nuit à ses côtés, bouillonnant de haine...

La tâche d'annoncer la nouvelle à sa femme ne s'avérait pas des plus simples, mais je tenais à le faire moi-même. Quand je pénétrai dans la chambre de maternité, à sept heures du matin, elle comprit sur-le-champ. Elle s'embrasa de pleurs, envisageant le pire d'emblée.

Le bébé frémit, puis se rendormit calmement dans son petit lit à roulettes, aux côtés de sa mère. Instinctivement, il se mit à téter. « David va bien... Ne vous mettez pas dans cet état...

— Que... Que...

— Il a été agressé cette nuit, à votre domicile. On l'a emmené aux urgences et, à présent, il est réveillé. Je vous laisse le soin de vous préparer et je vous conduis à lui. Il se repose dans l'aile des soins intensifs. Vous pouvez prendre le petit avec, son père sera heureux de le voir... »

Elle ne m'adressa qu'un mot, sur un ton qui aurait fendu en deux un iceberg. « Pourquoi ?

— C'est une longue histoire... Je vous raconterai, dès que vous serez habillée... »

Chapitre onze

À présent, il me fallait des réponses. Et vite. Au 36, je fonçai dans le bureau de Delhaie, l'inspecteur à qui j'avais demandé de disséquer le listing des étudiants de l'enseignante agressée. De toute évidence, il n'avait, lui non plus, pas fermé l'œil de la nuit. Suite à ma requête, Rémi Foulon, le patron de l'OCDIP, lui avait laissé libre accès au fichier des abonnés téléphoniques. « Commissaire, j'ai fini il y a à peine une demi-heure. Quatre cent soixante-dix élèves, quatre cent soixante-dix recherches dans le fichier...

— Et alors, qu'est-ce que ça a donné ?

— Sur les quatre cent soixante-dix élèves, deux cent soixante-douze possèdent une ligne Internet classique ; cent cinq, une ligne haut débit. On aurait dû s'en douter, puisque l'école dispense les nouvelles technologies.

— Bon sang ! Si l'on ne compte que les garçons, ça nous ramène à combien ?

— Il n'y a que cinquante-quatre filles en tout et pour tout, à l'ESMP. Je n'ai pas fait la distinction, mais ça ne doit pas enlever grand-chose... Nous ne sommes pas très avancés, n'est-ce pas ?

— Tu as regardé aussi par rapport à la localisation

géographique ? Quels sont ceux qui habitent dans le coin de Violaine ?

— Je n'ai pas eu le temps...

— Continue, alors ! Il faut en éliminer le plus possible, ou on ne s'en sortira pas... Après, tu passeras à la piscine de Villeneuve-Saint-Georges. Interroge le personnel, vois s'ils ont la liste de leurs abonnés stockée informatiquement quelque part. Et recoupe les informations. L'agresseur fait forcément partie de l'environnement quotidien de Violaine... Ah ! Autre chose... Tu photocopies le listing des étudiants et tu le distribues à Jumont, Picard et Flament. Tu me sors la liste des bibliothèques situées dans le quartier de l'école d'électronique et tu y envoies les inspecteurs. Qu'ils vérifient si ces étudiants n'y disposent pas de carte d'abonnement et, au cas où, qu'ils épluchent leurs lectures... Comme dit Williams, l'agresseur a forcément puisé son inspiration quelque part... Bien compris ?

— OK, commissaire... Mais pour ce genre de boulot, mieux vaudrait le listing informatique plutôt que le listing papier. J'ai un logiciel de comparaison de fichiers ; comme les bibliothèques sont équipées informatiquement, ce serait quasiment instantané pour la comparaison et pour savoir qui emprunte quoi...

— Très bien, je vais donner un coup de fil à l'école pour qu'ils t'envoient le fichier par mail...

— Dites, je peux quand même rentrer chez moi me changer ? Je sens le merlan pas frais.

— Fais d'abord ce que je te dis et après, tu auras tout le loisir de rentrer chez toi... »

* * *

Le gérant de l'agence de location s'emplissait la panse de chips au moment où j'arrivai. Il dissimula maladroitement le paquet sous son bureau, comme un gosse. Je posai ma carte devant moi, entre ses mains grasses.

« J'ai de petites questions à vous poser. Quelqu'un a loué chez vous une voiture immatriculée 2186 AYG 92. J'aimerais que vous me disiez de qui il s'agit.

— Une minute... » Clic de souris, battement du disque dur, résultat. « Un certain Jean Moulin.

— Ben voyons... Vous demandez une pièce d'identité lorsque vous louez une voiture ?

— Bien entendu ! Le permis de conduire ! C'est la moindre des choses pour conduire une voiture, non ? Je fais toujours une photocopie...

— Montrez-la-moi. »

Il fouilla dans une bannette. « Le client a souhaité reprendre sa photocopie une fois qu'il m'a restitué le véhicule. J'ai l'habitude de ce genre de demande, alors, par prudence, je fais toujours deux photocopies. J'aime garder une trace de mes clients. Ça trouve toujours son utilité... »

Il me tendit la photocopie couleur, puis picora du bout des doigts les miettes de chips semées sur son pull.

« Quand vous a-t-il rapporté la voiture ?

— Ce matin...

— Attendez... Je passe un coup de fil... »

Après avoir raccroché, je balançai la photocopie sur la table. « Il vous a montré un faux permis de conduire !

— Comment ça ?

— Le numéro sur douze chiffres, indiqué au bas du permis, n'existe pas dans le fichier.

— Merde !

— Comme vous dites...

— Le permis est peut-être faux, mais la photo, c'est bien la sienne, et récente en plus. C'est la seule chose que je regarde quand on me présente un permis et j'ai l'œil.

— Oui. Vous avez un sacré œil... Il vous a réglé de quelle façon ?

— En liquide.

— Évidemment... Je peux voir la voiture ?

— Ça va être difficile, un client vient de la louer il y a tout juste une heure... Retour du véhicule à la fin de la semaine. »

Les forces de la malchance s'étaient liguées contre moi. Un jour sans, comme on dit... Pas tout à fait... Je possédais la photo, mon arme dans son holster et je savais à qui aller rendre une petite visite...

Des élans rageurs me faisaient avancer à l'intuition, reléguant la réflexion au second plan. Si Suzanne s'accrochait encore à la vie, son temps était compté et je devais donc agir vite, même au prix du sang.

Lorsque la trappe du Pleasure & Pain grinça, je fourrai le bras dans l'encadrement, attrapai la nuque de Face-de-Cuir d'une main, lui collant, de l'autre, le canon de mon Glock dans la narine droite. Sans son masque, j'avais, devant moi, le regard chargé de surprise d'un monsieur Tout-le-Monde.

« Fais le malin, face de pet, et je t'explose la cervelle ! Tu ouvres maintenant et ne bouge pas la tête ! »

Il s'exécuta et, dès que le verrou fut ôté, j'envoyai un coup de pied monumental dans la porte, dont le battant lui percuta d'abord le nez, puis le front.

La Chatte, qui rangeait des bouteilles derrière son bar, leva les mains. Elle miaula : « Qu'est-ce que tu nous veux, coco ? On n'est pas ouvert, tu sais ?

— Tu fermes ta gueule ! »

J'attrapai Face-de-Cuir par l'encolure de son pull-over et lui plaquai la joue contre le bar. « Qui a envoyé ces types ?

— Va te faire foutre ! »

Je lui levai la tête par les cheveux et la fracassai contre le zinc deux fois de suite. L'arcade sourcilière s'ouvrit comme un fruit trop mûr. « Je dois répéter ? » La Chatte tenta de me casser une bouteille sur le crâne, mais avant qu'elle n'abattît son bras, j'explosai le litre de gin d'une balle. Elle tressaillit lorsque je pointai le canon contre son front. Je jetai la photocopie du permis de conduire sur le comptoir devant les yeux hagards et désormais franchement moins malins de Face-de-Cuir. « J'te laisse dix secondes pour me dire de qui il s'agit. Après, j'flingue la pute !

— Tu le f'ras pas ! Tu le f'ras pas ! »

Mon coup de crosse lui cassa deux dents. « Putain, t'es un taré ! » hurla la fille.

« Cinq secondes !

— Fous-lui la paix ! Laisse mon mec, enculé !

— Trois secondes...

— C'est bon ! » céda-t-elle d'une voix sertie de colère.

« Ferme ta gueule ! Il le f'ra pas, j'te dis ! » beugla le gros tas en postillonnant des gouttes de sang. Elle gloussa : « Je ne connais pas le nom de ce type, mais je sais qu'il vient ici presque tous les soirs. Alors maintenant, tu te casses, OK ?

— À quelle heure ?

— J'sais pas moi, bordel ! Il se pointe vers 23 h 00 ! »

Je renforçai mon étreinte sur le cou de Face-de-Cuir. Il respirait comme un taureau. Tout en maintenant ma clé d'immobilisation, je dis : « Parle-moi de BDSM4Y... »

Son teint de lait caillé devint blanc-cadavre. Je lui passai les menottes et flanquai sa charpente graisseuse dans un coin. Dans son mouvement de chute, il se cogna la tête contre un mur. « Fils de pute ! » cracha-t-il.

« Parle ! » lançai-je à Miss Latex.

« Connais pas... »

Je me dirigeai vers Face-de-Cuir.

« On recommence le jeu ?

— C'est la vérité ! Personne ne les connaît ! Ils n'existent pas !

— Les types qui ont agressé mon collègue étaient pourtant bien réels !

— On n'est pas mêlés à ça ! » bava-t-il. « On veut pas d'emmerdes. Ces tarés-là, moins on en parle, mieux on se porte...

— Il ne te ment pas », ajouta la Chatte. « Il ne faut pas jouer avec eux. Ils sont puissants, nulle part et partout à la fois... On ne sait absolument rien... On a un commerce nous, ici. Alors, nous fous pas dans la merde !

— Mets-toi à poil et toi aussi ! » ordonnai-je en assistant mes propos de rapides mouvements de Glock.

« Je fais comment avec les menottes, tête de nœud ? »

Je lui ôtai ses entraves. Ils obtempérèrent, trouvant encore le moyen de prendre du plaisir dans l'acte. La Chatte éprouva toutes les difficultés pour se débarrasser de sa seconde peau. Pire qu'un serpent qui mue. Les deux corps dénudés présentaient des tatouages sur le corps, mais pas de traces de BDSM4Y.

« C'est bon, rhabillez-vous ! »

Je m'adressai à Face-de-Cuir. « Dis-moi, c'est bien toi qui nous as poursuivis Fripette et moi, l'autre nuit ?

— Exact. Mais il fallait pas paniquer comme ça ! C'était juste pour te faire peur. On n'aime pas les intrus ici, encore moins ceux qui fouinent.

— Rends-moi mes papiers.

— Quels papiers ? »

Je brandis ma crosse. Il hurla, les deux mains devant le visage : « J'te promets ! J'ai pas tes papiers ! »

Il se replia en boule sur le sol. « J'les ai pas tes papiers, bordel !

— Lève-toi... C'est bon... »

Il me parut sincère. Après tout, ces deux-là n'étaient que des commerçants du sexe. Par pure curiosité, je leur posai la question : « Pourquoi vous faites ça ? Ce bar ? Ces backrooms sordides ? »

La fille vint poser une serviette humide sur l'arcade de celui qui semblait être son compagnon. « Mais pour le fric, mon gars ! Tu peux pas imaginer le blé qu'on se fait avec tous ces tarés ! Nous, on joue le jeu, c'est tout, mais ça reste uniquement une question de blé. Eux, ils prennent un pied fou quand ils viennent ici, tous autant qu'ils sont, maîtres et esclaves. Où est le problème ?

— Je risque de venir faire un petit tour cette nuit. Pas d'embrouilles, surtout. J'espère que notre ami commun sera là, parce que, dans le cas contraire, je crois que je vais vraiment m'énerver !

— Faudra que tu règles tes affaires dehors », répliqua la femme. « T'entres pas ici, on ne veut pas d'emmerdes. Alors planque-toi dans la rue, fais ce que tu veux, mais t'entres plus ici. OK, on ferme notre gueule. Le type viendra ce soir. T'as la photo, tu lui tombes dessus avant qu'il n'entre, mais tu nous mets pas le boxon ? Ça te va comme deal ?

— Ça me paraît honnête... Ne me mettez pas de

bâtons dans les roues... Ou alors je reviendrai et ça pourrait faire très mal... » Je disparus en claquant la porte derrière moi.

* * *

Je profitai de l'heure de midi pour avaler rapidement un club-sandwich, installé dans le vieux fauteuil de cuir qui traînait dans un coin de mon bureau. Je l'avais acheté à une brocante et son état de vétusté avait provoqué les foudres de Suzanne, qui avait refusé que j'installe un laboure-fesses dans le salon. Du coup, il avait fini ici, à mes côtés, dans ce bâtiment aussi vieux que le siècle passé. Mon esprit s'apprêtait à voguer sur les flots bleus du sommeil, quand Crombez entra, les coudes calés dans des béquilles.

« Alors, tu t'habitues ? » lui demandai-je en désignant les béquilles d'un coup de tête.

« Il faut bien. Chaque fois que je me déplace, j'ai l'air d'un type qui a envie de pisser à mort mais qui ne peut pas ! » Il tendit un sourire qui s'estompa aussitôt. « Je viens au rapport...

— Tiens, prends ma place.

— Si je m'assieds là-dedans, je ne pourrai jamais me relever », constata-t-il avec justesse. « On dirait une trappe à souris en cuir. Ça va aller, je reste debout. Vous avez l'air dans un état pire que le mien. Les poches sous vos yeux ressemblent aux sacoches du vélo de ma mère... »

Il posa son fessier sur mon bureau. « Concernant Compiègne, tout a cramé, il ne reste qu'un tas de cendres. On n'a retrouvé que les os carbonisés de votre voisine... Rien n'est exploitable. Seule la cave a

294

été épargnée, avec toutes ces bêtes empaillées... Par contre, le SEFTI est enfin sur une piste !

— Raconte !

— Les webcams étaient reliées à une ligne téléphonique. À partir de là, ils ont remonté jusqu'au fournisseur d'accès de Marival. Elle y hébergeait son site. Via la ligne téléphonique, les images des webcams étaient déposées sur Internet.

— Tu as pu aller sur le site ?

— Vous vous doutez bien ! C'est une page personnelle comp... »

Je l'interrompis et me dirigeai vers mon ordinateur portable. « Montre-moi ! »

Il tapa *http://10.56.52.14/private*.

Une page se dessina à l'écran, avec des liens, des encarts de texte, de petites animations.

Crombez reprit : « Chaque lien représente l'une des pièces de sa maison. Bien entendu, cela ne fonctionne plus, puisque le courant a été coupé ; par conséquent, le flux d'images, de son domicile vers le fournisseur d'accès, a été interrompu. Le site dispose aussi d'un forum, d'un *chat* où les internautes peuvent dialoguer en direct et de diverses pages personnelles où Marival exposait ses idées et postait des messages. »

Je cliquai aux endroits qu'il m'indiquait.

Il poursuivit. « Marival n'était pas boulimique, comme l'avait annoncé Dead Alive, mais elle se nourrissait extrêmement mal. Que des trucs gras ou sucrés, qui font qu'elle grossissait régulièrement. Voici une photo d'elle, il y a moins d'un an... » Il me prit la souris des mains et cliqua sur une icône. Une autre fenêtre s'ouvrit. Mes yeux s'écarquillèrent. « Sainte Marie ! Mais elle devait bien peser...

— Quatre-vingt-treize kilos exactement. Elle l'a indiqué dans le texte sous la photo... Difficile à comparer avec le squelette retrouvé dans l'abattoir, à peine plus lourd qu'un sac de pommes de terre... Vous imaginez l'énergie déployée par le tueur pour la maintenir en vie plus de cinquante jours ? Pour l'amaigrir à ce point, en la nettoyant régulièrement, l'hydratant au strict minimum ?

— Sans oublier que ça ne l'a pas empêché de s'occuper de Prieur...

— Le dernier fichier transmis sur le serveur Web date exactement de cinquante-quatre jours, date probable de l'enlèvement. » Il ferma la fenêtre, tapa une autre adresse dans le navigateur principal, y saisit un identifiant et un mot de passe à l'invite. Il poursuivit : « Et maintenant, voici sa boîte aux lettres.

— Tu as l'air de t'y connaître autant que Sibersky ! Je ne suis plus dans l'air du temps ou quoi ?

— Mon frère a toujours été un mordu d'informatique. Lorsque nous étions à la maison, plus jeunes, il m'a appris pas mal de choses... Disons que je me débrouille et que je suis abonné à quelques revues... Voilà... Tous les messages qu'elle n'a pas supprimés sont là. J'en ai lu un paquet... Et devinez qui se distingue dans son carnet d'adresses ?

— Prieur ?

— Exactement ! *martine.prieur@octogone.com*.

— De quoi discutaient-elles ?

— À votre avis ?

— Sadomasochisme ?

— Dans le mille. Tortures sexuelles, ligotage, fétichisme, bref, toute la panoplie de la parfaite dominatrice. D'après ce que j'ai pu lire, toutes les deux entretenaient des relations purement virtuelles avec de nombreux partenaires... L'ère moderne de l'Internet... »

Il dirigea la petite flèche de la souris vers le dossier *Personnel*, puis *contacts*. Une liste sans fin de pseudonymes se déroula. « Voilà tout le beau monde avec qui

elle discutait. Des relations purement fantasmago-
riques. Avec ses webcams, elle rendait apparemment
ces types fous, ils devaient se branler en masse devant
leurs ordinateurs à chaque fois qu'elle se mettait à
poil, en dépit de son poids. Les propos échangés sont
obscènes... Elle parle aussi très longuement des tortures infligées à ces animaux que nous avons retrouvés
à la cave. Vous aviez vu juste, commissaire...

— Sur quel point ?

— Marival n'était pas une sainte. »

Je déplaçai le curseur qui se transformait en petite
main chaque fois que je survolais un message. « Tu
crois que le tueur pourrait faire partie de ces types ?

— Possible. En tout cas, ce site a dû fortement l'aider pour préparer son coup. Comment mieux connaître
les habitudes d'une femme qu'en l'observant jour et
nuit par caméra interposée ? »

Il piégeait ses victimes en se servant de la Toile. Il
connaissait les secrets de leurs vies, de leurs fréquentations, de leurs plannings.

Peut-être avait-il entretenu des relations purement
virtuelles avec Gad, Prieur, Marival ? Il avait obtenu
d'elles des aveux, d'intimes confessions et il les avait
ensuite punies parce qu'elles vivaient dans le péché,
dans la déchéance, dans un monde sali par le regard
d'autrui.

L'Homme sans visage ne supportait pas le vice,
alors il l'appliquait lui-même pour sanctionner son
prochain, comme un justicier. Il les torturait, les tuait,
puis effaçait les données de leurs ordinateurs pour
gommer les traces.

Je me décrochai du fer-chaud de mes pensées et
dictai à Crombez : « Il va falloir que tu m'épluches
ces messages au microscope. Je vais essayer d'en lire
un maximum aussi, mais j'ai quelques affaires à régler
auparavant. Colle deux ou trois personnes dessus.

— Très bien. Mais le SEFTI est déjà très actif. Ils doivent récupérer le disque dur chez l'hébergeur pour analyser toutes les données qu'il contient.

— OK. Nous avançons enfin... A-t-on relevé des marques à l'endroit où était embusquée la voiture ?

— Oui. Les empreintes ont été moulées puis remontées au labo. Dessin et largeur des pneus classiques. Aucune trace de peinture relevée dans les environs. Au fait, il y avait bien une petite route qui menait directement à la demeure... Mais nous sommes arrivés par l'autre côté, le mauvais. Désolé pour vos chaussures...

— Laisse tomber... Tu as interrogé les parents ou l'entourage de Marival ? »

Crombez agita son bras engourdi et fit rouler sa tête pour détendre les muscles de son cou. « Elle n'avait pas beaucoup de famille. Sa mère n'a pas voulu s'occuper d'elle à la naissance et son père a fichu le camp... Alors ce sont ses grands-parents qui ont pris le relais. Mais les vieux ne la voyaient plus beaucoup. Marival était une femme très renfermée, solitaire, Petite, elle restait souvent cloîtrée dans sa chambre à disséquer des insectes, raconte le patriarche. Elle avait toujours voulu faire médecine...

— Et pourquoi n'est-elle pas allée au bout ?

— Ses résultats... Elle était incapable d'apprendre... Elle a tenu trois ans parce qu'elle obtenait de bonnes notes lors des travaux pratiques, probablement aidée par Prieur. Quand Prieur a fichu le camp, ses notes sont devenues catastrophiques... Alors son grand-père a pris sa préretraite pour lui laisser sa place dans cet endroit maudit... »

L'histoire, à présent, se fondait dans un moule logique. Élisabeth avait raison. Le tueur retrouvait, grâce à Internet, celles qui propageaient la douleur et leur infligeait le même sort, sous l'égide de Dieu. Je songeai aussi à Julie Violaine, l'enseignante, qui débarquait au milieu de ce beau merdier comme un cheveu sur la soupe. Quel rôle pouvait-elle bien tenir dans l'histoire ? Une fille à l'apparence nunuche ne disposant même pas d'un accès Internet, loin, si loin de Prieur ou de Gad...

Mon portable vibra. Je décrochai... « Tu penses à moi, mon ami ? » Je me ruai derrière mon bureau, récupérai un dictaphone dans mon tiroir et le déclenchai aussitôt, tandis que Crombez s'approchait de moi, tendant l'oreille. Je lui fis signe de déguerpir et je fermai la porte.

« Qu'est-ce que tu as fait à ma femme ? »

Voix de vieil homme défilant au ralenti. « Je vois que tu as bien reçu mon petit message dans le parking. Tu es très perspicace...

— Dis-moi si elle est toujours en vie !

— C'est moi qui donne les ordres, fils de pute ! Ne me dicte pas ce que je dois faire !

— Dis-moi juste... »

Il raccrocha. « Merde ! » L'envie me prit de projeter mon portable sur le mur mais je me retins au dernier moment. Avais-je bousillé les chances qu'il m'appelle à nouveau ? Je me mis à user le parquet d'allers et retours silencieux durant lesquels, j'en étais persuadé, ma tension nerveuse aurait explosé n'importe quel tensiomètre.

Je devais adopter une approche différente. Il souhaitait parler, mais uniquement de ce qu'il avait décidé. Il fallait lui donner cette impression de domination qu'il souhaitait ressentir. Chaque mot, chaque phrase, sa façon de communiquer, ses intonations, même au travers du truqueur de voix, constituaient des indices importants. Le temps s'écoula... un millénaire... avant que la sonnerie ne me percutât à nouveau le tympan.

« Estime-toi heureux que je te rappelle ! Encore un coup comme ça et tu n'entendras parler de moi que par cadavres interposés. Compris ?

— J'ai compris.

— Encore une fois, nos chemins, nos destins se sont croisés, avec une légère avance pour moi cependant. Comment se fait-il que tu arrives toujours derrière ?

— Je... Je ne sais pas... Il y a bien un jour où nous allons enfin nous rencontrer...

— Mais moi, je t'ai déjà rencontré ! Tu aurais déjà oublié l'abattoir ?

— Non, bien sûr que non... Je voudrais juste te voir en face de moi, en chair et en os. Découvrir ton vrai visage, découvrir qui tu es réellement, découvrir qui se cache derrière ces actes abominables. »

Sons de canard enroué. « Abominables ? Et c'est moi que tu traites de bourreau ? Qui es-tu, pour oser me dire ça, à moi ? Pour qui te prends-tu ?

— Je suis celui qui te traque, celui qui va hanter tes nuits jusqu'à la fin des temps. Je ne te lâcherai jamais !

— Je ne sais pas qui hante les nuits de l'autre, mais je dois t'avouer que je n'ai pas beaucoup pensé à toi ces derniers temps. J'étais un peu occupé, si tu vois ce que je veux dire.

— Non. Je ne vois pas. Explique-moi.

— Cesse de faire le malin ! Tu en as pensé quoi, du coup de la vieille Noire ? Pas mal, non ?

— J'ai compris pourquoi cette femme te faisait si peur. Mais cette fois, c'est toi qui es arrivé trop tard. »

Percée du silence. Franges d'hésitations. Changement de voix, plus grave encore. Un pavé qui coule. « Pourquoi ? Dis-moi pourquoi ?

— Tu lui as découpé le cerveau parce que tu ne

300

comprenais pas l'origine de sa connaissance. Qu'espérais-tu découvrir à l'intérieur de son crâne ? Une explication ?

— C'est moi qui pose les questions ! Que sais-tu que j'ignore ?

— Beaucoup de choses. Parle-moi de ma femme, et je te dirai ce que tu veux entendre. »

Silence. Puis... « Tu bluffes », bava la voix. « Crois-tu en Dieu ?

— Pas réellement. On ne peut pas dire que Dieu me soit d'un grand secours.

— Et au Diable ? Dis-moi si tu crois au Diable !

— Pas plus qu'à Dieu.

— Tu devrais, pourtant... Au fait, tu veux que je te parle de ta femme ? De ta pute de femme ? Si ça peut te rassurer, elle est en vie, mais je crois que si je te racontais ce que je lui fais, tu préférerais qu'elle soit morte... »

Je fus incapable de dire si j'éprouvais de la peine ou du soulagement. Je le savais, j'avais toujours su que Suzanne se trouvait encore en vie, mais l'annonce qu'il me fit eut le même effet qu'un poignard planté depuis longtemps dans la chair et tourné pour agrandir la plaie. La voix reprit, une octave plus basse. « Je te trouve bien silencieux d'un coup ? Tu ne veux pas savoir pour ta femme ?

— Je... Je ne suis pas sûr...

— Eh bien, je vais te raconter un peu. Je la viole tous les jours. Un peu réticente au début, mais maintenant ça va mieux, beaucoup mieux. Tu ne peux pas savoir combien les gens sont conciliants pour peu qu'on leur fasse mal...

— Espèce de fumier ! Je te tuerai ! »

Long, très long rire. « Mais la mort ne représente rien ! Crois-tu que ma mort ramènera à la vie toutes celles qui sont passées entre mes mains ? As-tu pu imaginer une seule seconde ce qu'ont enduré ces femmes ? Et tu crois que ma mort pourra rattraper tout ça ? Tu es impuissant, vous l'êtes tous ! Tu ne peux rien contre moi, absolument rien ! Et maintènant, je vais aller m'envoyer ta pute ! Après, j'aviserai... Je finirai peut-être par m'en débarrasser... Elle me mono-polise un peu trop de temps... Mais ne t'inquiète pas, avant qu'elle meure, je lui pardonnerai... »

Plus rien... Je m'écrasai dans le vieux fauteuil, rembobi-nai le dictaphone et repassai la bande, encore, encore et encore. Suzanne vivante... survivante... Je fis tout pour pen-ser à autre chose, pour ne pas imaginer les terribles châti-ments qu'il lui infligeait quotidiennement... *Je la viole tous les jours...* Puis vinrent à nouveau à moi ces odeurs d'eau croupissante, ces images vertes de marécages, brouillées par les bruissements des ailes de moustiques... *Ta pute de femme...* J'avais l'impression que ma tête gonflait de l'inté-rieur, que ma cervelle allait presser les os du crâne jusqu'à tout faire exploser. Je m'imprégnais de chacune des phrases qu'il avait prononcées... *je crois que si je te disais ce que je lui fais, tu préférerais qu'elle soit morte...*

Je sortis mon Glock de son holster, le tournai contre moi une première fois pour ressentir l'effet d'un canon sur ma tempe, puis le dirigeai vers le sol. Je recom-mençai avec cette fois le doigt sur la gâchette et le cran de sécurité défait. Je m'apprêtai à appuyer. Il manquait quoi ? Une impulsion nerveuse, un ordre du cerveau ? Je guettai l'ordre, je le sentis se bloquer quelque part en moi, sans définir précisément où. Dans le bas de la poitrine, dans la gorge, au cœur ? Où ? Je vis mon doigt remuer, faiblement, mais il manquait l'influx nécessaire. Lentement, je posai l'arme sur le sol, à mes pieds, et me mis à attendre l'instant où mon corps tout entier se braquerait contre moi, jusqu'à ce que j'accomplisse le geste fatal. Mais ce moment ne vint pas et la vie s'offrit à nouveau à moi, victorieuse, horrible à regarder...

Je me haïssais, je haïssais le monde...

Quelques minutes plus tard, Leclerc débarqua dans mon bureau et m'arracha le dictaphone des mains.

* * *

Je le vis rappliquer, rue Greneta, à 22 h 35. Le type au faux permis, celui qui m'avait filé alors que Sibersky se faisait démolir le portrait... Il portait un sac à dos, un pull à col roulé et un pantalon de flanelle avec des souliers vernis. Les pinceaux lumineux des lampadaires découpaient les traits de son visage en froissures de papier, mais je le reconnus à sa coupe de cheveux ou, plutôt, à l'absence de coupe, puisqu'il avait rassemblé ses longs cheveux vers l'arrière avec un élastique, comme sur la photo du permis de conduire.

À ce moment, rien ni personne n'aurait pu m'empêcher de lui tomber dessus, de lui envoyer un coup de crosse sur l'arrière du crâne et de le compresser dans le coffre de ma voiture. Donc je m'exécutai, puis démarrai en trombe, pneus crissant, et l'emmenai au fond du parking sous-terrain de mon immeuble. Je l'arrachai du coffre par sa queue-de-cheval et, lorsqu'il hurla de douleur, lui allongeai mon poing sur le nez. Je le projetai contre le mur et le choc entre sa colonne vertébrale et le béton le cloua au sol. Le faisceau de ma lampe fit luire le sang qui perlait de ses narines et venait mourir sur ses lèvres.

« Mais... Qu'est... Qui êtes-vous ?

— Pourquoi tu m'as suivi hier ? »

Il frotta la généreuse coulée sanguine avec la manche de son pull-over. « Vous... Vous êtes cinglé... Je... ne vous connais pas... »

Je lui envoyai un revers de main dont l'écho rappela un claquement de pétard.

« Arrêtez ! Je... vous préviens... Je suis... avocat... Vous... allez avoir de gros problèmes...

— T'es avocat ? T'es avocat, fils de pute ? »

Je pressai le canon de mon Glock contre sa tempe, tout en lui serrant la gorge jusqu'à l'empêcher de respirer. Un râle fade s'évada de sa bouche.

« Tu parles ! Ou je t'explose la tête ! Parle ! Parle !!!

— Je... Je ne sais rien... C'est la vérité ! Arrêtez, je vous en prie ! On m'a juste demandé de vous suivre !

— Qui ? »

Il gloussait. Le sang n'arrêtait plus de pisser. Un fleuve...

« J'en sais rien ! Je vous le jure ! Ce sont eux qui prennent contact avec moi chaque fois ! Je ne les ai jamais vus !

— Qui ça, eux ? Accouche !

— Les maîtres du groupe... Ceux qui ordonnent, ceux qui organisent...

— J'attends !

— Je ne suis qu'un initié... Ils m'ont accepté dans leur société parce que je fréquente depuis plusieurs années les milieux SM...

— Avec un penchant particulier pour la douleur, n'est-ce pas, fumier ? »

L'intensité du rayon lumineux le contraignit à tourner la tête. « Oui... Mais il n'y a rien de mal... Les femmes sont consentantes... Nous le sommes tous...

— Et tuer des animaux ? Torturer des prostituées ou des clochards et leur filer du pognon pour qu'ils la ferment, tu appelles ça comment ?

— Je... Je ne suis pas au courant... »

Quand il constata la hargne avec laquelle je brandissais le bras, il lâcha prise. « Je n'ai assisté qu'une fois à ce genre de réunion... Il y a un mois... ça s'est déroulé dans un centre de vacances fermé... En pleine forêt d'Olhain, dans le nord de la France, à deux cents kilomètres d'ici... Ils... Ils avaient ramené un vagabond... Un pauvre type, une épave ramassée quelque part, prête à tout pour gagner du fric... Le rendez-vous était fixé dans les bois, en pleine nuit... Nous... nous ne nous connaissons quasiment pas les uns les autres... Nous restons toujours masqués, seuls certains prennent la parole... Je.. Je n'ai fait qu'assister... ! Pitié... Laissez-moi partir...

— Qu'est-ce que vous lui avez fait ? »

Il se mit à gémir. « Réponds !

— Ils l'ont sédaté pour le calmer, puis ils l'ont sanglé à une table. Ils lui ont administré un anesthésique local, au niveau de la gorge, pour l'empêcher de crier ou d'émettre des sons. Puis ils ont commencé à lui entailler la chair... Ils... Il doit y avoir des médecins, des chirurgiens, des infirmiers dans le groupe... Ce n'est pas possible autrement... Ils avaient tout le matériel, les médicaments pour éviter les saignements... Chaque fois qu'ils entaillaient, ils recousaient derrière, à vif... Le... le clochard hurlait, mais rien ne pouvait sortir de sa bouche...

— Et tu as joui, espèce d'enculé ! Hein, raconte-moi ! Tu t'es branlé pendant que ce type se faisait torturer !

— No... Non... »

Je lui envoyai un coup de semelle dans le thorax. Sa respiration se bloqua longtemps – une messe de Pâques – et il finit par bleuir de façon inquiétante. Je le décollai de terre et lui frappai dans le dos du plat de la main. Son torse se gonfla soudain, comme si, d'un coup, il avait aspiré l'atmosphère tout entière. Il cracha à s'arracher des morceaux de larynx avant de reprendre un teint de circonstance.

« Vous... Vous... êtes... un... taré... » s'étrangla-t-il.

« Pourquoi ? Pourquoi tu fais ça ? J'ai besoin de comprendre ! Explique !

— Vous... allez encore me frapper si je vous dis la vérité...

— Si tu mens, ce sera pire... Sois sincère et j'aviserai. »

Il ouvrait ses mains sur sa poitrine comme s'il venait de disputer un cent mètres et cherchait à récupérer.

« Vous voulez la vérité ? L'être humain... a besoin de zones d'ombre... pour développer sa vie intérieure... C'est comme ça... Toutes les sociétés, quelle que soit l'époque... ont sécrété dans leurs franges... des confréries, des ordres, des associations... Nous... », haleta-t-il, « ... cherchons tous le Diable... Nous éprouvons tous... une attirance pour le mystère, le surnaturel... bien au-delà des raisons... ou de la matière... Vous croyez que je pourrais me satisfaire... de ma robe de pauvre avocat minable ? Métro, boulot, dodo ? Non, non... Bien sûr que non... Nous vivons dans un monde de faux-semblants, tout n'est qu'illusion... Oui, je prends mon pied à infliger la douleur à mes semblables... Oui, je ne vis que quand je me tiens au sein de la confrérie... Oui, j'aime le vice, le mal, tout ce qui peut blesser, heurter le commun des mortels... Et rien ni personne ne pourra bouleverser l'ordre des choses... »

Je perdis les forces qui m'animaient, qui entretenaient ma soif de vengeance, ma hargne, mon envie de sauver ce qui pouvait l'être. Combien étaient-ils, tapis derrière les apparences de monsieur Tout-le-Monde, à prôner le mal, à encourager la déchéance ?

« Comment te contactent-ils ?

— Je reçois dans ma boîte aux lettres électronique des adresses de sites, sur lesquels je me connecte avec un identifiant et un mot de passe qu'ils me donnent. Là, ils me disent ce que je dois faire, et quand. Ils fixent les rendez-vous, dirigent tout, ils sont hors d'atteinte. Lorsqu'il y a des soirées, nous sommes toujours en comité restreint, une quinzaine de personnes maximum... C'est par mail qu'ils m'ont ordonné de vous suivre, de vous surveiller... C'est tout. Je leur renvoyais les informations par Internet, sur une boîte aux lettres qui change d'adresse presque tous les jours... Mon rôle vous concernant s'arrêtait là... Je devais vous suivre... juste vous suivre...

— Et les deux types qui ont agressé mon collègue ? »

Ses yeux s'écarquillèrent. « Personne n'a agressé votre collègue !

— Ne te fous pas de ma gueule !

— Je... Je vous le jure... Je n'étais pas au courant ! »

Je me penchai sur lui et chiffonnai son col de pull-over.

« Maintenant tu vas m'écouter, avocat de mes deux ! Je vais te laisser rentrer chez toi, bien tranquillement. Si je te vois encore traîner dans les parages, je te tue. »

Je fouillai dans la poche arrière de son pantalon et m'emparai de sa carte d'identité. « J'ai ton adresse. S'ils essaient de te contacter, tu as intérêt à me prévenir. Je pense que tu sais où j'habite... Si je n'ai pas de tes nouvelles sous dix jours, je viendrai te rendre une petite visite que tu ne risqueras pas d'oublier. Continue à faire ce qu'ils t'ordonnent, mais tiens-moi informé. Si tu bluffes, si tu essaies de m'arnaquer, t'es mort... J'ai déjà trop perdu dans l'histoire et je ne suis plus à un cadavre près. As-tu bien compris le message ou faut-il que je répète ?

— Non... Je vous raconterai tout... Tout... Tout ce que vous voudrez...

— Casse-toi. »

Il disparut plus vite qu'une étoile filante. Je notai intérieurement qu'il faudrait dès le lendemain placer une équipe de surveillance sur lui...

Je remontai d'un pas de pénitent jusqu'à mon appartement. Devant la porte fermée de Doudou Camélia, l'odeur des acras de morue avait fini par s'estomper et je sentis, comme pour la première fois, une immense vague de vide et de solitude se briser sur mon âme.

Je piochai une bouteille de whisky – du Chivas quinze ans d'âge – derrière le petit bar en rotin et m'expédiai un premier verre bien serré sans même réellement apprécier le goût antique des terres vieillies. Je renouvelai l'opération plusieurs fois, jusqu'à ce que mes pensées prissent envol autour de moi, comme des mouettes qui chahuteraient au vent.

D'étranges formes s'esquissaient dans ma tête, des ombres indéfinissables, des silhouettes difformes, diaboliques, recroquevillées sur elles-mêmes dans un coin de mon esprit. J'essayais de songer à des choses belles, mais n'y arrivais pas, comme si la beauté elle-même avait revêtu le visage de la mort. Je voyais ces filles qui déclenchaient le vice en s'exhibant sur Internet, je me rappelais la cassette des Torpinelli chez Fripette, *Viol pour quatre*, et ces listes infinies de sites pédophiles crachées par les imprimantes de Serpetti. Je savais que le Mal se déployait sur le monde dans une gigantesque marée noire.

Poupette la capricieuse refusa sa promenade nocturne. Ce soir plus que jamais, il me fallait son réconfort, son doux chant enjoué, l'alchimie secrète de son parfum. J'eus beau m'acharner sur la manette, les essieux ne bronchèrent pas.

Nouvelles gorgées d'alcool, plus généreuses. Non, je refusai la solitude, cette nuit. J'appelai Élisabeth, tombai sur le répondeur et téléphonai ensuite chez Thomas. Encore un répondeur. Sûrement était-il occupé avec son amie Yennia...

Je finis par m'endormir, ivre, loin, très loin de ce que j'avais un jour été, un commissaire de police respectable qui aimait son métier...

Chapitre douze

Il est des jours où la chance, disons plutôt un hasard provoqué, se décide à frapper à votre porte. Ce matin-là, la chance s'appelait Vincent Crombez. « Pas terrible de laisser votre portable fermé, commissaire...

— J'ai oublié de le recharger. Je n'étais pas très en forme hier.

— Vous avez la tête des mauvais jours... Bonne nouvelle, très bonne nouvelle ! Delhaie a fait un travail prodigieux avec le listing des étudiants. Mais ça n'a rien donné...

— Annonce ! Joue pas au con, je ne suis pas d'humeur. Tu n'es pas venu pour me dire ça ?

— Vous avez eu une sacrée bonne intuition avec le coup des bibliothèques et je dois dire que l'inspecteur Germonprez a un flair d'épagneul. Sans sortir de son bureau !

— Comment ça ?

— Presque toutes les bibliothèques disposent de sites Internet. Avec un compte spécial, on peut accéder au backoffice, l'interface qui permet de gérer la bibliothèque et ses abonnés de n'importe où dans le monde. Comme les bibliothécaires sont tenus de collaborer avec la police, ils lui ont fourni sans trop de difficultés les accès nécessaires pour interroger la base de données. À force de fouiner, Germonprez a relevé une liste de bouquins très intéressants, empruntés à la bibliothèque René-Descartes, par un certain Manchini, étudiant de troisième année à l'école de la prof agressée, Violaine. Les titres ne vous diront certainement rien et paraissent anodins. Des trucs du genre, *La Sainte Inquisition : la chasse aux sorcières, Les Ficelles du métier, La France interdite*. C'est ce dernier titre qui lui a mis la puce à l'oreille, parce que Germonprez avait déjà loué la cassette vidéo traitant du même sujet, une sorte d'enquête sur les milieux sadomasos en France. L'ouvrage *Les Ficelles du métier* traite de l'art du bondage au Japon ; quant au livre sur l'Inquisition, il décrit très précisément les moyens de torture utilisés à l'époque. Sur la quantité énorme de bouquins empruntés par Manchini, tous ont plus ou moins un rapport avec le sexe, la torture et la douleur.

— Tu as pu enquêter sur ce Manchini ?

— J'allais justement au 36, mais j'ai préféré faire un détour par chez vous étant donné que je ne pouvais pas vous joindre et j'ignorais si vous vous présenteriez au bureau aujourd'hui.

— Bon... Tu ne vas plus au 36, on se rend à cette école. Officiellement, petite visite de courtoisie...

— À cause des gendarmes ?

— Exactement... J'ai fait une requête auprès du juge d'instruction, Kelly, qui a lui-même insisté auprès du procureur de la République pour une fusion des dossiers et un travail en collaboration. Mais rien n'a été décidé. Et nous n'avons pas le temps d'attendre la paperasse... »

* * *

Le sigle de l'ESMP, l'École Supérieure de Microélectronique de Paris, dominait la courte avenue Foch où se perdaient des arbres épars et un semblant de verdure plantée de main d'homme. Le long des murs d'un restaurant universitaire, dans une rue transversale, barrissaient des éléphants avec des barils de lessive en guise de pattes, des oreilles de carton et de tissu ainsi qu'une trompe en polystyrène. Le bizutage battait son plein ; les TVA, – Très Vénérables Anciens – et les TTVA – Très Très Vénérables Anciens – s'en donnaient à cœur joie en déversant des litres de soupe de poisson dans les chevelures malmenées des nouveaux. Des volées de chansons paillardes, des hymnes à l'ESMP sortaient forcés des bouches où s'engouffrait avec générosité la mousse à raser.

« Ils ont l'air de morfler, les bizuths », constata Crombez en évoluant de bond en bond avec ses béquilles.

« Les bizutages n'ont jamais été tendres. Ils représentent la voie ouverte aux abus de tous genres... »

Une secrétaire nous annonça à l'accueil et le directeur se présenta quelques instants plus tard. Sa tête énorme, posée sur un maigre cou, lui donnait l'air d'une tortue et mon sentiment se confirma quand je le vis de profil ; il avait un nez à pouvoir abriter une colonie de vacances. Ses lunettes à larges verres, couleur écaille de tortue justement, veillaient sur le haut de son front dégarni comme une deuxième paire d'yeux. Il lança : « Police, gendarmerie, police ? Vous ne pourriez pas vous arranger pour venir une seule fois ? J'ai un boulot monstre avec le début de l'année scolaire ! »

De petites veines saillaient de sa gorge, comme des éclats d'os.

« Nous sommes venus vous parler plus particulièrement de l'un de vos étudiants.

— Élèves ingénieurs », corrigea-t-il. « ... Je vous écoute, mais faites vite, s'il vous plaît.

— Manchini, élève de troisième année.

— Manchini... Manchini... Ah oui... Et alors ?

— En fait, nous aimerions que vous le convoquiez dans votre bureau...

— Pour quelle raison ?

— Nous souhaiterions avancer sur l'affaire Violaine...

— Et alors, le rapport avec Manchini ? J'espère que vous ne soupçonnez pas l'un de mes élèves ingénieurs ? Vous...

— Nous faisons notre travail. L'une de vos enseignantes a été agressée, il est donc normal, étant donné qu'elle passait la majeure partie de son temps avec vos... élèves ingénieurs, que nous nous orientions dans cette direction.

— Pourquoi Manchini ?

— Allez le chercher, s'il vous plaît.

— Vous êtes tombés en plein bizutage. Il n'y a pas de cours pendant trois jours... Il doit être dehors, avec les autres... »

Le cortège des éléphants s'était déplacé dans la cour intérieure de l'ESMP, abandonnant derrière lui une traînée de mousse à raser, d'œufs pourris et de sauces en tout genre.

« La vache ! » lança Crombez. « On pourrait les suivre rien qu'à l'odeur... ça sent le nuoc-mam... »

Des TVA en blouses blanches hurlaient dans des mégaphones et les pauvres éléphants, au moment où nous arrivâmes, poussaient les murs ou s'entassaient les uns sur les autres pour former des millefeuilles géants. Un étudiant fumait dans un coin calme, les poches alourdies de matériel antibizuths. Nous le choisîmes comme interlocuteur ; Crombez se fit une joie d'intervenir.

314

« Nous souhaiterions parler à Alfredo Manchini.

— Alfredo ? On ne l'a pas vu ce matin.

— Il n'est pas censé se trouver ici ?

— Si. Pas trop son style de manquer le bizutage...

— Pourquoi ? »

Il écrasa son mégot du talon. « Qui êtes-vous ? On ne parle pas trop de ça à des inconnus... Essayez d'aller voir ailleurs... J'y serai peut-être. »

Ce facho de mes deux nous adressa un sourire narquois, provoquant. Dans le dos de sa blouse, un dessin au fusain représentait un hamburger avec des bizuths relégués au rôle de steak. Il s'appelait TVA Burger. Il s'avança avec détermination vers la masse compacte des éléphants, mais je posai une main écrasante sur son trapèze gauche.

« Aïe ! Vous me faites mal, ducon !

— Tu vas m'écouter, espèce de peigne-cul d'électronicien de merde. »

Je lui plaquai sur le nez ma carte tricolore. « Je suis commissaire de la police criminelle de Paris. Si tu m'emmerdes, je pourrais m'énerver et tu peux demander à mon collègue, vaut mieux pas que je m'énerve ! »

Crombez agita la main et arrondit la bouche, d'un air de dire : *non, il ne vaut mieux pas, mais vraiment pas l'énerver !*

« Commissaire de police ? Mais vous lui voulez quoi, à Manchini ?

— Contente-toi de répondre à mes questions. Je te tutoie. Ça ne te dérange pas que je te tutoie ?

— Euh... Non...

— Pourquoi Manchini n'aurait-il manqué le bizutage pour rien au monde ?

— L'année dernière, il s'est éclaté comme un fou... Il est assez créatif dans ce domaine, ma foi.

— Sois plus explicite ! »

Il jeta un œil autour de lui, puis baissa d'un ton. « Il a inventé ce qu'on appelle Le tribunal, une soirée spéciale où l'on juge les bizuths pour leur obéissance et leur bon comportement pendant les trois jours.

— Explique !

— Certains bizuths sont plus rebelles que d'autres, alors ceux-là, on les fait plus particulièrement morfler pendant Le tribunal.

— Cela signifie ?

— Oh ! Rien de bien méchant. On les enferme dans des salles aménagées en caves, on leur balance des abats ou on les emprisonne aux côtés d'une tête de veau pelée...

— Et je suppose qu'il y a des abus ?

— Bien sûr que non ! Tout est réglo ! Et tous les TVA qui sont là, anciens bizuths, vous le diront. Le bizutage, c'est ce qui soude une promotion. Ça les prépare à traverser les dures années d'études qui les attendent.

— Vachement ! » beugla Crombez.

Un éléphant s'élança dans la cour, barils aux pieds, et se fit stopper dans sa course effrénée par un croc-en-jambe sévère. Il s'écrasa sur le sol comme une pastèque trop mûre.

« Ça, c'est réglo ? » ironisa Crombez en désignant l'éléphant mal en point.

« C'est un rebelle... Les rebelles, il faut les mater, sinon ils sèment la zizanie et après, on perd le contrôle des troupes.

— Tu es sûr que Manchini n'est pas là ?

— Oui. On a dû refiler son bizuth à un autre TTVA.

— Tu le connais bien, Manchini ?

— Assez... Mais en cours, ce n'est pas un type du genre expansif.

— Scolairement parlant, il donne quoi ?

— Élève moyen. Un peu même à la traîne, parfois.

— Il a des cours avec Julie Violaine ?

— Nous en avons tous.

— Et son comportement ?

— Classique... Discret, même... Pas le genre de gars à aller de l'avant. On peut le laisser dans un coin et le récupérer un an après qu'il ne bougerait pas.

— En matière sexuelle, quelles sont ses tendances ?

— Mais je n'en sais rien, moi ! Comment voulez-vous... ?

— Vous ne parlez jamais de ça entre mecs ?

— Si, mais...

— Mais quoi ?

— Manchini a l'air un peu... hors du coup. À chaque fois que nous parlons de sexe entre nous, il se défile. On dirait... que ça ne l'intéresse pas...

— Où pouvons-nous le rencontrer ?

— À la résidence universitaire Saint-Michel, deux boulevards plus haut... Si vous le voyez, dites-lui de se radiner ! »

Des veines de lierre infectaient la résidence sur la totalité de sa surface comme un cancer de la pierre. La grille de fer forgé de l'entrée ouvrait sur une allée de vieux pavés, bordée sur les flancs de parterres de fleurs entretenus.

Pour nous mener à la chambre d'Alfredo Manchini, nous engageâmes la concierge, qui ressemblait au majordome Nestor des albums de Tintin, en plus féminin. À condition que le mot féminin puisse s'appliquer à ce genre de personnage ; un potager de points noirs lui persillait le nez et un duvet de poils à faire pâlir un poussin lui couvrait le menton. Un tue-l'amour d'une efficacité redoutable.

Après avoir frappé à la porte de Manchini plusieurs fois sans succès, je lui demandai de nous ouvrir avec son double de clés. Elle hésita, les yeux fixés sur ma veste comme si elle cherchait à y deviner la forme de mon arme.

« Je ne sais pas si je peux... Je regarde les séries policières... Vous ne devriez pas avoir un mandat, ou quelque chose du genre ? »

Je la baratinai en beauté pour la convaincre. Elle lança une œillade dans le couloir et inclina le menton. « Dites... Je peux toucher votre flingue ?

— Lequel ? » envoya Crombez avec un sourire peu ménagé. « Oh ! Vous ! » s'exclama-t-elle en marquant son indignation. « Cochon !!! »

Je lui montrai mon feu et elle finit par nous ouvrir.

« Merci madame... Laissez-nous la clé. Nous fermerons et vous préviendrons quand nous aurons inspecté. »

Crombez se pencha à mon oreille alors que Tue-l'amour s'éloignait. « Vache ! Je suis persuadé qu'elle perdrait deux kilos si on lui perçait les points noirs qui se bataillent sur son pif. Elle a une tronche, on dirait la surface de Mars !

— Pardon ? » lança-t-elle en revenant vers nous.

Crombez sursauta mais pas autant que moi. D'un mouvement de tête, je lui fis comprendre que notre conversation ne la concernait pas.

La surface habitable de la chambre universitaire équivalait à celle de mon appartement, si ce n'est que tout ce qui se trouvait ici, mobilier, hi-fi, vidéo, coûtait trois fois plus cher que chez moi.

Crombez admira : « Il ne s'embête pas ce type ! Vous avez vu l'écran à plasma accroché au mur ? Ça vaut dans les huit mille euros, un joujou pareil...

— Fouille la chambre et la salle de bains. Je m'occupe du salon. »

Crombez effectua une rotation complète sur une seule de ses béquilles, comme un acrobate.

« On cherche quoi ? » demanda-t-il dans la foulée.

« Tout ce qui pourrait nous rapprocher de la vérité... »

J'ouvris les portes du meuble de télévision, après m'être occupé de son verrou, et découvris une quantité incroyable de cassettes et de DVD. Des films de guerre, comme *Pearl Harbor* ou *Il faut sauver le soldat Ryan*, des comédies, des films policiers et une belle pilée de films pornographiques à dominante sadomasochiste, signés Torpinelli. Au fond du salon, je bus des yeux les différentes couvertures des ouvrages qui écrasaient de leurs connaissances les planches des armoires en chêne. Mécanique quantique, thermodynamique, topologie, sciences humaines et sociales... Du baratin d'étudiant.

À gauche, dans l'angle du salon, un ordinateur dernier cri à l'écran aussi plat qu'un timbre. Je voulus l'allumer mais une grille interdisait l'accès à l'interrupteur. J'examinai la serrure, glissai la lime à ongles que j'avais l'habitude d'emporter avec moi et obtins gain de cause en quelques secondes. Je pressai le bouton, attendis, mais l'ordinateur bloqua au moment de lancer le système d'exploitation. L'écran devint bleu, une liste impressionnante défila, *fichier introuvable, fichier introuvable, fichier introuvable...*

Toutefois, malgré mon dépit profond, je constatai que le comportement du PC était différent de celui de Gad ou de Prieur. Cette fois, le disque dur n'avait pas été formaté, mais les fichiers avaient probablement été effacés en utilisant le système d'exploitation.

Lorsque Crombez me rejoignit, je lui demandai : « Alors, qu'as-tu découvert ?

— Côté vêtements, on joue dans le classique.

Jeans, tee-shirts, chemisettes. Par contre, j'ai dégotté pas mal de revues intéressantes dans un tiroir, *Bondage Magazine, Détective magazine* qui est aussi une revue sur le bondage et... il y en a plein d'autres. Commandées probablement par Internet.

— Comment le sais-tu ?

— Ces revues sont américaines. Et il y a l'adresse des sites qui les diffusent au bas de la page. Ce Manchini en connaît un rayon en matière de sadomasochisme... » Il se pencha vers l'écran. « Inutilisable ?

— On dirait que les fichiers ont été effacés. Manchini a voulu peut-être cacher quelque chose ; ou alors, il a pris peur et effacé des données sensibles dans la précipitation.

— Il existe peut-être un moyen de reconstruire ce qui a été supprimé...

— Comment ?

— Un disque dur fonctionne comme un aimant, composé de milliards de petits pôles microscopiques ; s'ils sont polarisés, ils représentent le chiffre un ; sinon, le chiffre zéro. Quand vous effacez proprement un disque dur, en le formatant comme c'était le cas chez Prieur ou Gad, tous ces pôles sont remis à zéro, l'information devient irrécupérable. Par contre, quand vous supprimez des fichiers par le système d'exploitation, vous dites juste au système de rompre le lien avec ces informations, mais les données, elles, restent bien présentes sur le disque dur. Bon nombre de malfrats se laissent berner. Ils croient qu'en effaçant simplement, ils se mettent à l'abri. C'est sans compter avec l'efficacité de nos collègues ! » Il considéra les messages d'erreur. « Le SEFTI possède le matériel et les logiciels pour récupérer une bonne partie des données. Mais il faudrait emporter le disque dur...

— Démonte-le !

— Mais on n'a pas...

— Fais, je te dis ! »

Il dévissa avec son couteau suisse les vis cruci-
formes, écarta le boîtier d'acier, débrancha les nappes
de fils et me tendit le disque dur que je glissai sous ma
veste. Il replaça tout bien en place et j'ordonnai :
« Bon, continuons la fouille ! »

J'ouvris les uns après les autres les tiroirs du
meuble de cuisine. « Tiens, tiens, des pinces crocodile ! »

Elles traînaient au milieu de câbles coaxiaux, de
plaques de silicium, de résistances et de condensa-
teurs.

« Normal, pour un élève en électronique » justifia
Crombez. « Regardez les plans, ici... Décodeur
pirate... ou alors comment obtenir les chaînes du satel-
lite sans abonnement... Ce Manchini est loin d'avoir
une vie rangée... »

« Vous êtes de la famille ? » nous demanda une
voix alors que nous nous apprêtions à redescendre au
rez-de-chaussée.

Dans l'entrebâillement d'une porte palière, apparut
une petite tête ébouriffée aux yeux gonflés de maladie.

« Oui, nous cherchons Alfredo. Nous aurions aimé
avoir de ses nouvelles.

— N'approchez pas ! » conseilla la voix. « J'ai une
gastro-entérite carabinée et si vous ne voulez pas passer vos jours prochains là où vous savez... J'ai entendu
pas mal de bruit cette nuit... Il était tard... Peut-être
vingt-trois heures. Puis encore à trois heures du matin.
Trois heures pile, je le sais, parce que j'ai regardé mon
radio-réveil. Alfredo est entré puis est ressorti. Ou
l'inverse... je crois... D'ordinaire, vers les six heures
du matin, il allume sa saloperie de télévision plaquée

321

contre notre mur commun et ça me réveille à chaque fois... Mais là, je n'ai rien entendu... La paix... Il a peut-être découché... Ou alors il était tellement bourré qu'il n'a pas su rentrer.

— Il boit ?

— Comme nous tous. De temps en temps, une ou deux fois par semaine...

— C'est ça que vous appelez de temps en temps ? Vous avez une drôle de notion du temps. »

Je vis son visage se chiffonner comme si un bloc de pierre lui était tombé sur le pied. « Alerte ! Pluie de météorites dans les fesses ! Je vous laisse ! Allez voir au Sombrero, rue Nationale, à l'angle. Il s'y rend souvent. »

La porte claqua, mais j'eus le temps de glisser une carte de visite dans l'embrasure.

« Pas très clair tout ça, commissaire. Vous avez vu pour combien d'argent il y en a dans l'appartement ? Ce Manchini est issu d'une famille bourgeoise, impossible autrement ! Mais... Vous retournez à la chambre ?

— Je voudrais juste vérifier un détail. »

Crombez descendit m'attendre dans le hall. Je le rejoignis une poignée de secondes plus tard. « Alors, commissaire ?

— Patience... »

Au moment de remettre la clé à Tue-l'amour, je la questionnai : « Les étudiants entretiennent-ils leurs chambres eux-mêmes ?

— Non. Une femme de chambre change les draps tous les jours et fait le ménage.

— Tous les matins ?

— En fin de matinée, plus précisément. Une fois que tous les étudiants sont en cours. » Elle jeta un œil sur sa montre. « La tournée va d'ailleurs bientôt commencer... »

« Qu'avez-vous découvert ? » s'enflamma Crombez dès que nous fûmes sortis..

« Le lit de Manchini était défait... Il est rentré chez lui vers les vingt-trois heures, comme l'a signalé sa voisine de palier, puis il s'est couché. Mais quelque chose l'a fait sortir précipitamment... aux alentours de trois heures du matin. Bon... On passe à ce bar, le Sombrero, puis on retourne voir le directeur de l'école. Je crois qu'il ne nous a pas tout dit. »

La piste du bar ne donna rien. Manchini n'y avait pas pointé le nez ni la veille, ni l'avant-veille, ni même depuis une sacrée pilée de jours.

La Tortue, les mêmes lunettes couleur écaille sur le même front, débarqua sans le sourire à l'accueil de l'école d'ingénieurs. « Commissaire, je crois que vous frôlez les limites de l'offense.

— Nous ne serions peut-être pas ici si vous nous aviez révélé ce que nous attendions.

— Et qu'attendiez-vous ?

— Apparemment, Manchini n'a pas l'air d'être n'importe qui. Je me trompe ? »

Sa tête s'engloutit entre ses épaules. Une tortue qui cherche à se protéger d'une patte de chat. « Nous recrutons nos élèves sur dossier pour les meilleurs, par concours pour ceux qui sont un peu en dessous. Manchini a été admis par concours, il y a trois ans. Comme vous pouvez vous en douter, nous ne menons pas d'enquêtes sur nos élèves. Pourquoi le ferions-nous ?

— Et pour Manchini ? »

Sa voix devint chuchotement. « C'est le neveu d'Alphonso Torpinelli !

— Le magnat du sexe ? »

On aurait dit que ma question lui avait envoyé des éclats de verre dans les oreilles.

Il grimaça. « Oui... Côté maternel. Nous essayons de ne pas l'ébruiter. Vous ne pouvez pas imaginer combien les écoles se surveillent entre elles, profitent du plus petit grain de sable pour faire valoir leur différence auprès des entreprises qui recrutent nos élèves. Si elles venaient à savoir qu'un membre de la famille des Torpinelli se trouve sur nos bancs, cela pourrait causer un tort irréparable à notre image de marque. Nous avons clairement signifié à Manchini de taire ses origines...

— Sinon quoi ? » intervint Crombez.

« Cela ne vous regarde pas... Jusqu'à présent, tout s'est bien passé. Mais nous n'avons jamais bien compris les raisons de sa présence ici, vu la fortune colossale de ses parents. Peut-être un goût immodéré pour les études, peut-être veut-il voler de ses propres ailes, ou alors déteste-t-il le milieu du sexe...

— Ça, ça m'étonnerait » glissa Crombez.

Le directeur le dévisagea d'un œil mi-fermé de varan avant de poursuivre. « Les Torpinelli ont un sens profond de la famille et Alfredo aurait pu vivre de ses placements bancaires jusqu'à la fin de sa vie... Savez-vous qu'il paie déjà l'impôt sur la fortune ? Tout cela me dépasse...

— Où peut-on joindre ses parents ?

— Aux États-Unis. Ils détiennent, avec l'oncle et son fils, quatre-vingts pour cent du marché du sexe sur Internet. Des millions et des millions de dollars brassés chaque année. Pas un seul nouveau site pornographique qui se crée sans que ces rapaces mettent la main dessus.

— Nous sommes passés chez Alfredo, à la résidence Saint-Michel, mais il ne s'y trouvait pas. Ni là, ni au bizutage. Vous auriez une idée ?

— Ses parents possèdent une villa au Plessis-

Robinson. Une résidence magnifique, vide la plupart du temps... Possible qu'Alfredo s'y trouve.

— Vous êtes sûr que vous n'avez plus rien à nous révéler ?

— Je vous ai tout déballé ce coup-ci... » Il s'avança dans le couloir, se retourna une ultime fois. « Vous n'avez pas garé votre voiture de police devant l'établissement, j'espère ? Ça ferait mauvais style pour mon école ! »

Avant de monter dans notre véhicule, j'annonçai : « Bon, on dépose le disque dur au SEFTI, en souhaitant que cela nous mène quelque part. Ils en ont pour longtemps, tu crois ?

— Le facteur chance tient un rôle important dans la récupération des fichiers. Ça peut aller très vite, comme prendre plusieurs jours. Un peu comme un puzzle de six mille pièces passé dans une tondeuse à gazon ; si la lame était suffisamment haute, vous retrouverez le puzzle presque intact ; par contre, si elle était assez basse pour laminer le puzzle, je ne vous garantis pas l'état des pièces... »

* * *

Après notre passage en coup de vent au SEFTI, nous prîmes la direction du Plessis-Robinson.

Le Plessis-Robinson représentait un peu le Paradis à proximité des forges de l'Enfer parisien. Quand on flâne dans les vieilles ruelles commerçantes et animées, l'on renoue un peu avec la douceur de vivre des villages franciliens d'autrefois. Suzanne et moi aimions toucher du doigt ce coin de ciel bleu, à six kilomètres seulement de la tourmente. Ce jour-là, malheureusement, le temps n'était pas à la balade ni même aux souvenirs...

Notre voiture remonta parallèlement à l'étang Colbert, au parc Henri-Sellier, avant de dépasser une tourelle d'angle à six pans qui annonçait les abords du quartier résidentiel. Nous longeâmes, éblouis, les façades ennoblies, les toitures à la Mansart faisant jouer, sous les traits de lumière, zinc et ardoise, les balcons en ferronnerie et les corniches aussi spacieuses à elles seules que mon appartement.

Plantée au cœur de conifères à hautes tiges et de chênes, la villa s'élançait vers le ciel, avec son fronton en demi-lune et ses larges baies vitrées. Une Audi TT trônait dans l'allée, derrière le portail ouvert. Nous garâmes notre épave en bordure de la palissade et nous nous présentâmes sur le seuil en pierre marbrière. « Vache ! » souffla Crombez. « Encore un qui pète dans la soie... »

Nos coups à la porte n'obtinrent aucune réponse. En tournant la poignée, je remarquai : « Tu n'as pas entendu ? Quelqu'un nous a dit d'entrer !

— Mais... Je n'ai rien entendu. » Je fronçai les sourcils. Il corrigea : « Si, je crois bien avoir entendu quelqu'un, tout compte fait... Oui... Il nous demande bien d'entrer. »

La porte n'était pas verrouillée. Les espaces s'ouvrirent devant nous en lignes fuyantes lorsque nous pénétrâmes et contournâmes une piscine chauffée, abritée sous une véranda.

Ce fut dans la salle de sports que nous découvrîmes le corps sans vie d'Alfredo Manchini. Une barre olympique de développé-couché chargée à son maximum lui écrasait le larynx et sa langue, bleu lavande, pendait. Ses mains avaient gardé une position crispée, comme si, dans un ultime effort, il avait cherché à basculer la barre sur le côté pour se dégager de l'étreinte métallique.

« Je crois que nous arrivons trop tard », crut bon de préciser Crombez.

« Tu aurais pu faire voyant, toi, tu sais ? »

Sous une flambée de colère, j'arrachai un haltère de son support chromé et le claquai sur les dalles de mousse avec violence. « Fais chier ! Bordel de merde !!! Préviens Leclerc, appelle Van de Veld ainsi que le lieutenant de la police scientifique ! Je vais contacter le juge d'instruction pour réclamer l'autopsie du corps !

— Du calme, commissaire ! Tout laisse à penser qu'il s'agit d'un accident, non ? Il était en survêtement et baskets, il a peut-être eu un malaise. Vous savez quoi ? J'ai fait pas loin de quatre années de musculation. Et je ne vous raconte pas combien de fois je suis resté coincé comme ça, avec la barre sur la poitrine. »

Je m'approchai du corps refroidi. « Il n'aurait pas eu le moyen de basculer la barre sur le côté ?

— Ça dépend. On est souvent en tension maxima lorsqu'on pousse et il arrive parfois que les muscles lâchent, lors du tout dernier mouvement. C'est pour cela qu'il vaut mieux être deux. Mais seul, si la barre reste bloquée sur la poitrine, on tente de la faire rouler jusqu'en haut des pectoraux pour pouvoir la basculer plus facilement... Je suis persuadé qu'il a essayé de le faire ; regardez, les fibres de son tee-shirt sont tirées, voire arrachées sur les pecs. Seulement, le poids était trop important pour qu'il y arrive en solo. Il est alors mort étouffé, la poitrine écrasée... Puis la barre a roulé sur son larynx lorsqu'il ne l'a plus retenue... »

Je comptai la charge totale. « Il y a quand même cent huit kilos de poids.

— Avec la barre, ça fait cent vingt-huit. Mais vu

son gabarit, ça ne m'étonne pas trop. J'avais un maxi à cent quinze kilos.

— Appelle quand même. On ne peut pas laisser ça sur le compte du hasard. »

Alors que Crombez contactait le légiste, je jetai un œil aux autres appareils, la presse à cuisses, les deux vélos, les sets d'haltères rangés par ordre de poids croissant. Rien, apparemment, n'avait été dérangé. Pas un seul disque de chrome qui traînât sur le sol, pas une seule barre déplacée, sauf celle du développé-couché.

« Le portable de Leclerc est sur messagerie » râla Crombez en haussant les épaules. « Je lui ai laissé un bref message lui signalant de vous rappeler. De ce fait, j'ai prévenu le commissaire général Lallain. Il va nous envoyer une équipe...

— Très bien... Dis-moi, lors d'une séance normale de musculation, tu emportes toujours une bouteille d'eau, non ?

— Bien sûr. C'est essentiel ! Pour éliminer l'acide qui s'accumule dans le muscle pendant l'effort. Sans eau, impossible de s'entraîner. Surtout en muscu...

— Alors, explique-moi pourquoi Manchini n'avait pas de bouteille d'eau ! »

Crombez eut des yeux en bille de verre. « Exact ! Troublant, en effet...

— D'autant plus troublant selon le témoignage de sa voisine de chambre ; elle l'a entendu cette nuit revenir vers 23 h 00, puis partir aux alentours de 3 h 00. Je ne suis pas légiste, mais j'ai vu suffisamment de cadavres pour t'affirmer que celui-là n'est pas frais de ce matin.

— Il aurait été tué dans la nuit ?

— Il semblerait... Et une séance de musculation en pleine nuit me paraît assez improbable... Sans oublier ces données effacées de l'ordinateur. Quelqu'un avait peut-être intérêt à ce que Manchini disparaisse... »

Nous attendîmes dans le salon le temps que la police scientifique fît son ouvrage de prélèvements. L'excellent Dead Alive, treillis couleur pain brûlé et pull camionneur à fermeture lui remontant jusqu'au cou, exhibait un nez à rendre jaloux un nasique. Il grogna : « Je m'occupe de celui-là, puis je pose malade. J'en ai plus que marre de trimballer des rhumes la moitié de l'année sans avoir le temps de me soigner. Vous avez vu mon pif ? On dirait un lampion.

— C'est gentil de faire ça pour nous, docteur... »

Une fois le travail de la scientifique effectué, nous retournâmes auprès de feu Mancini. Van de Veld examina la chevelure brune du cadavre, puis les différentes parties de son corps avant de revenir sur la poitrine.

Il enclencha son dictaphone. « Aucune plaie ni lésion apparentes sur la tête, les membres ni le dos. Présence d'écoulements sanguins minimes au niveau des narines, inégalité du diamètre des pupilles, présence d'excoriations sur les pectoraux droit et gauche certainement dues au frottement de la barre métallique. »

Il coupa l'enregistrement. « Vous pouvez ôter la barre ? » Nous nous exécutâmes. Cette satanée ferraille me parut plus lourde que la *femme-baleine* du Piccadilly Circus.

Dead Alive pressa à nouveau le bouton *marche*. « Le larynx a été broyé par la barre, ce qui a causé une mort quasi immédiate par asphyxie. » Il retourna le corps. « Au vu des lividités cadavériques ainsi que de la rigidité du corps bien en place, il ne semble pas que le corps ait été déplacé après la mort. Le thermomètre rectal indique... 25 °C. La pièce est chauffée à 18 °C, donc, en supposant une baisse d'un degré par heure depuis le dernier souffle, cela nous donne une mort

329

qui remonterait aux alentours des... une heure ou deux heures du matin grand maximum... »

Il coupa une nouvelle fois son enregistrement. « Drôle de moment pour lever de la fonte...

— Deux heures ? Vous êtes sûr ? »

Son regard s'obscurcit. « Ai-je déjà avancé des propos sans être certain ?

— Quelque chose de concret pourrait-il différencier l'accident du meurtre ?

— Il n'y a pas de traces de coups ou de contusions autres que celles causées par la barre, rien d'évident, quoi. Par contre, l'autopsie nous révélera la présence ou non d'acide lactique dans les muscles, ce qui nous donnera une indication sur l'intensité de son entraînement. Dites, c'est qui ce type ?

— L'un des neveux de Torpinelli.

— Le roi du sexe ? Wouah !

— Sonnez-moi dès que vous aurez du nouveau... Tu me suis Crombez ? Allons jeter un œil dans l'Audi... »

Mon lieutenant me questionna dans le hall d'entrée. « Si Manchini est mort entre une heure et deux heures du matin, comment aurait-il pu sortir ou entrer chez lui à trois heures, comme l'affirme sa voisine ?

— Difficile pour un mort, en effet ! Seule possibilité, quelqu'un d'autre est venu à sa place effacer les données de son disque dur avant de mettre les voiles. Ce que contient cette saloperie de boîte de métal est peut-être la réponse à toutes nos questions... »

Les loquets de la voiture sportive étaient abaissés. Courbé au niveau des vitres, je demandai à Crombez : « Manchini portait juste un tee-shirt dans la salle de musculation. Il devait bien avoir une veste ou un blouson, non ? Retourne à l'intérieur et essaie de me le retrouver... »

Je le vis peiner avec ses béquilles dans les gravillons. « Non, reste plutôt ici. J'y vais. »

Je requis deux inspecteurs pour m'aider ; l'un d'eux finit par me présenter une veste de cuir. « Je l'ai prise sur le lit de l'une des chambres à l'étage.

— Continuez de fouiller. Si vous mettez la main sur un téléphone portable, apportez-le-moi ! »

Tout en palpant le vêtement, je retournai auprès de Crombez. Les poches de la veste ne révélèrent qu'un jeu de clés ainsi que des papiers d'identité. Ni téléphone portable, ni organiseur électronique, ni portefeuille. Juste les clés et les papiers.

Dans la boîte à gants, s'entassaient pêle-mêle des CD, deux paquets de cigarettes et une paire de gants en cuir. Le cendrier débordait de mégots. Crombez alluma l'autoradio et le caisson de basses incrusté dans la plage arrière faillit pulvériser les vitres du véhicule.

« Éteins ça, bordel ! » hurlai-je, les mains plaquées sur les oreilles.

Le tremblement de terre cessa.

Je constatai : « Aucune trace de portable, ni ici, ni dans la villa, ni dans la chambre de sa résidence.

— Il n'en possédait peut-être pas ?

— Il n'y avait pas de ligne fixe à la résidence Saint-Michel. Manchini est parti précipitamment de chez lui hier soir, pour une raison X ou Y. À supposer qu'il dormait, puisque le lit était défait, qu'est-ce qui aurait pu le contraindre à sortir brusquement à onze heures du soir ?

— Un coup de fil ?

— Exactement. Je pense que celui qui a visité la chambre vers trois heures du matin, a aussi fait disparaître ce fameux portable... Nous allons être rapidement fixés. »

Une nouvelle fois, je mis à contribution cette bonne pâte de Rémi Foulon.

« Après ça, tu pourras me faire livrer une caisse de bouteilles de champagne ! Du Dom Perignon et rien d'autre ! Allez... Donne-moi les coordonnées de ton type et rappelle dans une demi-heure... Mais tu sais que tu pourrais me mettre dans l'embarras ? Chaque accès au fichier est tracé.

— Oui, mais c'est bien toi qui contrôles ces traces, non ?

— Je vois qu'on ne te la fait pas... »

Je le sonnai au bout de vingt minutes.

« Je t'avais dit une demi-heure ! » grogna-t-il. « Ça va... Je l'ai... Son numéro de portable est 06 14 12 20 15. Il a en effet reçu un appel à 22 h 50, provenant d'une cabine publique, au Plessis-Robinson. Je te faxe l'historique de ses appels à ton bureau, mais sache déjà qu'il a coulé deux bonnes semaines cet été au Touquet, dans le nord de la France.

— Je sais où ça se situe, merci. Comment tu as récupéré l'info ?

— Le fichier nous donne les numéros appelés et appelants, mais aussi, dans le cas particulier des cellulaires, le lieu de l'appelant.

— Grand merci ! D'une incroyable efficacité, comme d'habitude ! »

Dans la minute, j'envoyai un technicien de la police scientifique relever les empreintes et les éventuels résidus de salive sur le combiné téléphonique originaire de l'appel. Avec un peu de chance, personne n'aurait utilisé la cabine entre-temps...

Le Touquet... La tanière de Torpinelli Junior, le point chaud de son commerce sulfureux. Quelqu'un avait eu peur de Manchini, alors on l'avait écarté du circuit, presque proprement. Quel genre d'appel avait pu contraindre le jeune homme à sortir en pleine nuit pour se rendre précipitamment à la villa de ses parents ? Quelle raison puissante avait poussé au crime et, surtout, quel rapport avec l'Homme sans visage ? J'avais la sombre certitude que les affaires fusionnaient, sans en avoir les preuves ni les explications. D'un côté, des meurtres sauvages, abominables ; de l'autre, un assassinat camouflé en accident. Un terrible secret se dissimulait derrière cette toile opaque et je n'avais pas encore déniché le moyen d'en percer la trame...

Le coup fil qui me délivra, provint de l'un des ingénieurs du SEFTI, Alain Bloomberg. « Commissaire ! Venez vite ! On a eu de la chance, l'appareil de reconstitution de disque dur a réussi à capturer l'adresse de boot du système d'exploitation !

— Parlez français !

— La porte d'entrée aux fichiers, si vous voulez ! Certaines données sont définitivement corrompues, mais... Nous avons récupéré le plus intéressant... Sainte Marie... Vous n'allez pas en croire vos yeux... »

* * *

Le disque dur était relié à un PC par une nappe de fils grise. L'ingénieur Bloomberg avait branché un rétroprojecteur. « Voilà le topo, commissaire. Nous avons mis la main sur deux fichiers vidéo compressés en technologie MPEG. Un format qui réduit considérablement leur taille, afin de les stocker plus facilement ou de les faire circuler plus rapidement via Internet.

— Et que montrent ces fichiers ?

— Regardez... »

Il appuya sur la combinaison ALT + F8 de son clavier et un logiciel de lecture vidéo apparut sur l'écran. Puis il enclencha le bouton *marche*.

La silhouette charnue de Manchini se découpait dans le champ de l'objectif. La caméra tenait probablement fixée sur un trépied, car filmant en hauteur sans aucun tremblement. Derrière, une femme inconsciente sur un lit. Son visage, tourné vers la caméra, me permit d'identifier sur-le-champ Julie Violaine, l'enseignante. L'apprenti acteur s'approcha d'elle, sortit d'un sac au pied du lit, des liens, un bâillon, des pinces crocodile ainsi qu'un bandeau pour les yeux. Et il entama son méticuleux ouvrage de cordes...

L'ingénieur diffusa la majeure partie du film en accéléré, mais, d'après l'indication temporelle au bas du logiciel, la scène de ligotage avait duré une bonne heure. La suivante, pendant laquelle il s'était filmé en train de la torturer et de se masturber, s'étalait sur une durée de temps équivalente. Bloomberg appuya sur *stop*. « Même chose sur la deuxième vidéo, sauf qu'il a coupé les scènes où on le voit à l'écran, rendant ainsi le film totalement anonyme. Ce Manchini était un sacré pervers ! »

Des papillons noirs volaient dans ma tête. À quoi cette foire à la décadence pouvait-elle bien rimer ? Une image me revint à l'esprit. Celle du DVD chez Fripette. Cette jaquette de *Viol pour quatre*, où une fille, d'après le résumé de l'histoire, se faisait violer dans des conditions réelles. Une œuvre signée Torpinelli... Je demandai à l'ingénieur : « Vous pensez que ce genre de vidéos circule sur Internet ? Des types en train de violer des femmes pour de vrai, ou, comme dans le cas de Manchini, une agression grandeur nature ?

— Ma foi, nous sommes déjà tombés sur ces films et nous les stockons sur CD ROM, conservés dans nos armoires, avec des CD de MP3 piratés, des adresses de sites illégaux et des fichiers dangereux qui polluent Internet. Vous connaissez les *snuff movies* ?

— J'en ai déjà entendu parler... des vidéos de meurtres filmés ?

— En effet. Ces dernières années, des cassettes ont été retrouvées par le FBI, dans les milieux glauques comme des marchés sados nocturnes, où les enregistrements pirates circulent de main en main. Le phénomène s'est propagé aussi en Afrique et dans une bonne partie des pays occidentaux... On découvre sur ces vidéos des hommes masqués en train de violer puis tuer des femmes, à coups de couteau... Les scènes de *snuff* restent extrêmement courtes, concentrées dans quelques minutes de visionnage uniquement. On pense que ce sont des comédiens qui jouent et, même si les scènes de violence sont bien réelles, le meurtre, lui, ne l'est pas. Avec le développement de la technologie, le flux vidéo a été réorienté sur Internet. Jusqu'à présent, la véracité de ces images a toujours pu être démentie, même si les techniques se perfectionnent et rendent les analyses délicates. Concernant les viols, idem... Des sites pirates proposent ce genre de fantasmes, mais pas à n'importe quel prix... Des gens paient des fortunes pour mater ces saloperies.

— Et vous ne pensez pas que Manchini voulait en arriver là ? Diffuser sa vidéo par pur plaisir ? Par provocation ? Pour satisfaire d'autres tarés comme lui ? Peut-être s'échangeaient-ils ce genre de films ?

— C'est bien possible. Internet est une pépinière d'emmerdements et nous donne vraiment du fil à retordre ; pour les initiés, c'est un endroit ouvert à tous types d'abus, même les plus inimaginables. La dernière mode ? La vente de bébés... Des mères avides de gain se font mettre enceinte et fourguent leur enfant à des couples stériles par l'intermédiaire d'enchères... Le tout de façon illégale, bien entendu.

— Hum... Cela ne nous donne toujours pas la raison du probable assassinat de Manchini... Bon, reprenons depuis le début. Manchini agresse ce professeur, filme la scène et se confectionne un petit montage vidéo. D'une manière ou d'une autre, quelqu'un en est informé. Soit Manchini lui a envoyé la vidéo de ses exploits. Soit il lui a parlé de son projet et lorsque l'assassin s'aperçoit que Manchini est passé effectivement à l'acte, il prend peur pour une raison que, malheureusement, nous ignorons encore. Il s'arrange alors pour se débarrasser de lui, maquillant l'assassinat en accident, revient chez Manchini en pleine nuit et efface le contenu de son ordinateur.

— Ce quelqu'un pourrait-il être le tueur que nous recherchons ?

— Non. Notre tueur aurait, d'une part, formaté le disque dur et, d'autre part, je crois qu'il s'y serait pris autrement pour éliminer Manchini, avec sa méthode bien à lui. » Je me levai de ma chaise. « Des points essentiels m'échappent encore...

— Lesquels ?

— Quelle sombre relation se tisse entre Manchini et le tueur ? Comment Manchini a-t-il pu imiter la technique de l'assassin concernant la façon de ligoter et de bâillonner sa victime ?

— Et s'il n'y avait aucune relation ?

— Il y en a forcément une !

— Pourquoi ?

— Parce que je le sens... »

Mon regard s'attarda sur l'écran perlé déployé sur le mur du fond. Je réfléchis à haute voix : « Et si Manchini était tombé sur un véritable *snuff movie* ?

— Comment ça ?

— Celui de l'assassin en train de torturer puis d'éliminer ses victimes ? Quand j'ai découvert Marival dans l'abattoir, une caméra filmait la scène. D'après Élisabeth Williams, il conserve ainsi un souvenir impérissable de ses victimes, pour prolonger l'acte de torture et s'emparer à jamais de leur conscience. Mais si son but se résumait à celui de réaliser un *snuff* ? »

Bloomberg enroula le câble du rétroprojecteur avant de me lancer : « Si c'est vraiment le cas, alors il y a en ce moment des personnes tranquillement installées dans leur fauteuil, en Australie ou au fin fond de l'Amérique, qui se branlent devant la mort de ces pauvres femmes... »

Je sortais à peine des locaux du SEFTI que Leclerc me convoquait dans son bureau. Sans connaître la raison officielle de notre tête-à-tête, j'avais tout de même une bonne idée de ce qui allait se produire...

« Assieds-toi, Shark. » Je m'exécutai alors qu'il agitait son stylo entre ses doigts, comme une vieille habitude dont il était incapable de se débarrasser. Il poursuivit avec toute la délicatesse du monde. « Tu vas prendre quinze jours de congé. Ça te fera le plus grand bien. Tu es allé trop loin cette fois... Tu empiètes sur le territoire des gendarmes, tu casses la gueule à tous ceux qui te tombent sous la main. Le type d'un bar SM a porté plainte contre toi. Il paraît que tu lui as démoli le portrait.

— Cet enfoiré vou...

— Laisse-moi terminer ! Écoute, je sais que le tueur tient ta femme, j'ai écouté l'enregistrement... Je... j'en suis désolé... Tu ne peux pas continuer comme ça, cette histoire te touche de trop près.

— Mais...

— Le commissaire général Lallain va reprendre le dossier, le temps de débroussailler ce merdier monumental. Tu n'as plus les idées très claires en ce moment, ça ne peut que porter préjudice à l'équipe tout entière. Tu risques de faire des conneries. Prends le large, retourne à Lille dans ta famille !

— Ne me déchargez pas de l'affaire ! »

Son stylo partit en vrille à travers la pièce. « Je fais ce qu'il y a de mieux pour nous tous ! Nous piétinons et j'ai même l'impression que, parfois, nous régressons. Il faut que tu me remettes ton insigne et ton arme.

— Il est trop tard... » lui envoyai-je dans l'intonation du désespoir. « Je ne peux plus repartir en arrière ! Vous ne comprenez pas que c'est moi que le tueur cherche ? Comment voulez-vous que je laisse tomber ? Ne me démettez pas de l'enquête ! Pas comme ça ! Ma femme m'attend, enfermée quelque part... Je... C'est moi... C'est moi qui dois la retrouver ! Personne... ne peut faire ça à ma place ! Je... sens des choses... C'est mon affaire... Je vous en prie ! »

Leclerc se plaqua au fond de son siège. « Ne rends pas mon rôle plus difficile qu'il ne l'est déjà. Ton arme, ta carte... »

Je posai le Glock sur son bureau.

« Ta carte », ajouta-t-il.

« Elle est chez moi... Je l'ai oubliée... »

Je sortis sans répondre, peu fier de ce que j'étais devenu. On m'avait dérobé une partie de moi-même, un peu comme à une mère à qui l'on arracherait son nouveau-né des bras dans le moment merveilleux de la naissance.

Chapitre treize

Élisabeth Williams me rendit visite au moment où j'enfournais quelques costumes dans une valise. Elle s'assit sur le rebord gauche du lit, là où Suzanne avait l'habitude de dormir.

« Que voulez-vous, Élisabeth ? » lui demandai-je sans lui adresser l'ombre d'un regard. « Je suppose que vous savez et outrepassez les lois en venant ici.

— Officiellement, je n'ai plus l'autorisation de vous donner des informations sur le sujet. Mais rien ne m'empêche de venir vous voir en dehors des heures de travail. Pourquoi ont-ils fait ça ?

— Ils ont l'impression que l'on n'avance pas, c'est compréhensible... Selon eux, il n'y a aucun lien entre le meurtre de Manchini et les cadavres semés par l'Homme sans visage.

— Ils attendent juste des preuves.

— Que je suis incapable de leur apporter, il faut l'avouer. »

Je forçai sur les sangles de ma vieille valise de cuir pour pouvoir la fermer.

« Où allez-vous ?

— Quelque part, loin d'ici... »

Elle désigna mon réseau ferroviaire. « Encore l'une

des facettes cachées de votre personnage, ce train miniature ? Je ne vous savais pas avec une âme d'enfant.

— Vous ne connaissez rien de moi. Cette loco, c'est la seule chose qui m'apporte encore du réconfort. Je me sens mieux avec elle qu'avec la plupart des humains. »

Elle se leva avec la raideur d'une barre à mine et me vida un chargeur de mépris sur le visage. « Je ne peux pas croire que vous abandonniez comme ça, Shark !

— Que voulez-vous que je fasse ? Que je brûle tout sur mon passage, que je dise à mes supérieurs d'aller se brosser ? Ce n'est pas de cette façon que les choses fonctionnent, madame Williams.

— Vous ne m'appelez plus Élisabeth ? Vous m'écartez de votre horizon comme vous le faites avec tous ceux qui vous entourent ? Vous croyez que je suis comme eux ?

— Je n'en sais rien... Laissez-moi tranquille à présent...

— *La fille ne naîtra pas, parce que je l'ai retrou-vée. L'étincelle ne volera pas et je nous sauverai, tous. Je corrigerai leurs fautes...* »

Mes vertèbres se hérissèrent comme les poils drus d'un chat en rage.

« Pourquoi me dites-vous ça ? À quoi jouez-vous !

— Votre femme était-elle enceinte au moment de son enlèvement ? »

Attaque acide au fond de ma gorge. Éruption de rage. « Mais qu'est-ce que vous me racontez ? Sortez Élisabeth ! Fichez le camp d'ici !

— Répondez, Franck. Essayiez-vous d'avoir un enfant ? »

Je me calai dans l'un des angles de la chambre, me

laissant choir, une flèche de détresse en plein cœur. « Depuis plus d'un an, nous voulions avoir un enfant. Suzanne frôle la quarantaine et il était plus que temps... Nous avons essayé, mois après mois, sans succès. On nous a infligé une batterie d'examens qui n'ont rien révélé d'anormal. Nous présentions toutes les dispositions nécessaires pour que ça marche... Mais ça n'a jamais marché.

— Votre femme a été enlevée le trois avril. Si elle avait été prise, à quelle date cela se serait-il produit ? »

Je saisis avec difficulté le sens de sa question.

Elle se reprit : « À quelle date devait-elle ovuler ?

— Dites-moi ce que vous avez découvert !

— Donnez-moi la date probable de son ovulation. Je suppose que vous la connaissiez, étant donné que vous essayiez depuis des mois. »

Je réfléchis longuement, le regard posé sur Poupette.

« Je... Je ne m'en souviens plus... ça fait plus de six mois !

— Faites un effort !

— Je... Oui ! C'était le jour du printemps ! Le vingt et un mars.

— Mon Dieu ! Ça pourrait bien correspondre !

— Dites-moi !

— Vous vous souvenez de sœur Clémence, torturée par l'inquisiteur d'Avignon, le père Michaélis ?

— Bien sûr... La sculpture de Juan de Juni... La punition infligée par l'assassin à Prieur pour ses péchés passés...

— Exactement ! La solution s'étalait sous mes yeux, mais je n'ai rien vu ! Tous les écrits concernant le père Michaélis ont été démentis par l'Église et la Très Sainte Inquisition, aucune preuve n'ayant pu être fournie à l'encontre du Père de son vivant. Son autobiographie, découverte au début du XIVᵉ siècle, dupliquée par des moines copistes et des scribes, a été utilisée par les tribunaux royaux pour souligner les abus de l'Inquisition. Écoutez les différents passages de son récit. *"Par une seule femme, Ève, le péché est entré dans le monde et par ce péché, le vice s'est étendu entre toutes les femmes..."* *"Les âmes choisies, particulièrement perverses, payent la rançon de leurs propres erreurs. Je les purifie de toute souillure de la chair et de l'esprit, je les aide à grandir spirituellement au moment où elles rejoignent Dieu. Par leurs souffrances, elles lavent un peu plus à chaque fois le péché originel."* Et voici celui qui m'a mis la puce à l'oreille, mot pour mot ce que vous a dit l'assassin. *"La fille ne naîtra pas, parce que je l'ai retrouvée. L'étincelle ne volera pas et je nous sauverai, tous. Je corrigerai leurs fautes..."* »

Je me pris la tête dans les mains, recroquevillé dans mon coin comme sous l'emprise de puissantes drogues.

« Seigneur... Qu'a-t-il voulu dire ?

— Le père Michaélis a torturé et mené au bûcher un nombre incalculable de femmes au nom de l'hérésie et de l'Inquisition. Des actions toujours justifiées, les soupçons émis par l'Inquisiteur n'étant jamais remis en cause. Ses fidèles le surnommaient l'Ange rouge.

— L'Ange rouge ?

— Oui. Un messager qui appliquait la parole de Dieu par la voie du sang...

— Seigneur ! » Les palpitations de mon cœur remontaient jusqu'à ma tempe. « Et cette phrase, *la fille ne naîtra pas*, que signifie-t-elle ?

— L'Ange rouge raconte avoir été éclairé par Dieu sur la naissance d'un enfant qui serait possédé par six cent soixante-six démons. Une fille chargée de propager le péché originel, de répandre le mal sur Terre. La naissance de l'enfant était prévue pour le vingt-cinq décembre...

— Le jour de Noël ?

— Le jour de la naissance du Christ. Il a décrit la femme, la mère de cette enfant diabolique, au travers des pages de son autobiographie. Beaucoup de choses coïncident avec votre épouse...

— Donnez-moi ces pages !

— Je... Je ne les ai pas... Le livre est une copie ancienne... On ne peut pas le sortir de la bibliothèque.

— Faites-moi voir votre sacoche !

— Je...

— Je vous en prie... Je veux lire... »

Elle me tendit des photocopies, la bouche serrée. J'en décortiquai les mots à voix haute. « ... *J'ai coupé ses longs cheveux blonds auxquels elle tenait beaucoup. Ses yeux azur reflétaient l'étrange lueur de celles qui commercent avec le Diable. Pour la faire avouer, j'ai enfermé Suzanne un moment, un bon moment, dans un caveau où pourrissaient des corps d'animaux en décomposition. Elle a fini par parler. Le sacrifice de l'enfant après sa naissance sera une immense victoire sur le Mal.* »

Je lus la suite comme si je lisais mon propre acte de décès. J'étais mort intérieurement. Je n'éprouvais que des sentiments de colère, d'impuissance, de douleur morale extrême. Le monde s'écroulait autour de moi...

Un enfant... Suzanne allait donner naissance à un enfant... Notre bébé tant attendu. Des étoiles, des sphères argentées se mirent à papilloter dans ma tête. Le volcan de mes pensées explosa... Passage à vide, sorte d'évanouissement conscient...

Cet enfant, je voulais l'accompagner, j'aurais donné

343

corps et âme pour coller mon oreille sur les courbes douces du ventre de sa mère, pour poser une main légère et sentir le tout premier coup de pied. Ces moments-là m'avaient été volés, pour toujours, pour l'éternité...

« Comment... cela... s'est-il terminé ? » soufflai-je, terrassé par un chagrin sans nom.

Élisabeth arpenta nerveusement la chambre. « L'enfant voulait sortir avant le vingt-cinq décembre... Le père Michaélis a tout fait pour retarder l'accouchement, persuadé que sa victoire sur le Malin serait un échec s'il ne tuait pas l'enfant le jour de Noël. Il... Je ne peux pas vous dire... Elles sont mortes toutes les deux, c'est tout !

— Que... que lui a-t-il fait ?

— C'est écrit dans ces pages.

— Dites-moi !!! » hurlai-je.

« Il lui a cousu les lèvres génitales... »

Les photocopies que je lâchai virevoltèrent un instant avant de se poser avec une délicatesse outrageante sur le sol. Ma voix se cassa : « Mais... Pourquoi s'en est-il pris à ma femme ? Pourquoi Suzanne ?

— Pour la ressemblance, le prénom, le fait qu'elle était enceinte à ce moment-là... Des raisons que l'on ne pourra peut-être jamais expliquer...

— Mais... Comment aurait-il pu le savoir ? Je... J'ignorais moi-même que nous attendions un enfant ! Il... L'Homme sans visage... Il... a deviné... »

Élisabeth porta une main à la bouche, tourna dans la pièce, leva Poupette, la manipula pour fuir mon regard et la reposa sur ses rails. « Il doit forcément y avoir une explication logique !

— Je... Qui est-il ? Qui est-il ? Il... est trop fort... Que... quels autres terribles secrets révèle encore ce livre ? Où... Où la retenait-il ?

344

— Les lieux ne peuvent pas coïncider avec ceux de notre époque, j'ai déjà vérifié. Nous savons maintenant ce qui le pousse à agir. Il se calque sur l'itinéraire sanglant de l'Ange rouge. Le père Michaélis a encore tué beaucoup, beaucoup d'innocents avant d'être découvert et de se donner la mort dans un monastère. Il avait confié ses écrits à des fidèles avant de mourir... Notre tueur ne s'arrêtera pas de lui-même. Vous devez vous mettre au travers de son chemin, Franck !

— Comment se mettre au travers du chemin d'un fantôme ?

— Raccrochez-vous à ce qu'il a fait, je vous l'ai déjà dit ! Ces meurtres sont bien réels. S'il veut que l'enfant sorte à terme, il traitera votre épouse correctement. Vu les produits qu'il a utilisés sur la fille de l'abattoir, ou la kétamine qu'il vous a administrée, il doit s'y connaître en médication. Il fera au mieux pour que l'accouchement se passe bien...

— Pour qu'il puisse tuer le bébé en toute tranquillité ensuite ?

— Il nous reste deux bons mois, Franck. Une soixantaine de jours pour mettre la main dessus...

— Quelle est la chronologie des meurtres du Père ? Que représente la fille de l'abattoir dans son itinéraire de sang ?

— Le père Michaélis avait enlevé puis torturé des jours durant Madeleine Demandolx, qu'il tenait enfermée dans l'un des donjons du couvent. Le tout, sous le secret le plus strict et avec l'aide de quelques fidèles. Accusée, elle aussi, de commerce avec le Malin, simplement parce qu'elle entretenait des relations avec des hommes différents...

— Comme Marival avec son site Internet... Ces correspondances qu'elle nourrissait avec tous ces rebuts... De quelle façon Madeleine Demandolx est-elle morte ?

— Sous le coup des supplices endurés... L'assassin prend modèle sur l'Ange rouge en ajoutant sa touche personnelle avec des tortures plus longues. Quant aux victimes, leurs péchés sont plus graves ; vie adonnée au vice pour Gad ; mutilations sur des cadavres, pour Prieur ; amoralité et maltraitance d'animaux dévoilées aux yeux du monde, pour Marival... Sans oublier votre voisine, qu'il considérait peut-être comme une sorcière, avec son don de voyance ou de prédiction... Il les a toutes punies parce que au travers de leurs actes, elles n'avaient pas la crainte de Dieu ! Elles outrepassaient les droits des mortels fixés par le Seigneur ! »

Élisabeth sortit de sa sacoche un restant de photocopies qu'elle posa sur le lit.

« Voici l'autobiographie dans sa totalité. Presque deux cents pages de monstruosités... Tout y est clairement expliqué... »

Elle s'installa à mes côtés. « Il a encore commis un meurtre entre la mort de Madeleine Demandolx et celle de Suzanne Gauffridy, la mère censée engendrer l'enfant aux six cent soixante-six démons.

— Décrivez-le-moi.

— Une femme qui avait avoué au confessionnal ses penchants homosexuels... » elle toussota nerveusement. « Il... lui a brûlé les organes génitaux et les seins... Vous savez, il a été montré que le père Michaélis a rédigé ses écrits sous l'emprise de la folie. Aucun autre ouvrage de l'époque ne retrace ces meurtres et tout porte effectivement à penser que cette autobiographie n'est qu'un ramassis de mensonges. Voilà pourquoi elle n'est mentionnée nulle part, sinon, le père Michaélis aurait été considéré comme le plus grand meurtrier en série de tous les temps...

— Je vais renforcer la sécurité chez vous. Possible que vous soyez en danger.

— Ce n'est pas la peine.

— J'insiste... » Je pensai à la vidéo visualisée dans la matinée au SETFI. L'idée que le tueur filmait pour réaliser des *snuff movies* m'avait semblé cohérente, rationalisant un tant soit peu le monde d'horreur dans lequel il évoluait. Mais, avec les dires d'Élisabeth, je me rendais compte à quel point je m'étais trompé.

L'Homme sans visage, l'Ange rouge, n'avait rien d'humain. Une question me taraudait. « Six cent soixante-six, cela représente bien le chiffre du Démon ?

— De la Bête, de Lucifer. Cinq démons puissants plus Lucifer donnent le premier six. Ensuite, les six jours de terribles souffrances du châtiment. Enfin, les six seront punis, Lucifer et ses hordes d'ogres, pour leurs atrocités sur les hommes. Cela donne six cent soixante-six.

— À quelle date exacte devait naître cette enfant ? Cette fille aux six cent soixante-six démons ?

— Le 25 décembre 1336.

— Il y a... six cent soixante-six années... »

Élisabeth remua les lèvres, comme pour construire une parade, mais les mots se bloquèrent sur le bout de sa langue. Le calme qui, jusqu'à présent, l'avait soutenue, l'abandonna ; ses longues mains tremblèrent lorsqu'elle les posa en croix sur sa poitrine. Je murmurai : « Nous poursuivons quelque chose, Élisabeth, quelque chose de pas humain et Doudou Camélia le savait...

— Il... Il y a un détail que j'ai omis de vous signaler, Franck...

— Allez-y...

— Je... Je ne peux pas y croire...

— Dites-moi ! »

Le chuintement soudain d'un jet de vapeur faillit stopper définitivement les battements de mon cœur.

Élisabeth se plaqua par réflexe contre un mur, terrorisée. Poupette bouillonnait, vibrait, parée à affronter le rail. Je me précipitai sur elle et baissai une manette. « Vous... vous avez certainement déclenché la mise en pression en la manipulant. Je... la pensais en panne... Dites-moi, maintenant ! »

Elle se décolla du mur, prudemment. « Avant de mourir, le père Michaélis rajoute une dernière phrase, qui clôt son autobiographie : *Je reviendrai sauver le monde... quand le Mal descendra à nouveau sur Terre...*

— Six cent soixante-six années après la naissance prévue de cette enfant... Seigneur ! »

Le grand verre de vodka qu'Élisabeth but sec sembla lui donner un coup de fouet. Je l'accompagnai avec un verre de Four Roses dont je n'appréciai même pas la saveur. J'étais prêt, une nouvelle fois, à me laisser emporter par les flots ténébreux de l'alcool, mais une petite voix m'enjoignit de continuer à me battre pour Suzanne et le bébé.

« Je dois me raccrocher à quelque chose ou je vais péter les plombs », confiai-je à Élisabeth. « Diable ou pas, j'irai au bout... J'ai une petite piste... Le gars qui a agressé Julie Violaine, ce Manchini, a été assassiné pour éviter qu'il dévoile quelque chose de primordial. Il s'était filmé en train de l'agresser.

— Vous rigolez ?

— Ai-je l'air de plaisanter ? Je pense qu'à un moment donné, le grain de sable nommé Manchini s'est introduit dans la mécanique parfaitement éprouvée d'une terrible machine assassine... Alors, on l'a fait disparaître discrètement en simulant un accident. En marge de notre... Ange rouge, bien entendu... Son ou ses assassins ne devaient pas se douter qu'on le retrouverait si vite et donc, dater l'heure du décès avec précision, pour en déduire qu'il ne s'agissait pas d'un accident. Je ne vois encore aucun lien avec notre affaire, mais ce lien existe, j'en suis persuadé.

— Une idée sur les auteurs du meurtre ?

— Manchini s'est déplacé précipitamment en pleine nuit, je suppose donc qu'il connaissait fort bien celui qui l'a appelé. Son portable a été subtilisé, les données de son ordinateur effacées... Je pars pour le Touquet. Je vais aller rendre une petite visite à Torpinelli père et fils.

— Ces gens-là ? Risqué, non ?

— Je veux comprendre, Élisabeth, vous saisissez ? Je... Je ne veux pas mourir sans savoir... »

Elle posa son verre vide à l'envers sur la table, comme les Russes, annonçant d'une voix réchauffée par l'alcool : « Je serai vos yeux et vos oreilles sur l'affaire. Tous les dossiers remontent jusqu'à moi. Je vous tiendrai au courant.

— Vous risquez votre place, vous le savez ?

— Vous êtes le seul qui ayez vraiment cru en moi... Et je ne peux plus vous laisser tomber, désormais... Nous le combattrons à deux... Qui que ce soit... »

* * *

Au moment où je m'apprêtais à embarquer pour le Touquet, mon téléphone sonna.

« Commissaire... Sharko ? » Voix fébrile et hésitante à l'autre bout.

« Lui-même.

— Je suis la voisine d'Alfredo Manchini. Vous vous souvenez ? La fille avec... la gastro-entérite...

— Bien sûr. Je vous avais laissé ma carte.

349

— J'ai... longtemps hésité avant d'appeler... » Sanglots. « J'ai appris... qu'il avait eu... un accident... Mais je n'y crois pas vraiment...

— Pour quelle raison ?

— Passez... Je vous expliquerai... »

Son état ne s'était guère amélioré. En forme, ce devait être une belle fille, mais, pour le moment, ses yeux éraillés d'éclairs de sang et son teint cireux lui donnaient l'air d'une zombie version mauvais film des années soixante.

Elle garda ses distances. « Restez loin de moi si vous...

— Ne vous inquiétez pas. Les microbes ont plus peur de ma présence que moi, de la leur ! Racontez-moi. »

La chambre ressemblait étrangement à celle de Manchini. À croire que le bâtiment dans sa totalité servait de refuge à la populace riche du Tout-Paris. Elle s'humecta le bout de la langue dans un verre où dansait une aspirine, grimaça et avala le tout.

« Alfredo m'a confié une clé, il y a trois jours, me demandant de la garder avec moi et de la donner à la police s'il lui arrivait quelque chose. Mais... »

Elle me tendit la petite clé.

« Vous avez une idée de ce qu'elle ouvre ?

— Il m'a parlé d'un coffre dissimulé dans un bureau de la villa de ses parents... Ce sont des CD ROM... importants...

— Vous savez ce qu'ils contiennent ?

— Non. »

Je serrai les poings. « Vous auriez dû nous en parler la première fois !

— Il voulait que je la donne uniquement s'il lui arrivait un malheur ! Il avait confiance en moi ! »

Elle se mit de nouveau à pleurer. Je m'enquis doucement : « Vous m'avez dit au téléphone, tout à l'heure, que vous ne croyiez pas à l'accident...

— En effet... L'histoire de la clé, déjà... Puis les bruits, cette nuit-là... Alfredo n'était plus le même, ces derniers temps. On aurait dit que quelque chose le tracassait, qu'il avait peur...

— De quoi, à votre avis ?

— Difficile à dire. Nous dînions assez souvent ensemble et je l'ai senti distant, plus silencieux. Il ne mangeait plus beaucoup, ne sortait plus non plus...

— Vous étiez proches ? »

Elle hésita une fraction de seconde. « Amis, uniquement.

— Vous n'étiez pas attirée par lui, ni lui par vous ? »

Nouvelle hésitation, plus franche. « Alfredo n'était pas mon genre de mec...

— Et vous n'étiez pas son genre de fille ?

— Exactement. »

Je m'approchai d'elle et lui pris la main. « Vous me dites la vérité, maintenant ? Alfredo est mort et, tout comme vous, j'ai la conviction qu'il a été assassiné. Si nous voulons punir les auteurs du crime, vous devez tout me raconter. »

Elle se laissa choir dans un fauteuil à oreillettes, la tête rejetée vers l'arrière. « D'accord. J'étais accro à Alfredo. Un beau gosse, Rital et balèze, par-dessus tout. Mais... Il a toujours refusé... Je ne sais pas pourquoi... »

Ses yeux se noyèrent dans les brumes. Je pensai au film de Manchini, à ces scènes sordides de l'agression de Violaine. Je lui tendis un mouchoir de papier avec lequel elle essuya son front ruisselant de sueur et de maladie.

Je l'interrogeai : « Alfredo était-il fortiche en informatique ?

— Vous plaisantez ? C'était un dieu ! Capable de pirater n'importe quel serveur en moins d'une heure. Il tuait son temps à hacker des sites pornos, récupérer des listes de mots de passe et les mettre à disposition gratuitement sur des forums...

— Vous avez fait ce qu'il fallait, avec la clé. Vous savez, je crois que Manchini refusait de coucher avec vous parce qu'il voulait vous protéger de lui-même, de ce qu'il était réellement.

— Vous savez des choses que j'ignore ? Dites-moi ce que vous avez découvert ! »

Je me levai et pris la direction de la porte. « Manchini était malade, à deux doigts de sombrer dans la folie meurtrière. Il aurait pu faire du mal à énormément de personnes, vous y compris... »

Deux plantons tuaient le temps aux abords de la villa de Manchini en grillant une cigarette, dos collés contre la tôle d'un véhicule de fonction.

« Commissaire ! Qu'est-ce que vous faites là ? Vous savez que vous n'avez...

— Que je n'ai pas quoi ?

— C'est... c'est le divisionnaire... Il nous a interdit de...

— Je dois juste vérifier quelque chose... De très, très important... cela ne prendra que quelques minutes. »

Le planton adressa un regard perdu à son collègue qui fit mine de ne rien entendre. « Vous... Vous êtes sûr que vous n'allez pas nous mettre dans l'embarras commissaire ? Uniquement quelques minutes ?

— Oui. J'entre et je ressors, comme le vent ! »

Je pénétrai et montai directement à l'étage.

Après avoir jeté un rapide coup d'œil dans les différentes chambres, je découvris un vaste bureau d'affaires. La pièce restait sombre malgré la fenêtre par laquelle brillait le soleil timide d'automne. Pas de trace de coffre. Je me dirigeai vers la massive bibliothèque plaquée contre un mur, face au bureau. Livres d'économie, de marketing, d'informatique, probablement jamais ouverts, parfaitement alignés et rangés alphabétiquement par thèmes.

Le meuble en chêne était bien trop imposant pour espérer le déplacer et, même en glissant un regard entre la bibliothèque et le mur, je ne décelai aucun relief laissant présager la présence d'un coffre. Passant une main sur le contour du meuble, puis entre les étagères, je sentis, sous le panneau qui soutenait la deuxième rangée de livres, un petit interrupteur sur lequel je m'empressai d'appuyer.

Bruit de piston, un système mécanique éventra l'étagère en deux. Le pan gauche se désolidarisa du pan droit et le coffre, un AL-KO AMC, apparut, encastré dans une partie du mur dissimulée par la bibliothèque.

Je n'eus pas besoin d'utiliser la clé. Quelqu'un était passé ici avant moi. La serrure avait été percée et la porte s'entrebâillait légèrement.

Bien entendu, l'intérieur du coffre était vide.

Une bourrasque de rage me fit serrer les deux poings. Mes prédécesseurs n'avaient pas fait le travail à moitié. Plus aucune trace de poussière d'acier laissée par le perçage, que ce fût sur les livres, le sol ou le mur...

La chance de me rapprocher de la vérité venait de me passer sous le nez. Mais, à présent, je savais que je ne me déplacerais pas pour rien au Touquet...

Chapitre quatorze

Alphonso Torpinelli Junior. Un serpent échappé des Enfers, une bête maléfique, curieuse et affamée, qui écrasait à coups de sabots les microbes qui osaient se dresser devant lui. Un homme puissant, très puissant ; un esprit malin qui brassait des milliards d'euros sur le marché le plus prolifique de tous les temps, le sexe.

Il avait su évincer du circuit son vieux père, un homme plutôt respectable. Le patriarche, atteint d'une tumeur au cerveau, avait été opéré une première fois avec succès ; mais le gliome s'était redéveloppé et sa position beaucoup trop risquée en interdisait l'ablation. Les spécialistes lui laissaient au maximum quatre mois à vivre.

On soupçonnait Alphonso Torpinelli de toutes les corruptions possibles et imaginables. Traite des Blanches, réseaux de prostituées dans les pays de l'Est, pédophilie et tout ce que le vice pouvait engendrer en ce bas-monde. Mais les malheureux qui avaient tenté l'expérience de fourrer le nez dans ses affaires, devaient, à l'heure actuelle, avoir nourri une bonne cinquantaine de grands requins blancs de l'océan Pacifique.

Sur l'esplanade du Touquet, la lune déjà bien en place jouait avec les vagues, les faisant scintiller au moment où elles se brisaient sur la plage déserte. Plus proche de Stella-Plage, au bout d'une jetée où s'accrochaient des paquets de moules, je devinai le bruissement d'ailes des dernières mouettes occupées à récolter les têtes coupées des maquereaux, laissées à l'abandon par les pêcheurs sur le gros dos de la mer. Un petit vent de terre soulevait des tourbillons de sable, déposant les grains sur les cabines fermées des vacanciers avant de les emmener à nouveau vers le large.

Dans la chambre de l'hôtel, je lus, page après page, horreur après horreur, l'ouvrage photocopié du père Michaélis et la grande main crochue de l'amertume s'abattit sur mes épaules comme une vague géante. Je priai Dieu pour que ce récit ne fût que le fruit de son imagination, mais je ne pus m'empêcher de penser que ce sanglant itinéraire avait sans doute réellement existé et que... l'Ange rouge était peut-être de retour...

Je priai pour ces victimes que je ne connaissais pas, je priai pour celles qui avaient croisé le chemin de l'Homme sans visage, je priai pour ma femme et mon futur bébé. Si un génie avait pu jaillir d'une lampe que j'aurais frottée un peu trop fort pour exaucer un seul de mes souhaits, je lui aurais demandé de nous emmener tous trois loin d'ici, de nous déposer sur une île déserte où il n'y aurait ni téléphone, ni radio. Juste nous trois, loin de l'haleine fétide de ce monde, loin de ces routes de sang et de ces visages horribles à regarder...

J'essayai à nouveau de tresser les brins de corde, de rapprocher les morceaux pour constituer un assemblage solide, mais je n'y arrivai pas. Manchini, l'Ange rouge, BDSM4Y... Liés par le vice, évoluant dans l'univers secret de ce qu'il ne faut pas voir, de ce qu'il vaut mieux ignorer si l'on veut vieillir en paix.

Je songeai à la découverte d'Élisabeth, à la façon dont son enquête littéraire l'avait conduite dans les bras du père Michaélis. Cherchant un parallèle avec les indices. Le cadre du phare accroché au mur. La photo du fermier, puis la lettre qui nous avaient orientés vers la piste religieuse. La scène du crime, cette expression du visage de Martine Prieur nous permettant de faire le rapprochement avec le buste sculpté par Juan de Juni. Nous en avions déduit un rapport entre les victimes, cette volonté de punir la douleur par la douleur. Le tueur m'avait ensuite dévoilé, au moyen de la pince à cheveux, qu'il détenait ma femme. Puis cette phrase, trop flagrante, où il reprenait mot pour mot les propos d'un Père meurtrier...

Il nous manipulait ; il traçait lui-même le fil de l'enquête, nous orientant dans les directions qu'il avait choisies pour nous. Nous étions entrés dans son plan diabolique sans même nous en rendre compte... Il jouait avec nos esprits et tendait les fils de nos âmes à sa guise... Il possédait d'évidents talents de psychologie, de machiavélisme...

Et si seulement il ne pouvait y avoir que cela ! Il avait deviné le don de Doudou Camélia, il avait su Suzanne enceinte ! À chaque fois, il me précédait d'un souffle, je n'évoluais que dans son sillage mortel, incapable de prendre les devants. Je poursuivais une ombre, une entité à la force de l'impossible...

De son côté, Manchini avait porté un terrible secret. Un secret qui avait poussé quelqu'un à commettre un crime de plus.

Cette nuit-là, je n'eus plus peur de mourir. Mais peur de ne jamais connaître la vérité...

Le gardien borgne de la somptueuse villa des Torpinelli me tomba dessus, sans même me laisser appuyer sur la sonnette de l'immense portail hérissé de pointes métalliques. Il affichait une cicatrice esthétiquement incurvée sur la joue gauche, dont une pointe venait mourir sur le bord de son cache-œil noir en cuir. Sa longue chevelure or serpentait jusqu'aux épaules, lui donnant l'air d'un lion déchu, un roi de la jungle qui aurait reçu un coup de patte meurtrier dans un combat à la régulière. Quand il se pencha à la fenêtre, je devinai qu'il n'avait jamais dû sourire de sa vie.

« Quelque chose me porte à penser que vous vous êtes égaré » me souffla-t-il avec une main sous le veston.

« Pas vraiment. Je suis venu voir monsieur Torpinelli, père de préférence, fils, sinon... »

Un autre gardien, talkie-walkie à la main, remontait l'allée dans notre direction. Le lion déchu me demanda, la main plaquée sur ma portière ouverte : « Vous avez rendez-vous ?

— Je suis venu tenir un brin de causette à propos du neveu, Alfredo Manchini. »

Il scruta ma plaque d'immatriculation. « Police ?

— Quel œil ! » Je collai ma carte que je n'avais pas rendue à Leclerc sur la tôle bleue du véhicule. « DCPJ de Paris. »

Il me fusilla de son demi-regard. Son acolyte continuait à marmonner dans son talkie-walkie. À eux deux, ils étaient plus larges de carrure que les équipiers alignés des Blacks. Deux rouleaux compresseurs, un blond platine et un Noir au crâne lisse comme l'ébène. La caméra de surveillance, accrochée sur l'un des battants du portail, tendit son œil de verre dans ma direction. Bruit de mécanique, ajustement des optiques. J'ajoutai : « Alfredo Manchini est mort et, vous savez, je dois faire mon boulot...

— Et ton boulot consiste à venir flirter avec la mort ? » me balança le grand Black. « Tu crois que tu vas entrer comme ça ?

— Je peux revenir avec du beau monde », répliquai-je en fixant la caméra. « Mais je préférerais que nous réglions ça tranquillement, entre nous. »

Le talkie-walkie du beau blond émit un chuintement qui le fit s'éloigner un instant.

Il revint, me dévoilant autant de dents que de touches d'un clavier de piano. « Laisse-le passer ! » dit-il en s'adressant à Crâne-d'Ébène. « Accompagne-le jusqu'à l'atrium... Le patron s'amuse. »

Ils procédèrent à la fouille réglementaire et me confisquèrent mon vieux Smith & Wesson que je gardais d'ordinaire sous le siège conducteur de ma voiture. « Tu récupéreras ton joujou en repartant », se gaussa Gueule-d'amour.

« Ne t'amoche pas l'autre œil avec », rétorquai-je en lui tendant mon feu par le canon. Il grogna un coup et reprit son poste.

La demeure apparut au détour d'un boqueteau de sapins, à presque trois cents mètres de la grille d'entrée. Le terrain était si vaste que l'on n'en voyait pas les limites et Dieu sait qu'elles existaient, gardées par une demi-douzaine de porte-flingues. À côté du palace que je découvrais ici, la villa du Plessis ressemblait à une boîte d'allumettes.

Crâne-d'Ébène me conduisit dans une pièce confinée, l'atrium, où je crus effectuer un saut dans le temps de plus de deux millénaires. Trois gladiateurs croisaient le fer au centre d'une piste circulaire de sable. Deux d'entre eux, un rétiaire armé d'un filet et d'un trident, et un hoplomaque, équipé d'un lourd bouclier rectangulaire et d'une épée longue, s'érigeaient contre le troisième, un secutor à l'allure plus vive et à l'équipement extrêmement léger.

Les armes de bois conçues pour le jeu sifflaient dans l'air comme des feux d'artifice. Le secutor esquiva le trident, se plia sur la gauche au ras du sol et envoya un monumental coup d'épée dans le flanc nu du rétiaire, qui gémit avant de s'effondrer, les deux bras en avant.

« Ça suffit ! » ordonna le secutor. Ses deux adversaires s'écartèrent en haletant, boitillant, et disparurent dans le vestiaire situé à l'arrière de l'atrium. Le secutor leva la visière de son casque et je reconnus le visage trempé de sueur de Torpinelli Junior. Il me désigna des présentoirs sur lesquels reposait une quantité effroyable d'armes et de protections en cuir de l'époque romaine.

« Choisissez », me proposa-t-il. « Il y en a pour tous les goûts et chaque tempérament doit y trouver son compte. Je vous attends. Battez-moi et nous parlerons. Sinon, il faudra revenir une autre fois, avec autre chose que votre pauvre carte de police... Et soyez plus combatif que ces deux idiots.

— Je ne suis pas venu ici pour jouer !

— Alors Victor va sagement vous raccompagner vers la sortie... »

Je me dirigeai vers les étals. « Vous n'avez rien d'autre à faire pour occuper vos journées ? Vous vous ennuyez à ce point ?

— Lorsqu'on a tout, il faut bien être inventif pour tuer les journées... »

Je mimai du doigt une cicatrice sur ma joue. « Je suppose que ce n'est pas le beau gosse de l'entrée qui dira le contraire... »

Il rabattit sa visière, me tourna le dos et fendit l'air de coups d'épée précis. J'ôtai ma cravate, ma veste et endossai le galerus par l'épaule. La pièce de cuir tomba le long de mon flanc gauche jusqu'à ma hanche. J'enfilai aussi les jambières et les coudières avant de passer un casque orné d'une crête en forme de poisson. Je glissai mon bras dans un petit bouclier rond, léger et maniable, et, de l'autre main, je saisis un sabre courbe.

« Pamularius », me lança-t-il.

« Pardon ?

— Vous portez l'équipement d'un pamularius. Gladiateur de grande qualité, vif, agile, mais aux protections peu efficaces. Vous êtes prêt ? »

J'eus le temps d'apercevoir le sourire lustré de Crâne-d'Ébène qui barrait l'entrée comme un bon chien de garde avant de me positionner pour l'attaque. « Allons-y », fis-je d'un air faussement assuré.

Nous tournâmes un moment dans le sable à nous observer et, sous le casque, la sueur perlait déjà de mon front pour venir enfler mes sourcils. Soudain, Torpinelli abattit son épée et j'eus à peine le réflexe de parer avec mon bouclier qu'il m'envoya un coup de pied dans l'abdomen. Le choc me propulsa d'un bon mètre en arrière.

« Il faut être prudent ! » vomit-il au travers du casque.

« Je ferai attention la prochaine fois », renvoyai-je dans un souffle court.

Je me courbai un peu plus, me demandant si je n'aurais pas mieux fait de choisir un bouclier plus large, mais il allait m'écraser si je ne réagissais pas instantanément. J'envoyai un coup de sabre en bois qu'il esquiva avec aisance et il répliqua cette fois d'un mouvement de bouclier qui me percuta la cuisse. La pièce de cuir ne me protégea qu'illusoirement et mon visage se plissa de douleur.

« Ça fait mal ? » bava-t-il derrière un rire idiot.

Cette fois, j'y mis du cœur. Deux coups vifs de sabre le placèrent sur ses gardes, un troisième qui manqua de lui raboter l'arête du nez, le fit reculer et buter du pied contre le bord de la piste de sable. Il chuta vers l'arrière.

« Attention de ne pas poser les pieds n'importe où ! » envoyai-je.

« Pas mal pour un vieux... »

L'affront de la chute devant son acolyte dut l'exaspérer. Il se rua dans ma direction, l'épée brandie derrière la tête et je n'eus qu'à basculer sur le côté pour éviter son attaque. Il me tournait le dos, j'en profitai pour lui allonger un coup précis et sec au niveau de l'omoplate gauche. Il grimaça. Le double échec chassa sa confiance. Il me toucha encore une fois ou deux, mais je dominais à présent le combat et il capitula dix minutes plus tard, au moment où je lui abattis le sabre sur le dessus du casque, dans un coup sourd qui le sonna comme une cloche de Pâques.

Je ressentis une sensation de béatitude extrême après le combat, comme si, le temps d'un affrontement, toutes les pensées noires qui m'oppressaient depuis des mois avaient fui la terreur de mon propre corps. Le grog qui chasse le bon rhume...

Le gladiateur déchu claqua des doigts et Crâne-d'Ébène se volatilisa dans une autre pièce.

« Qu'est-ce que vous voulez ?

— La mort de votre cousin n'a pas l'air de vous perturber...

— Il faut savoir faire face à la mort. La mort, je la vois tous les jours rien qu'en regardant mon vieux père. Et ce n'est pas pour ça que je pleure. Répondez à ma question. Que voulez-vous ?

— Enquête de routine. Disons que j'essaie de comprendre pourquoi votre cousin a soudain eu l'envie de faire une séance de musculation à deux heures du matin. »

Il se dirigea vers le vestiaire et je lui emboîtai le pas. Ma chemise suintait de sueur et mes vêtements de rechange étaient à l'hôtel. Je me sentais... gras.

« Accompagnez-moi dans le sauna », proposa-t-il. « Je vais vous faire apporter un change... »

Quitte à me sacrifier, *sacrifice rentable*, je jouai le jeu jusqu'au bout. Il me tendit une serviette en éponge que je nouai autour de ma taille après m'être déshabillé. « Vous êtes plutôt bien bâti », ironisa-t-il. « Pas une once de gras.

— Parce que vous pensez qu'à quarante-cinq ans on est foutu ?

— Disons qu'on traîne parfois un peu la patte... »

Lorsque je pénétrai dans la petite pièce tapissée de lambris, une vapeur de marmite bouillante me sauta à la gorge, j'eus sur le coup l'impression d'avoir avalé un flambeau. Torpinelli versa une casserole d'eau sur des pierres volcaniques. Un nuage opaque se répandit autour de nous, accroissant sensiblement la température de quelques degrés supplémentaires. Des rouleaux de feu semblaient pénétrer mes poumons.

« J'ai appris que l'on avait autopsié mon cousin. À quoi jouez-vous ?

— Je vois que vous avez vos sources.

— J'ai des yeux partout. Métier oblige.

— La procédure d'autopsie est obligatoire dans le cadre d'une enquête criminelle. »

Ses yeux brillèrent au travers des écharpes grises de vapeur. « Quelle enquête criminelle ?

— Quelqu'un s'en est pris à votre cousin et a cherché à dissimuler l'acte en accident. »

Torpinelli versa cette fois juste un verre d'eau sur les pierres. Je ne distinguais même plus mes pieds, ni les murs qui nous entouraient. J'entendais seulement sa voix caverneuse : « Alfredo était un gars sans histoire. Pour quelle raison l'aurait-on assassiné ?

— J'aurais aimé avoir votre avis là-dessus.

— J'en sais fichtre rien. »

La chaleur devenait insupportable. J'ouvris la porte, me gorgeai de l'air des vestiaires et restai dans l'embrasure.

« Vous le voyiez souvent, votre cousin ?

— Je n'ai pas beaucoup le temps, vous savez, avec les affaires...

— Quand l'avez-vous rencontré pour la dernière fois ?

— Cet été. En août. Il est venu deux semaines ici.

— Quoi faire ?

— Ça vous regarde ? » Éclipse de silence, puis : « Je lui ai demandé d'installer un système de webcams dans le studio et dans nos donjons de tournage. Vous voulez l'adresse du site ? Vous pourriez vous rincer l'œil moyennant un abonnement au coût très raisonnable. Mais puisque vous m'avez battu, je vous ferai une fleur... »

J'ignorai son sourire de coin. « Pas trop mon style, merci. Vous embauchez beaucoup de hardeuses ?

— Une vingtaine.

— Vous les logez ?

— Dans l'aile ouest. C'est mieux d'avoir les filles à proximité pour... travailler...

— Je vois... La vue quotidienne de ces filles par caméra interposée et même en direct ne rendait-elle pas Alfredo... comment dire... dingue ? »

Le coulis de vapeur gagnait à présent la totalité du vestiaire. Torpinelli se rinça sous une douche froide et s'écrasa sur un banc en pin massif. « Vous connaissez les chauves-souris vampires, commissaire ? Ces animaux me fascinent. Elles pendent aux arbres tout le jour, au point que ceux qui les ont vues en parlent comme de noix ou de cosses géantes. Mais quand arrive la nuit, elles se transforment en de redoutables prédateurs. Capables de vous vider un bœuf comme ça » – il claqua des doigts – « des hommes, des femmes, ne se sont jamais réveillés suite à leur baiser mortel.

— Alfredo Manchini était une chauve-souris vampire ?

— La pire de toutes. Vous savez, il avait un réel problème avec les femmes.

— C'est-à-dire ?

— Je le voyais à son air de vicieux face à l'écran quand il matait mes hardeuses. Le type calme et frustré qui cache un volcan en lui. Je lui ai souvent proposé de s'envoyer une des filles, voire plusieurs, mais il a toujours refusé. Alors une nuit, pendant qu'il dormait, j'ai demandé à l'une d'entre elles d'aller lui faire... une petite surprise... Je voulais voir sa réaction... Il... m'intriguait vraiment.

— Et ?

— La chauve-souris vampire s'est réveillée...

— Mais encore ?

— Il l'a ligotée pendant plusieurs heures puis l'a baisée jusqu'au petit matin. Il avait la queue en flammes et on a dû la fourrer dans un gant de toilette rempli de glaçons. Intéressant comme les gens changent quand ils pensent avec la queue, non ? » Il coiffa ses cheveux vers l'arrière et les plaqua avec une couche de gomina. Le peigne pliable finit dans la poche intérieure de sa veste.

« Votre cousin avait peur de quelque chose ou de quelqu'un. Vous en avait-il parlé ?

— Non. Ce n'était pas son genre d'exposer ses soucis. Nous avons tous les nôtres. Vous ne pouvez pas imaginer le nombre de personnes qui veulent me faire la peau.

— Si, j'imagine... »

Il se leva et se rhabilla. Je fis de même avec mes propres vêtements, laissant ceux que l'on m'avait apporté sur le banc.

« Votre cousin a agressé l'une de ses professeurs. Nous l'avons retrouvée ligotée et torturée, nue sur son lit. »

Il jeta sa serviette avec violence sur le sol. « Le sale enfoiré ! Ça ne m'étonne pas de lui ! Frustré de mes deux !

— Vous ne le portez pas dans votre cœur, me semble-t-il.

— Pas spécialement... Cet abruti était plein aux as. Et tout ce qu'il a trouvé à faire, c'est d'aller perdre son temps dans une école d'ingénieurs de merde ! Une honte pour notre famille !

— Apparemment, avant de mourir, il s'est bien rattrapé ! Et faisait aussi preuve d'un certain talent pour la vidéo, je crois que son petit film se serait très bien vendu...

— Qu'est-ce que vous me racontez ?

— Votre cousin s'est filmé en train de torturer cette enseignante. »

L'annonce l'immobilisa un instant. « Vous avez découvert ce film où ?

— En quoi cela vous intéresse-t-il ?

— Je veux juste savoir.

— Sur son ordinateur... Le ou les crétins qui ont essayé d'effacer les données de son PC devraient aller se... rhabiller... »

Il me démolit du regard. Je recadrai : « Cette hardeuse qu'il s'est envoyée, elle ne s'est pas plainte des tendances sadomasos de votre cousin ? Elle s'est laissé faire ?

— C'est son quotidien. Elles aiment ça, les salopes. C'est ce qui rapporte, le bizarre, le SM, le bondage. De nos jours, le public attend autre chose que la simple pornographie brute de fonderie.

— Comme le viol filmé en direct ?

— Ouais. Un bon filon. Mais je suppose que vous n'êtes pas idiot, vous savez qu'il s'agit de faux ?

— Moi, oui. Mais les malades qui visionnent ces films le savent-ils vraiment ?

— C'est pas mes oignons. »

J'enfournai ma cravate dans ma poche et laissai mon col de chemise ouvert. « Il me semble que votre père n'apprécie pas vraiment ce que vous faites. »

J'eus l'impression que des flammes allaient jaillir de ses narines. « Ne parlez pas de mon père ! Il n'a plus les capacités de diriger les opérations ! Et je ne fais que m'adapter à la demande ! Attention à ce que vous dites, commissaire ! »

Je scrutai chaque trait de son visage. « BDSM4Y, vous connaissez ? »

Aucune réaction. S'il cachait son jeu, il le cachait bien. « Ce sigle ne me dit rien.

— Jusqu'où vont les demandes de vos clients en matière de bizarrerie ?

— Si vous saviez comme ils sont imaginatifs ! Mais je ne crois pas nécessaire de vous décrire ce genre de choses. Vous commencez à m'irriter sérieusement avec vos questions. Abrégez, ou je vous fais raccompagner !

— Vous n'avez jamais eu des demandes de *snuff movie* ?

— Qu'est-ce que vous dites ?

— *Snuff movie*, vous connaissez ? »

Il tira la porte du vestiaire. « Victor ! Victor !

— Répondez ! »

Il me tira par le col de veste et me plaqua contre le mur humide de vapeur. « Ne répète plus jamais ce mot devant moi, fils de pute ! Maintenant, tu vas ouvrir grand tes oreilles, commissaire ! Tu mets encore un pied ici, t'es mort ! C'est très dangereux de venir seul, on ne sait jamais ce qui peut arriver ! Alors, si t'oses te pointer, viens bien accompagné ! »

Je me dégageai de son étreinte en le poussant avec violence, me retenant de le démolir. Si je levais le bras sur lui, j'étais cuit. J'osai quand même. « Toi, tu vas m'écouter ! Je ne vais pas te rater ! Si je découvre la moindre entourloupe à ton sujet, si tu pètes ailleurs que dans ton froc, je serai là pour te coincer. Je ne sais pas ce que tu caches, ni pourquoi toi ou l'un de tes affreux avez éliminé Manchini, mais je le découvrirai. »

Crâne-d'Ébène se mit en travers de mon chemin, bras croisés. « Fous-moi ça dehors !!! » hurla Torpinelli. « T'es un homme mort ! »

Je prévins Crâne-d'Ébène. « Tu me touches, je t'explose ta sale cervelle ! »

Il me laissa circuler, un sourire d'Oncle Ben's aux lèvres. Au sortir de l'atrium, au sommet de l'escalier en marbre, peinait à se déplacer le vieux Torpinelli, courbé sur une canne. Je crus lire sur ses lèvres EN-TER-RE-MENT avant qu'il ne disparût dans le couloir, voûté comme un pape.

Crâne-d'Ébène me colla jusqu'à la sortie, où Gueule-d'amour, le lion déchu, me décocha un sourire narquois. « T'espérais quoi, monsieur le P-O-L-I-C-I-E-R ?

— Tu as déjà pensé à te présenter aux élections pour le Front National ? » rétorquai-je. « Tu me fais penser à quelqu'un, mais je ne me rappelle plus qui. »

368

Il lança mon Smith & Wesson sur le siège conducteur de ma voiture. « Tire-toi ! Tire-toi loin, très loin d'ici !

— Je ne serai jamais bien loin... Et quand je reviendrai, tu seras le premier à le savoir.

— Surveille bien tes arrières, alors... »

Enterrement... Le vieux Torpinelli venait de me fixer un rendez-vous.

* * *

Je me voyais mal débarquer au milieu de la cérémonie funéraire et m'approcher du vieux en lui demandant un truc du genre : *Alors monsieur, racontez-moi ce que votre fils a fait de mal !* À l'évidence, mieux valait jouer la prudence. Par un moyen ou un autre, s'il le désirait vraiment, le patriarche tenterait de prendre contact avec moi.

L'enterrement d'Alfredo Manchini devait se dérouler dans l'après-midi au cimetière du Touquet. Une pluie horriblement cinglante, chargée de l'air du nord, se déversait du ciel noir depuis la fin de matinée. Je fis plusieurs fois le tour du cimetière. D'abord en voiture, en longeant les palissades pour constater, à regret, que je n'avais aucun point de vue sur l'intérieur. Puis à pied, afin d'essayer de me dénicher une planque pour observer la cérémonie sans risque. La fosse avait été creusée au bout de la dixième allée, sous un if, protégée par une bâche bleue. Mon analyse fut brève. Si je voulais dégoter une place de choix aux réjouissantes festivités, il fallait absolument me trouver au cœur du brasier, dans le cimetière.

À 15 h 00 tapantes, le cortège funéraire assombrit la rue alors qu'au loin, les cloches de l'église tintaient encore. De longues berlines noires, des vitres teintées,

369

des regards derrière des lunettes de circonstance, se suivaient dans un silence à peine perturbé par le soupir de la pluie. J'avais garé mon véhicule dans un parking résidentiel à presque un kilomètre du cimetière. Je me terrai dans le hall d'un immeuble, bien au sec, ma paire de Zweiss à la main.

Il n'y avait qu'une vingtaine de personnes. Je supposai que les Torpinelli avaient préféré un enterrement sans éclat médiatique. Vite passé, vite oublié... Le vieux sortit en dernier, accompagné par deux porte-parapluies qui le collaient comme son ombre.

La pluie m'arrangeait, elle n'aurait pas pu mieux tomber. Déployant un vaste parapluie, une dizaine de minutes après le début de la cérémonie, je pénétrai discrètement dans le cimetière, me dirigeant vers l'extrémité opposée à celle où s'amassaient vestes et cravates noires. Je portais un bouquet de chrysanthèmes, pour me disculper de tout soupçon. Le vieux se tenait plus en retrait, installé sur une chaise pliante, ses jambes semblant à présent incapables de soutenir le poids de son corps. De temps en temps, il scrutait l'ensemble des tombes, derrière lui. Je m'arrangeai, en me décalant de deux allées, pour me situer dans son champ de vision. Lorsqu'il tourna un regard dans ma direction, je levai mon parapluie pour qu'il distingue mon visage, puis le rabaissai aussitôt lorsque Gueule d'amour jeta une œillade perçante vers moi. Je fis mine de nettoyer la tombe. Le lion déchu enfonça la main sous sa veste, avança dans ma direction, mais le vieux le rappela à l'ordre et lui murmura quelque chose à l'oreille. Il venait d'éviter ce qui, dans un sens comme dans un autre, aurait conduit à un incident inévitable.

Un corbeau se posa à côté de moi et, les ailes déployées telles deux capes, le cou tendu, se glissa entre deux sépultures pour y picorer des vers de terre. La pluie drue me dévorait les épaules et le froid pénétrait en moi sous l'effet des violentes bourrasques. Mon parapluie faillit se retourner mais tint bon. Gueule-d'amour m'avait à l'œil. Il m'avait reconnu. De temps en temps, il posait sa main devant son imperméable et mimait, deux doigts tendus et le pouce replié sur l'index, la forme d'un revolver. Il n'attendait qu'une chose, que je m'avance.

Cependant, je pris soin de rester à l'écart et de patienter. Je cherchais déjà comment j'allais pouvoir fuir du cimetière sans passer par l'entrée principale et, surtout, sans me retrouver le corps criblé de balles...

L'inhumation dura à peine un quart d'heure et je me demandai, au départ des premiers participants, de quelle façon allait procéder le vieux pour se mettre en contact avec moi. Je le vis insister auprès de son fils pour se recueillir encore un instant. Il se leva de sa chaise, passa les mains dans le dos. Il serrait une pochette de plastique pliée. Réalisant le signe de la croix devant la tombe, il arrangea ensuite une couronne mortuaire et déposa, j'en avais la quasi-certitude, l'enveloppe plastifiée sous l'un des pots de fleurs, au bord du couvercle de marbre.

L'affaire se corsa vraiment cinq minutes plus tard. Alors que je pensais avoir entendu les derniers ronflements de moteurs, deux ombres fichtrement trapues se découpèrent à l'entrée du cimetière, dont une longue chevelure blonde ruisselante de pluie. Gueule-d'amour. Il choisit une allée médiane, son acolyte étrangement noir contournant par l'extrémité sud, celle où je me tenais. Ils avaient troqué leurs parapluies contre des Beretta et, à constater leur allure déterminée, je compris qu'ils venaient pour me tailler autre chose qu'un brin de causette.

Le corbeau assombrit le tableau d'un long croasse-
ment qui aurait fait peur à un mort. Jetant mon parapluie, je dégainai mon vieux Smith & Wesson et me
faufilai au travers des allées en chevauchant les
tombes, baissé de manière à disparaître derrière les
marbres. Les cous de mes poursuivants se tendirent
comme ceux des furets, puis ils accélérèrent leurs fou-
lées, tout en restant prudents. Je me précipitai, dos
voûté, vers la tombe de Manchini, levai le pot de
fleurs, m'emparai de la chemise plastifiée et la fourrai
dans ma poche.

Au même moment, une balle faillit me décoller
l'oreille gauche. Un vase de marbre explosa. Le corbeau s'envola mais, dégommé en plein vol, vint
s'écraser à une dizaine de mètres de moi. Je m'accroupis derrière une stèle, les genoux dans la boue, et
logeai une balle dans le tronc d'arbre derrière lequel
se camouflait Gueule-d'amour. Du coin de l'œil, je
surveillai Crâne-d'Ébène, dont l'ombre noire se faufi-
lait entre les colonnes funéraires, quatre divisions plus
loin. Le coup de feu dut les refroidir un instant, ils ne
bougèrent plus de leurs planques. J'en profitai pour
remonter l'allée et, dos cassé, me rapprochai de l'entrée annexe que j'avais repérée auparavant, à l'arrière
du cimetière. Les balles fusèrent à nouveau. Un morceau de stèle vola, un autre projectile ricocha sur la
surface marbrée d'un caveau avant de se ficher
quelque part pas loin. Je me plaquai au sol, vidai au
jugé la moitié de mon chargeur avant de me relever
pour riper le long de la palissade où je me trouvai
sacrément à découvert.

Au moment où j'allais être hors d'atteinte, je sentis
un éclair dans l'épaule droite comme si l'on m'avait
enfoncé un poignard. Le sang ruissela sur mon imperméable et se mêla à la pluie en un rouge sale. Malgré

le faisceau de douleur, je m'élançai sur la route, parcourus une centaine de mètres et arrêtai une voiture en me plaçant au milieu de la chaussée, arme pointée en avant.

Les pneus crissèrent, le regard sous l'habitacle se voila d'effroi lorsque je me jetai sur le siège arrière en hurlant : « Je suis de la police, roulez !!! » Pas besoin de le dire deux fois ! Le chauffeur enfonça l'accélérateur au maximum, la voiture dérapa et finit par filer plein champ. Mes deux poursuivants, haletant comme des marmites chaudes, apparurent au moment où nous prenions un virage.

« Déposez-moi aux urgences... » dis-je au chauffeur sur un ton qui se voulait doux. « Et merci pour le service...

— Je n'ai pas vraiment eu le choix », répliqua-t-il avec justesse.

* * *

La balle avait effleuré le deltoïde, abandonnant un petit sillon sanguinolent sur le dessus de mon épaule. En définitive, je m'en tirais avec cinq points de suture et un pansement serré. Ma carcasse de flic en avait vu d'autres.

Une fois à l'hôtel, enfermé dans ma chambre, je pris la pochette plastifiée et en sortis une feuille pliée, à l'intérieur de laquelle se cachait une autre feuille. Malgré la protection, une partie du papier avait bu l'eau, l'encre avait déteint et coulé comme des larmes sur un visage. Mais l'ensemble restait lisible. Je reconnus une écriture hésitante et fragile, celle d'un mourant. La première lettre disait :

« *Je ne sais pas qui vous êtes, mais j'ai vu votre plaque d'immatriculation me signalant que vous représentez la loi. Votre présence aujourd'hui est un signe. Dites-moi ce que cache mon fils. D'importants virements bancaires sont régulièrement effectués de comptes clients vers l'un de ses comptes. Des sommes astronomiques. J'ai volé un nom dans son carnet d'adresses : Georges Dulac, qui vit à l'autre bout de la ville. Restez discret, ou il me tuera. Et même s'il ne me reste plus beaucoup de temps à vivre, je veux connaître la vérité. Je suis surveillé ici, alors ne cherchez surtout pas à entrer en contact avec moi. Il ne vous le permettra pas... Vous me laisserez un message sous le pot de fleurs demain. Je passerai au cimetière à 15 h 00...*

Quoi qu'on en pense, je suis un homme d'honneur, monsieur. Si mon fils bafoue la loi et cet empire que j'ai tant peiné à construire, il faudra qu'il paie. »

Le second papier représentait l'impression d'un écran d'ordinateur, sur lequel apparaissait le nom de Dulac, avec des dates de virements bancaires. Un document qui n'avait rien d'officiel. Juste des chiffres posés dans une grille. 15 avril, trente mille euros. 30 avril, cinquante mille euros... Et ainsi de suite, tous les quinze jours, depuis avril, avec des pointes à deux cent mille euros au début du mois de septembre... Un calcul rapide m'amena à une somme d'environ cinq millions d'euros, en même pas six mois... Je crus deviner ce que représentaient ces transactions et priai Seigneur Dieu pour qu'il en fût autrement...

Je me connectai à Internet via mon ordinateur portable et la prise téléphonique de la chambre d'hôtel puis lançai une recherche sur le nom de Georges Dulac. Les résultats retournés confirmèrent mes doutes. Il gérait des portefeuilles importants de clients boursiers, achetant et vendant des warrants, des actions, des capitaux-risques ou des options. Il pesait un tel poids dans le domaine de la finance qu'il était capable de faire perdre dix pour cent à une action par le simple jeu de la spéculation. L'un de ces requins pour qui le pauvre est un cafard à aplatir du talon.

Je me mis en route vers son domicile, bien décidé à découvrir la nature réelle de ses dépenses.

Georges Dulac se trouvait en voyage d'affaires à Londres et ce fut sa femme qui m'accueillit. Une saucisse argentée vint explorer le dessus de mes chaussures en aboyant.

« Laisse le monsieur tranquille, Major ! Allez, file ! » ordonna la femme d'un ton de vieille mégère. Le chien n'obéit pas.

« Je peux peut-être vous renseigner, monsieur ? Mon mari rentre dans la soirée. »

Au premier abord, cette sexagénaire m'avait paru froide, rigide dans son tailleur Yves-Saint-Laurent. Mais elle me reçut avec courtoisie, m'invitant à entrer sans attendre ma réponse. La solitude des longues journées devait la dévorer.

« À vrai dire, cela m'arrange que votre mari ne soit pas là. J'aurais quelques petites questions à vous poser sur ses activités financières.

— Vous êtes du fisc ? »

Je lui envoyai un sourire franc. « Non, non, Dieu merci non ! Je suis... » – je sortis mon badge – « ... de la police.

— Oh mon Dieu ! Que se passe-t-il ? Ne me dites pas qu'il lui est arrivé quelque chose !

— Non, ne vous inquiétez pas. Je mène une enquête dans le coin sur les Torpinelli...

— Ah ! Vous me rassurez ! Les Torpinelli... Des vrais poisons... Surtout le fils... Il est temps que la

375

police fourre le nez dans leurs affaires ! Ils vendent du sexe comme on vend des bonbons. Quelle honte !

— Votre mari les côtoie ?

— Vous prendrez bien un Earl Grey ?

— Avec plaisir. »

Nous nous installâmes dans le salon. Saucisse argentée jappa et grimpa sur mes genoux.

« Major ! Tu n'as pas honte ?

— Laissez-le. Les chiens ne me dérangent pas. Celui-ci est... charmant... Avez-vous déjà côtoyé les Torpinelli ?

— Les Torpinelli ? Non, jamais de la vie. On ne mélange pas les torchons et les serviettes, vous savez. Il y a un monde d'écart entre ces gens-là et nous. »

Son air hautain et sa façon de scinder le monde m'agaçaient sensiblement, mais je ne laissai pas ma voix trahir mes sentiments. « Il semblerait pourtant que votre mari ait réalisé d'importants virements vers l'un des comptes Torpinelli. »

Le fond de sa tasse de thé se mit à cliqueter contre la sous-tasse en faïence. « Qu... qu'est-ce que vous dites ?

— Vous occupez-vous des comptes bancaires ?

— Non... Non, cela revient à mon mari de gérer nos comptes. Nous en possédons dans différentes institutions. En France, en Suisse, dans des îles... Je... Je n'y connais rien et je lui fais confiance, c'est son métier...

— Depuis six mois, il y a eu plus de cinq millions d'euros de virements au bénéfice des Torpinelli. »

La peau détendue de ses joues se mit à vibrer sous l'effet de la nervosité. De petites secousses la contraignirent à poser sa tasse sur la table.

« Mais... Mais... Pour quelle raison ? De quoi s'agit-il ?

— C'est ce que je suis venu découvrir. » Je lui pris la main. « Vous me faites confiance, madame ?

— Je... Je ne vous connais pas... Mais... Je veux savoir...

— Comment se comportait votre mari ces derniers temps ? Rien ne vous a marqué ? Quelque chose qui pourrait sortir de l'ordinaire ? »

Elle se leva et battit le plancher de pas hésitants.

« Non... Je... je ne sais pas...

— Réfléchissez...

— Il n'est pas souvent à la maison, vous savez... Il... Il est vrai que nous nous sommes disputés à plusieurs reprises dernièrement... Il passe ses soirées à travailler dans son bureau... Il s'y enferme, ne vient se coucher qu'au milieu de la nuit... Mon mari n'est plus qu'un fantôme, commissaire, un fantôme qui entre et sort de cette maison comme bon lui semble... Il a trop peur de vieillir, de rester prisonnier de cette gigantesque habitation... »

Je me levai à mon tour. « Où votre mari range-t-il ses relevés de comptes bancaires ?

— Je... Dans son bureau, je crois...

— Puis-je les consulter ?

— Je... Je ne sais pas... C'est confidentiel...

— N'oubliez pas que je suis de la police... Je cherche juste à reconstituer la vérité.

— Suivez-moi... »

Je comprenais la détresse de cette femme. Seule dans cette banquise de pierre et de lambris. Perdue entre ces murs de glace, à l'écart du monde, des gens, de la vie. Elle se tenait droite, le torse bombé, fière d'être ce qu'elle était, une femme de riche, l'épouse d'un homme qui possédait tout mais qui ne se trouvait jamais à ses côtés. Une femme qui, semblait-il, ignorait les activités de son mari.

« Il ferme toujours son bureau à clé quand il y travaille ou quand il part... Mais j'en ai un double... Mon
mari est cardiaque. Je n'aimerais pas qu'il lui arrive
quelque chose dans ma maison sans que je puisse
ouvrir la porte pour être auprès de lui.

— Et il sait que vous possédez cette clé ?

— Non. »

Le bureau ressemblait plus à un salon qu'à un lieu
de travail. Téléviseur, lecteur DVD, cafetière, large
banquette de cuir blanc cassé, peau de tigre étalée sous
une table basse. Et des papillons...

« C'est un grand amateur de papillons », constatai-
je avec une pointe d'émerveillement.

« Il en fait importer du monde entier. Des spéci-
mens rares, d'une beauté exceptionnelle. Regardez
celui-ci, c'est un Argema Mittrei, le plus grand papillon du monde, plus de trente centimètres d'envergure.
Quand sa mère est morte, mon mari a découvert un
papillon blessé dans le coin de sa chambre. Un Grand
Monarque. Il l'a pris, l'a posé sur le rebord de la
fenêtre et l'insecte s'est envolé loin dans le ciel. Une
vieille tradition indigène prétend que les papillons
s'envolent avec les âmes des morts, qu'ils les portent
au Paradis pour que ces esprits reposent en paix. Mon
mari y a toujours cru. Il est persuadé que chacun de
ces papillons a emmené une âme au Paradis, y
compris celle de sa mère... »

Elle parlait avec passion, les yeux illuminés d'une
petite étincelle que je n'avais jusqu'à présent pas vu
briller.

« S'il est si croyant que ça, pourquoi retenir tou
ces papillons morts dans des cadres ? Pourquoi les pri
ver de leur divine mission en les tuant ?

— Mon mari est très possessif... Il faut que tout l
appartienne... Ces papillons, comme le reste...

— Vous permettez que je jette un œil dans ses tiroirs ?

— Allez-y. Et j'espère sincèrement que vous ne découvrirez rien... »

Aucun relevé bancaire ni papier confidentiel. Juste des coupons d'ordres boursiers, des adresses de clients, des courbes de simulations tracées à l'imprimante couleur.

« Votre mari ne possède pas d'ordinateur ?

— Si, un portable et un ordinateur classique. Il emporte toujours le portable avec lui. L'autre est sous le bureau. En fait, il n'y a que la boîte de métal, on dit l'unité centrale je crois ? Mon mari a bricolé pour que l'écran de télévision serve aussi d'écran d'ordinateur. »

Je me penchai sous le bureau. L'unité centrale se trouvait à gauche du siège, idéalement placée pour être allumée ou éteinte facilement depuis le siège. « Je peux le mettre en marche ?

— Allez-y. »

J'appuyai sur l'interrupteur. « Vous avez déjà regardé ce que contenait cet ordinateur ? Je vois qu'il y a un lecteur de CD ROM et un graveur de CD. C'est du tout dernier cri.

— Je n'y connais absolument rien en informatique. Je ne serais même pas capable de l'allumer. Je sais juste que nous disposons d'une liaison rapide, mon mari l'utilise pour aller sur Internet. Il joue aux échecs avec des Russes. »

L'écran bloqua au moment de l'identification. « Il me demande un mot de passe... L'identifiant est resté présent à l'écran, il s'agit de Sylvette. Vous avez une idée pour le mot de passe ?

— Euh... Sylvette était le prénom de sa mère... essayez Dulac.

— Ça ne marche pas. Autre chose ?

— Euh... Euh... Sa date de naissance alors ? 12101948. » Même écran. Erreur de saisie de mot de passe... « Dernière chance », dis-je d'une voix crispée. « Réfléchissez ! Ne vous en a-t-il jamais parlé ? »

Elle orienta son regard vers un tableau de papillons. « Je sais ! Monarque ! Essayez Monarque ! »

Doigts tremblants, je tapai les lettres composant le nom du papillon... Feu de Bengale sous ma chair... « Ça passe !!! »

Le bureau virtuel ne présentait que deux icônes. L'une pour lancer un navigateur Web, l'autre pour démarrer la messagerie. J'ouvris donc un *browser* et parcourus le dossier *Historique*, indiquant les derniers sites visités par Dulac.

Je ne découvris qu'un ramassis de sites pornographiques, *Japanese Teen Girls, Extreme Asian Bondage, Fuck my Chinese Ass*... Une liste si impressionnante que la place manquait sur l'écran pour tout énumérer.

Madame Dulac se plaça à mes côtés. Les mots qu'elle allait prononcer, moururent sur ses lèvres au moment où elle constata d'elle-même l'aspect étrangement bridé des pions de ces fameuses parties d'échecs « Ce... Ce n'est pas possible ! » gloussa-t-elle.

Je démarrai la messagerie et dépilai la tonne d'immondices qui traînait dans la boîte aux lettres. Que des messages à caractère porno. Des contacts virtuels avec qui il entretenait des relations qui l'étaient peut-être moins.

Sa femme se décomposa et explosa en larmes. J fermai momentanément le logiciel de messagerie e tentai d'ouvrir le tiroir sur le côté du bureau. Il m résista. « Vous n'auriez pas la clé de ce tiroir ? »

— Non. Désolée... » Elle s'acharna sur la tirett comme si elle cherchait, elle aussi, à percer l'horribl vérité. Je sortis le kit manucure de ma veste. « Vou permettez ? »

Elle serra ses poings sous son menton. « Ouvrez-le ! »

Je n'avais pas perdu la main, même pour les serrures coriaces. Elle céda en moins de trente secondes, sans la moindre trace d'effraction. La Dulac me donna un léger coup d'épaule, se faufilant devant moi pour ouvrir d'elle-même. Nous ne découvrîmes rien d'autre qu'une nouvelle clé.

« Votre mari possède-t-il un coffre-fort ? »

Elle leva la clé à hauteur d'yeux, entre le pouce et l'index. « Non... Je... Je n'en sais rien... Il... me cache tellement de choses !...

— Et derrière ces cadres ? »

Elle se précipita sur le premier venu, une collection de morphos bleus aux ailes miroitantes. « Rien ici », souffla-t-elle avec soulagement.

Je compris immédiatement vers lequel me diriger... celui aux moulures massives, plus épais que les autres, suffisamment imposant pour dissimuler un coffre-fort.

« J'ai trouvé... »

Je posai délicatement le cadre sur le sol, laissant la vieille dame engager la clé dans la serrure. Sa jugulaire pulsait dans les renflements de son cou de poulet. Elle extirpa du coffre une pile de sept CD ROM, sans pochette, sans marque distinctive. Gravés à l'évidence depuis un ordinateur.

« Oh ! Seigneur ! Mais... De quoi s'agit-il ? »

Je lui ôtai les CD des mains et les posai sur la table basse.

« Madame, je ne crois pas que vous devriez regarder le contenu de ces CD... »

La stupeur blanche qui s'empara d'elle me fit frissonner. Quasiment, elle se décomposa devant mes yeux. Les larmes fusèrent à nouveau, les arceaux de ses mâchoires battirent sous les soubresauts de ses sanglots et le maquillage coula le long de ses joues

craquelées par l'âge comme une rivière d'encre. « Je...
Je veux voir ce que contiennent ces CD... Je... Laissez-moi voir... J'en ai le droit. C'est mon mari, et je
l'aime ! »

J'allumai le téléviseur à plasma et enfournai un CD
ROM choisi au hasard dans le lecteur de l'unité centrale. Sur l'écran télé, un logiciel, genre magnétoscope
virtuel, se lança de lui-même et le film se chargea à
l'intérieur. Avec un geste d'hésitation, j'appuyai sur
marche. Durant les premiers instants où l'écran restait
neigeux, les bouillons acides du stress grimpèrent
jusque dans ma gorge. Après les cinq premières
secondes de film, je cliquai sur le bouton *stop* du logiciel, secoué de tremblements. L'envie de vomir me
saisit, mais le relent se bloqua au bord de ma bouche.

La capacité de parler échappa à la vieille dame. Elle
se figea dans le marbre de la surprise, de l'horreur, de
l'inconcevable et je crus qu'elle allait se briser en
morceaux quand je la serrai contre moi, instinctivement, comme si j'enlaçais ma pauvre mère. Elle
explosa en sanglots, s'arrachant la voix dans des cris
identiques aux chants tristes des baleines. Ses yeux
perdirent le repère de la réalité, fouillant la pièce à la
recherche d'un point auquel se raccrocher. Et elle
hurla, hurla, hurla... Je la levai doucement par le dessous du bras et l'accompagnai dans une pièce annexe.

« Ne... Ne me laissez pas... » bafouilla-t-elle. « Je...
veux savoir...

— Vous ne pouvez pas... regarder ça », lui répondis-je avec difficulté. « Je reviens... Restez sur ce lit,
je vous en prie !

— Non... Monsieur... Mon mari... Qu'est-ce qu'il a
fait ? »

Après les premières secondes de visionnage, je dus
baisser le son. Ces cris fusant du CD ROM me

perçaient les tympans, comme des aiguilles enfoncées directement au creux des oreilles.

Sur l'écran, Martine Prieur, à demi consciente, les yeux révulsés, le blanc de l'œil chassant la pupille derrière la paupière. Une expression indescriptible sur son visage, dans l'instant d'agonie. Un cocktail atroce de douleur, de besoin de comprendre, d'envie de vivre et de mourir. L'objectif de la caméra zooma sur une entaille imprimée le long de l'omoplate gauche, s'attarda sur l'onde sanguine qui se déversait sur le sol. Un champ plus large présenta la victime dans son ensemble. Mollets, cuisses, deltoïdes perforés de crochets d'acier... Prieur, suspendue à deux mètres au-dessus du sol, endurant ses dernières minutes de torture...

La matérialisation du Mal sur Terre se répandait par l'intermédiaire de ces CD ROM...

Cette fois, je vomis sur la peau de tigre et une partie de mon pantalon. Un sel brûlant me piquait les lèvres, me rougissait les yeux jusqu'à les transformer en boules de feu. Je me levai, perdu à mon tour, à la recherche d'une épaule sur laquelle m'appuyer. Mais il n'y avait personne. Juste mon désespoir. Mon estomac se comprima à nouveau, me pliant en deux. Je me plaquai contre un mur, la tête au ras d'un cadre de papillons. Mon cœur s'emballa. Mes sens tournoyaient comme s'ils s'apprêtaient à quitter mon corps, puis tout s'estompa, d'un coup, lorsque j'entendis un bruit de portière dans l'allée.

Je me précipitai vers la fenêtre. Georges Dulac, m'apercevant lorsque j'écartai le rideau, se réengouffra dans sa Porsche. Je me ruai dans l'escalier, sautai les dix dernières marches à la limite de me rompre le dos et m'écrasai sur le sol, mon épaule blessée m'empêchant de me rééquilibrer. Ma veste se déchira, je me relevai et, malgré l'élancement lancinant, me jetai dans l'allée. La voiture disparaissait déjà au bout de la rue en vrombissant...

Au moment où je voulus braquer le volant de mon véhicule, mon épaule m'envoya un tel reflux de douleur que je dus abdiquer. La plaie s'était rouverte pendant ma chute dans l'escalier...

J'appelai le commissariat local, déclinai mon identité et leur demandai de se mettre de toute urgence à la poursuite d'une Porsche grise immatriculée 7068 NF 62 et d'envoyer une équipe rue des Platanes.

Je rejoignis la vieille dame couchée, recroquevillée sur elle-même. Elle se redressa, le chignon défait, le visage peint d'une indescriptible détresse. Elle me pressa la main avec la force vive du désespoir.

« Dites-moi que tout ceci n'est qu'un mauvais rêve... Je vous en supplie...

— J'aimerais... Mais je ne peux pas... où se trouve votre boîte à pharmacie ? Vite !

— Salle de bains... »

J'enlevai ma veste, ma chemise, puis le pansement collé par le sang coagulé. Je déroulai des bandelettes de gaze stériles, les serrai de toutes mes forces autour de la plaie, si fort que je crus me casser toutes les dents tellement la douleur irradiait. La chemise et la veste réenfilées, je courus vers le bureau, éjectai le CD ROM du PC et en enfonçai un autre. Neige, image brouillée, mise au point de la caméra, puis une date en bas. Cinq octobre 2002, le lendemain de la mort de Doudou Camélia.

Je compris... Je compris de quoi il s'agissait. Un long cri me vida les poumons, puis un autre et encore un autre... Des pas fébriles résonnèrent dans le couloir, la vieille dame passa la tête par l'embrasure de la porte, faillit faire demi-tour puis vint à mes côtés, me glissa une main douce dans les cheveux. Et je la serrai... et je pleurai... tellement...

Une rage folle m'arracha de là. M'emparant de tous les CD ROM, je les fourrai dans le coffre-fort que je fermai à clé et dévalai l'escalier. Dans ma voiture, la douleur de mon épaule me cloua au siège lorsque j'exécutai mon demi-tour. Je dus lâcher le volant, l'arrière de la berline percuta une gigantesque borne de granit. Mon pare-chocs resta sur le sol et, après quelques manœuvres, je réussis à prendre la route en direction de chez Torpinelli. D'une main, je récupérai tous les chargeurs empilés dans la boîte à gants, les glissant dans mes poches tout en grillant un feu tricolore, et manquai de percuter une voiture qui venait sur ma droite. Mon rétroviseur me renvoya la lumière bleutée d'un gyrophare, une voiture de police surgit du carrefour et essaya de me rabattre sur le bas-côté à coups de volant hasardeux. J'accélérai, fonçai comme une torpille dans les rues désertes du Touquet, la main gauche me pressant l'épaule droite. La douleur s'intensifiait, mais elle me stimulait et rien, à présent, ne m'empêcherait d'aller au bout. Je surpris mes poursuivants en braquant à quatre-vingt-dix degrés dans une allée transverse. Je faillis m'évanouir sous les assauts de la souffrance. À l'arrière, à plus de trois cents mètres, mes poursuivants réapparurent, sirènes hurlantes. Après trois autres facéties de ce genre, ils finirent par sortir de mon champ de vision et le bruit s'estompa.

Au niveau de l'entrée des Torpinelli, je tirai le frein à main, provoquant le pivotement de la voiture à angle droit. Je m'attendais à l'accueil de Gueule-d'amour et de ses acolytes, mais ils repeignaient le sol, têtes explosées de plusieurs balles.

Une colonne de fumée noir corbeau tourbillonnait devant moi. Et, au bout de l'allée, je distinguai la Porsche en flammes encastrée dans le mur de la façade. Les boiseries extérieures et les branches des arbustes commençaient aussi à prendre feu.

À proximité de la maison, j'écrasai la pédale de frein. Le pare-brise était constellé d'impacts de balles. Dulac gisait, la tête éclatée contre la vitre. Je me ruai à l'intérieur alors que les sirènes se manifestaient. J'entendis des cris, des coups de feu, le ronflement caractéristique d'une Kalashnikov, puis plus rien, plus un bruit, à part le doux crépitement des flammes qui devenait colère.

Le vieux Torpinelli se tenait couché sur le sol, au bas de l'escalier, la mitraillette entre les jambes. Son fils, criblé de balles, ouvrait la bouche au ciel, les yeux curieux, abandonnés à la mort. Je me dirigeai vers l'homme, lui tendis la main. « Venez, il faut sortir d'ici, et vite ! »

Un jet de sang gicla par l'orifice béant de sa poitrine. Il trouva la force de me tendre une disquette, l'âme sur les lèvres. « J'ai... j'ai tout... découvert... Mon fils...

— Qui réalise ces films ? Dites-moi qui réalise ces films ! » Je le secouai par le col de sa chemise. Sa santé, sa vie m'importaient peu. Je voulais qu'il me livre, dans un dernier soupir, les horribles secrets détenus par son fils. « Dites-le-moi ! Dites-le-moi ! » Un dernier souffle l'arracha à la vie. Je me mis à hurler « Noooon ! »

L'épaisse fumée qui, à présent, s'engouffrait par l'entrée, me fit prendre conscience que je parlais à un mort. Je saisis la disquette de la main repliée de Torpinelli, la fourrai dans la poche intérieure de ma veste et me propulsai à l'extérieur, le visage enfoui dans mon col.

Trois véhicules de police barraient l'entrée de la grille. On me somma de poser mon arme sur le sol. « Je suis de la police ! » hurlai-je.

« Posez votre arme ! » envoya un mégaphone. « Posez votre arme, ou on tire ! »

J'obtempérai, alors que, devant moi, la maison partait en fumée.

* * *

Le divisionnaire Leclerc ainsi que le lieutenant Sibersky débarquèrent au commissariat du Touquet trois heures après ma course-poursuite spectaculaire. On me laissa mijoter un quart d'heure supplémentaire dans la salle d'interrogatoire. J'avais affaire à une batterie d'incompétents. Pas un col bleu ne comprenant le moindre mot de ce que je racontais, j'avais donc demandé à ce qu'on me laissât dans mon coin jusqu'à l'arrivée de mes collègues.

À l'heure de la délivrance, des brigadiers entrèrent dans la salle et m'accompagnèrent jusqu'au bureau du capitaine Mahieu.

« En route ! » lança Leclerc en claquant une main qui se voulait chaleureuse sur mon épaule en feu. J'émis un cri strident, genre chien à qui l'on écrase une patte sans le faire exprès. « Oh ! Désolé ! » dit-il en portant la main devant la bouche.

Sibersky s'approcha de moi. Son visage avait désenflé.

« Heureux de vous voir en vie, commissaire. J'espère que vous allez pouvoir nous éclairer sur ce merdier.

— Il y a des survivants chez les Torpinelli ?

— Quelques employés et porte-flingues. La quasi-totalité de la maison a cramé. »

Leclerc me précisa. « Nous avons gardé le motus sur le fait que tu n'étais plus en fonction. Je ne l'ai jamais officiellement signalé à nos supérieurs... Je me

387

doutais que tu ne lâcherais pas l'affaire. Je voulais juste te sortir de là... De toute évidence, j'ai échoué. »

Je lui serrai la main. « Merci, Alain... Ils m'ont pris une disquette tout à l'heure. »

Il la sortit de sa poche. « Je l'ai.

— Et alors, que contient-elle ?

— Des noms... Une cinquantaine de noms de personnes importantes. Des hommes d'affaires américains, anglais, français, riches à millions. Que représente-t-elle, Shark ? Pourquoi ces gens se bousculent-ils sur une disquette que t'a fournie Torpinelli ? Qu'avait à voir Dulac dans l'histoire ?

— Allons chez Dulac. J'y ai découvert des CD ROM. Je vous raconterai tout là-bas.

— Attends... Ton épaule... Sibersky va prendre le volant de ton véhicule. Je vous suis. »

« Comment va ta femme, David ? » demandai-je au lieutenant d'un ton soucieux.

« Elle va bien... »

Mon regard glissa sur son visage. « Dis-moi la vérité.

— Elle pète les plombs ! Je pète les plombs ! Elle en a assez de vivre avec un homme qui n'est même pas sûr de rentrer le soir. On... s'est disputés. Elle dort chez sa mère, avec le petit...

— Tout ceci est de ma faute, David.

— Vous n'y êtes pour rien, commissaire... La faute au métier, c'est tout... »

Il alluma une cigarette.

« Tu fumes maintenant ! » lui lançai-je d'un ton réprobateur.

« Il faut un début à tout.

— Tu as peut-être mal choisi le moment, avec un nourrisson à la maison.

— Il n'y a pas de nourrisson à la maison... Pas plus qu'il n'y a de femme... » Il changea de sujet. « Racontez-moi ce qui s'est passé ! Comment êtes-vous remonté jusqu'à ce Dulac ? Que contiennent ces CD ROM ?

— Parlons d'autre chose... Je t'expliquerai une fois arrivés... »

Madame Dulac se pelotonnait dans les bras de sa fille, toutes deux submergées de larmes. Elle m'agrippa par la veste au moment où je montais. « Promettez-moi de tout me dire, commissaire. J'ai le droit de savoir... C'était mon mari...

— Vous saurez la vérité. »

Je déverrouillai le coffre-fort et en sortis les CD ROM. J'interrogeai Leclerc : « Avez-vous avancé avec BDSM4Y ? Des traces ?

— Nos agents infiltrés n'ont rien décelé pour le moment. Une bonne partie des effectifs s'occupe à interroger des prostituées, des clochards, fait le tour des hôpitaux pour essayer de retrouver des patients qui auraient présenté des signes de torture. Cette putain d'organisation nous monopolise les deux tiers de nos ressources ; j'espère que ça nous mènera quelque part.

— Et l'avocat pourri au faux permis de conduire ?

— On le suit à la trace, mais apparemment ils ne prennent plus contact avec lui... On dirait qu'ils ont disparu dans la nature. Vachement futés... Mais on les aura... Alors maintenant, explique-nous et reprends depuis le début. Je suis autant paumé qu'une poule dans le désert. Tu t'es douté que Manchini avait été assassiné. Et après ?

— Il a reçu un coup de fil dans la nuit du meurtre qui l'a précipité dans un piège. Quelqu'un qu'il connaissait bien, puisqu'il s'est déplacé très tard, alors qu'il dormait. J'ai ensuite découvert que son coffre camouflé dans la villa familiale avait été percé et son contenu, vidé. Manchini avait passé plus de deux semaines chez son cousin cet été et, d'après un listing récent de ses numéros de téléphone, il l'appelait souvent. J'ai donc creusé la piste Torpinelli, la seule viable de toute façon. »

Leclerc se déplaça dans le bureau, mains derrière le dos, scrutant les papillons.

« Et au Touquet, qu'as-tu découvert ?

— J'ai eu un entretien avec le fils Torpinelli, qui ne m'a pas appris grand-chose. Par contre, coup de chance, le vieux m'a fourni en cachette une liste de transactions bancaires entre son fils et Dulac. Des sommes extrêmement importantes, régulièrement étalées dans le temps, pour un montant total de plus de cinq millions d'euros.

— La vache !

— Comme vous dites... Et ici, chez Dulac, je suis tombé sur ces CD ROM... Jamais, de toute ma vie, je n'avais visionné une ignominie pareille. Je n'en ai regardé que deux. Les tortures, les souffrances, les meurtres filmés de Catherine Prieur et de Doudou Camélia.

— Grand Dieu ! » lança Sibersky. « Mais... Qu'est-ce que cela signifie ? »

Je me levai et frappai des deux poings contre le mur, la tête baissée entre les épaules. « Que Dulac, tout comme les cinquante pourris sur cette disquette, s'offraient des meurtres ! »

Leclerc me serra le coude. « Comment ça ?

— À quel type de loisirs originaux pourraient bien s'adonner des hommes qui ont le pouvoir, l'argent, l'influence ? Qui ont les moyens de tout se payer ? Quel fantasme suprême pourrait bien assouvir l'argent ?

— Le meurtre...

— Pire que le meurtre. Des heures et des heures de furieuse souffrance pour soi, rien que pour soi. Le plaisir d'arracher une vie par le seul pouvoir du fric. Des images à faire vomir le plus salopard des criminels. »

Je brandis un cadre de papillons et le pulvérisai contre le sol. Les ailes des phalènes, bombyx et autres machaons, se froissèrent comme des feuillets d'aluminium. Je criai, écumant de colère : « Ces types se payaient la mort en direct ! Et Torpinelli en a fait un commerce juteux !

— Mais... à quoi rime l'agression commise par Manchini ? Et pourquoi a-t-il été assassiné par la suite ? »

J'essayai de contenir la bonbonne de rage qui implosait en moi. « Manchini possédait une double personnalité. Celle du type discret, moyennement brillant en classe. Et celle du malade sexuel frustré, incapable d'entretenir une relation normale avec une femme. Ses sentiments refoulés se libéraient dans des accès de violence et de décadence prononcés. Il a probablement mis la main sur ces vidéos pendant ses vacances d'été...

— De quelle façon ? Torpinelli devait être extrêmement prudent...

— Manchini, une bête en informatique, pouvait facilement surveiller les activités de son cousin. Il a certainement découvert cet ignoble trafic en fourrant le nez dans le PC de Torpinelli alors qu'il installait un système de webcams. Mais, au lieu de prévenir la police ou qui que ce soit, il a préféré subtiliser ces CD pour les mater en toute tranquillité depuis son ordinateur personnel. Là où nous sommes incapables de regarder, lui a très certainement pris un pied comme

391

pas possible. Alors, cette incroyable machine assassine lui est montée à la tête. Place à l'acte, comme le démontrait si bien le tueur sur ses images. Les pulsions ont franchi la barrière de la conscience, Manchini a donc opéré mais sans pousser jusqu'au meurtre. Peut-être n'était-ce pas son but, peut-être la torture lui suffisait-elle ?

— Quelle espèce de taré ! » intervint Sibersky. « Ce type n'avait pas vingt-cinq ans...

— Avec ses contacts, Torpinelli a immédiatement été informé de cette agression et a dû faire le rapprochement avec son cousin. Il a pris peur. Sa mécanique huilée, son commerce diabolique, risquaient de prendre l'eau. Il a appelé Manchini en pleine nuit, l'a fait avouer et l'a supprimé avant d'effacer les données de son ordinateur et de récupérer les CD ROM cachés dans le coffre-fort.

— Et que contenaient ces CD ROM ?

— Peut-être des copies de ces vidéos. Imaginez le risque de laisser ça à la portée de tous... Manchini était extrêmement prudent, quoi qu'on en pense.

— Torpinelli était notre tueur, alors ?

— Non, malheureusement. Le tueur se présente comme un as en informatique, en électronique, en piratage. Torpinelli n'a pas le profil. Et puis, la façon dont ont été choisies les victimes, demande de l'observation, de la préparation, une connaissance de l'entourage... Torpinelli n'aurait pas pu effectuer les allers et retours journaliers du Touquet jusqu'à l'abattoir, surveiller Prieur comme il a dû le faire. Notre tueur vit dans la proximité parisienne, dans notre proximité...

— Qui, alors ?

— Je n'en sais rien... Je n'en sais fichtre rien !... Nous devons éplucher les activités, les comptes de Torpinelli. Il faut interpeller ces fumiers qui s'entassent sur la disquette et les foutre en tôle jusqu'à la fin de leurs jours ! »

Je plaquai mon front sur le mur. Sibersky troua le silence.

« Que contiennent les autres CD ROM ?

— Je n'ai pas regardé... Le supplice de la femme de l'abattoir sur plusieurs CD ROM ? Comme un horrible feuilleton où chaque épisode s'enfonce dans l'horreur et se monnaye de plus en plus cher... »

Leclerc s'empara d'un CD ROM au hasard et le glissa dans le lecteur de l'ordinateur. Alors que le film démarrait, je ne me retournai pas, toujours face au mur, face à ces papillons cloués sur leurs supports de bois. Ces images étaient trop, beaucoup trop insupportables.

Les enceintes du téléviseur renvoyèrent des bruits de chaînes qui se percutaient entre elles, puis des sons semblables à des râles, à peine audibles.

Sibersky émit un gargouillis étouffé et Leclerc se jeta sur la souris pour interrompre la lecture. Lorsque je leur fis face, tous deux me dévisageaient, l'air ravagé.

« Qu'est-ce qui vous prend ? » interrogeai-je en me décollant du mur. « Qu'est-ce que vous avez à me regarder comme ça ? »

Même silence, mêmes visages plombés.

« Répondez, bon sang ! »

Leclerc s'empressa d'éjecter le CD ROM pour l'empocher dans sa veste.

« Allons-y ! » ordonna-t-il. « Rentrons sur Paris ! Nous visionnerons ceci plus tard !

— Dites-moi ce qui se trouve sur ce CD ROM !

— Shark, tu devrais...

— Dites-le-moi ! Remettez le CD dans le lecteur ! Remettez-le ! »

393

Sibersky empoigna fermement la manche de ma veste.

« Vous n'avez pas besoin de voir ça, commissaire. Pas maintenant...

— Le CD ! » m'écriai-je en me dégageant brusquement de son étreinte. « Il faut que je sache ! »

Leclerc me le tendit, tête baissée. Je l'insérai avec hâte dans l'appareil.

Je découvris alors ce que jamais je n'aurais pu imaginer et, si Leclerc n'avait pas pris la précaution de me reprendre mon arme, je me serais tiré une balle dans la tête...

Chapitre quinze

Je me demande si parfois la mort ne serait pas préférable à la vie. Le Grand Voyage facilite tellement les choses. Qu'il eût été simple de fermer les yeux, de donner dans un dernier effort un petit coup d'index sur une gâchette et de se jeter dans le grand tunnel blanc...

Allongé sur mon lit, le soleil, voilé par la dentelle des cirrus, déclinait dans un panache de rouges annonciateurs des froides journées automnales. Poupette gisait sur le sol, dans une flaque d'huile. On aurait dit qu'elle souffrait, pleurait, se mourait lentement, comme moi. Ce soir-là, je sus que le sommeil ne m'accueillerait plus, que mes nuits allaient porter le visage blême de mes atroces journées.

J'avais peur.

Les images qui défilaient sur l'écran de mes yeux, ouverts ou clos, allaient et venaient jusqu'à me décrocher de la réalité. Sans cesse, il débarquait sur sa monture, l'épée brandie au-dessus de sa tête. L'Ange rouge... Le père Michaélis... Je voyais cette soutane noire vibrer dans l'air, cette capuche abaissée autour d'une forme creuse, comme je visionnais mon propre reflet dans le miroir. Son souffle fétide me taraudait les épaules, ce rire comme vomi de ses entrailles me persécutait au point de me poser les mains sur les oreilles.

Le plus inquiétant, c'était cette substance visqueuse qui engluait mes pensées jusqu'à m'empêcher de m'évader vers des cieux plus doux. Je me sentais persécuté et cette volonté que je rassemblais pour chasser l'être s'appropriant mon âme, consommait toute mon énergie. Je percevais des filaments d'affliction se tisser en moi, emprisonner mon esprit dans le réseau complexe de la folie. Oui... À entendre cette voix, à me trouver incapable de chasser ces images qui me coupaient du monde matériel, je crus que je devenais fou...

Je ne trouvai pas le courage de visualiser les quatre CD ROM sur lesquelles ma femme endurait des tourments que même le plus insensible des animaux ne supporterait pas. Pourtant, je priais pour revoir l'opaline de son visage. Mais la regarder, là, soumise, bafouée, dépouillée de son identité, me tuerait. Le poignard courbe de son regard implorant me démolirait à un point tel que je mettrais un terme à ma vie, sans l'ombre d'une hésitation. J'espérais qu'un jour, Suzanne renaîtrait loin d'ici, de ce monde pourri, entourée d'âmes qui l'aimaient, qui aimaient respirer comme elle l'écorce fraîche des érables des grandes forêts canadiennes...

Sans avoir fermé l'œil, je me traînai au 36 comme un cadavre arraché à sa tombe.

Leclerc m'avait autorisé à poursuivre l'enquête, redoutant ce qui pourrait m'arriver si je restais à l'écart. Il m'avait parlé comme à un ami, lui qui, d'ordinaire, entretenait une distance froide avec ceux qui se hasardaient à l'accoster. Je ne pouvais pas me permettre de ruminer chez moi, dans ce cachot qui respirait à plein nez le parfum de Suzanne. Dans les couloirs, des gens me saluèrent mais je ne leur répondis pas, j'avançais, voilà tout. Je m'installai à mon bureau et m'abandonnai de nouveau à ces images.

Les CD ROM circulaient certainement entre les mains des plus grands spécialistes du traitement d'images, des psychologues, des forces de police, d'Élisabeth Williams. Les uns amplifiaient les gammes de fréquences basses pour révéler des sons jusque-là inaudibles ; les autres notaient les heures des différentes prises de vues, cherchant une corrélation profonde entre les choses, ou déduisant l'état d'esprit de l'assassin au moment de l'acte. Mais aucun d'entre eux ne me rendrait ma femme.

Quatre CD ROM, quatre épisodes... Suzanne enchaînée, le ventre arrondi par le temps, le visage ravagé, les traits implorant qu'on la libérât enfin.

Des films qui retraçaient son indescriptible calvaire. Où se cachaient les autres épisodes, ceux d'août, de septembre ? Entre les mains de quels pourris ?

Une opération spéciale avait été ordonnée par le directeur de la police judiciaire de Paris, notre grand patron. Tous les SRPJ étaient sur le coup, avec pour ordre d'arrêter les personnalités incriminées par la fameuse disquette. Ces gens-là seraient interrogés, punis et probablement flanqués en prison. Mais aucun de ces monstres ne savait vraiment qui se cachait derrière l'Ange rouge ou cette réincarnation de je-ne-sais-quoi...

Si j'en avais eu la possibilité, et surtout le droit, je les aurais tous tués, un par un, d'une balle dans la tête. J'aurais enfoncé un projectile dans mon barillet, l'aurais tourné au hasard et appuyé sur la gâchette et, si le coup n'était pas parti, j'aurais recommencé, encore et encore. Et surtout, je leur aurais demandé pourquoi. Pourquoi ? Pourquoi ?

Je ne m'aperçus de la présence d'Élisabeth Williams que lorsqu'elle me cria presque à l'oreille. Elle traîna une chaise, s'installa à mes côtés. Je me résolus à l'écouter, mais l'Ange rouge continuait à me harceler dans un coin de la tête.

« Franck... Je... Que dire ? Je... pensais que ce n'était qu'une légende... Jamais il n'a été prouvé que cela se produisait... Et aujourd'hui, nous en avons la preuve... Seigneur...

— De quoi parlez-vous ?

— Le *snuff film*. Ces meurtres filmés pour assouvir les fantasmes d'hommes puissants... »

Images crues se jetant devant mes yeux. Ma femme, enfermée dans un cercueil avec des chairs putréfiées d'animaux... Face à mon absence de réaction, Williams poursuivit. « Je... Je ne sais plus sur quel axe chercher. Notre tueur intervient dans deux dimensions totalement différentes. D'abord, il reproduit les actes du père Michaélis, ce qui, au départ, nous laisse penser que c'est un fanatique se prenant pour un saint chargé d'infliger une punition divine. Ensuite, il y a l'autre aspect, l'aspect *snuff movie*, ce besoin de vendre du meurtre, ce moyen de... gagner de l'argent. Et s'il n'y avait que cela qui l'intéresse depuis le début, l'argent ? Nous serions bien loin de l'Ange rouge réincarné, de ces démons, n'est-ce pas ? Je... Je me suis plantée, Franck, sur toute la ligne ! Je n'ai fait que nous orienter dans de mauvaises directions.

— Vous avez fait de votre mieux, Élisabeth. Quoi que vous en pensiez, vous nous avez été d'un grand secours.

— Mon rôle s'arrête ici, commissaire. On m'a fait comprendre que l'on se dispensait désormais de mes services. Je vais creuser encore la piste un jour ou deux, puis Thornton prendra le relais...

— Mais...

— Chut... Je vais repartir en Floride. Me rendre au bord de mon lac et y passer d'agréables moments. Quand je serai prête, je reviendrai... Et je traquerai de nouveaux criminels, tout comme vous...

— Je ne traquerai plus de criminels, Élisabeth... Je n'en peux plus... Je... Je ne sais pas comment tout cela va finir... Mal, très mal, sûrement...

— Ne dites pas ça commissaire ! Votre femme est vivante, quelque part ! Accrochez-vous à cette image et battez-vous, battez-vous !

— Elle ne l'est peut-être plus ! Il l'a tuée ! Je le sens ! »

Je vis les pupilles d'Élisabeth se répandre dans le blanc de l'œil comme une nappe de pétrole, puis se rétracter à nouveau en tête d'épingle. « Non. Je sais qu'elle est vivante. Je... Je le sens... Écoutez, Franck... Il faut que vous visualisiez les CD ROM. J'ai encore fait un rêve qui n'est pas anodin... Vous devez regarder... »

Je serrai les poings. « Je ne peux pas, Élisabeth !

— C'est le seul moyen de la sauver ! Peut-être que quelque chose vous choquera, vous ? Un détail qui nous aurait échappé ? Faites cet effort, Shark, pour l'amour de votre femme ! Pour attraper l'ordure qui bafoue à un tel point la vie et Dieu ! Faites-le, Shark ! Faites-le ! »

Je sortis mon portefeuille, portai un regard triste sur une photo sépia de ma femme. La puissance même de l'amour m'inonda le cœur d'une pluie de chagrin. Je murmurai : « Je vais le faire, Élisabeth... Je vais visualiser ces CD ROM... »

* * *

La salle de traitement numérique du laboratoire de la police scientifique ressemblait à un studio d'enregistrement, du genre de celui d'Écully, mais en beaucoup plus petit.

On y retravaillait les différentes vidéos et bandes sonores fournies dans les procédures judiciaires, en quête de vérité. Les possibilités d'analyse des ordinateurs défiaient sans conteste l'imagination...

Je m'installai dans une petite salle où s'empilaient plusieurs magnétoscopes, un téléviseur, un ordinateur et d'autres appareils dont je ne connaissais pas l'usage. Un ingénieur, Pascal Artemis, m'y rejoignit et posa quatre CDROM au-dessus du poste de télévision. « Monsieur Sharko, vous pourrez regarder les films dans leur intégralité si vous le souhaitez, mais j'ai dupliqué certains passages sur ce cinquième CD, des passages que j'ai retravaillés numériquement pour essayer d'en tirer quelque chose... Des morceaux où l'on constate des changements de lieux, d'attitudes...

— Comment ça ? Je ne comprends pas bien.

— Vous allez voir... »

Il glissa le montage dans un lecteur de CD ROM, puis désigna l'ordinateur.

« Les images vont apparaître sur l'écran de l'ordinateur et non pas sur le téléviseur. Installez-vous face à l'écran. »

Je m'exécutai. Le CD diffusa une première séquence. Suzanne, assise sur une chaise, les mains ligotées dans le dos et les chevilles attachées aux pieds de bois... La porcelaine fragile de son corps se décrochait de l'arrière-plan très sombre. Une lumière aveuglante lui éclairait le visage et la forçait presque à fermer les yeux. Ces images firent couler dans mes veines la sève de l'impuissance, de la désolation et il me prit l'envie de me lever et de m'enfuir. Mais une voix intérieure m'ordonna de rester assis.

Le technicien cala l'appareil sur pause. Il ouvrit un fichier, une reconstitution qu'il avait préalablement enregistrée sur l'ordinateur. « Sur le premier CD, votre femme a été filmée sous plusieurs angles distincts. Nous disposons d'un logiciel d'extrapolation très puissant. À partir des différentes images, d'un algorithme de prédiction et en retravaillant le contraste, la luminosité et d'autres paramètres, nous pouvons reconstruire quasiment la totalité de l'endroit où elle est enfermée. Regardez... »

Il lança l'animation. La salle apparut comme en plein jour. Une sorte de caméra virtuelle donnait un rendu tel que l'on avait l'impression de se retrouver à l'intérieur de la cavité.

« On dirait une espèce de tunnel aménagé », remarquai-je.

« En effet. Au vu des poutres soutenant les parois, de la terre sur le sol et de l'humidité parfois sur l'objectif, on dirait qu'elle se trouve sous terre. Une grotte... »

L'animation tournait toujours sur elle-même, inlassablement, dévoilant un lit, un pot de chambre, une table, une chaise et un petit crucifix accroché au-dessus du lit. Une solide porte de métal cloisonnait l'entrée de la pièce. L'enfer sous terre, le Tartare...

« Autre scène », dit Artemis. « ... Assez insupportable... Ça va aller ? »

J'opinai de la tête et il cliqua sur un bouton. Suzanne apparut encore une fois les mains entravées, debout dans un coin. Une balle en plastique transpercée par une sangle de cuir empêchait de remuer les lèvres. Son corps croqué par les morsures du froid, fragilisé par les coups répétés, racontait l'histoire écrite de son calvaire. Ses cheveux étaient pourtant propres, les draps de son lit aussi. Une puissante

torche l'éclairait et, contrairement à la scène précédente, l'image tremblotait, il devait tenir la caméra en
main. De sa voix trafiquée, métallique et froide, il lui
ordonna d'avancer. « Avance ! Avance ! Pute ! » Elle
obéit, pantelée d'une telle terreur qu'elle s'étouffait
derrière son bâillon. Ils franchirent la porte et un
boyau sombre à la gueule dévorée par l'obscurité se
déploya devant eux. Ils évoluèrent dans le dédale, elle
devant, lui derrière à filmer le martyre de mon épouse.
L'ingénieur, de la même façon que précédemment,
appela une image stockée sur ordinateur qui révéla des
détails invisibles à l'œil nu. « Ça va aller, commissaire ?

— Oui. Continuez.

— Bien. Voyez-vous ces encoches le long de la
paroi ? Selon d'autres images, elles sont espacées
d'environ cinq mètres. Elles servaient probablement,
dans l'ancien temps, à fixer des flambeaux afin
d'éclairer les voûtes. L'expert en géologie nous
affirme que les parois ne sont pas en craie, mais d'une
roche d'un étage immédiatement supérieur à la craie,
appartenant probablement aux couches des coquilles
pétrifiées ou nummulitiques. Sur certains plans où
l'éclairage est plus fort, il est presque catégorique. Il
se souvient d'un fait intéressant, relaté dans des
archives de topographie. Dans le village de Droizelle,
pas très loin de Paris, une cave s'est affaissée, provoquant un trou de six mètres de profondeur. Le même
jour, une poissonnerie et une maison voisine se fissu-
raient également. On crut que des nappes souterraines
en étaient la cause. Un ingénieur des travaux publics
entreprit des fouilles. Les sondes ne donnèrent rien
alors il fut décidé de creuser un puits profond, étayé
cloisonné et, après des semaines, on découvrit, à quatorze mètres de profondeur, un vaste souterrain

composé de caves voûtées. Creusées au XIIᵉ siècle, révèlent certains écrits. Par des communautés juives pour y stocker leurs objets précieux, parce qu'elles étaient soumises à des restrictions très sévères des pouvoirs publics et qu'il leur était interdit de commercer. Ces souterrains présentent les mêmes caractéristiques que celui où est enfermée votre femme. » D'un coup de reins, je fis rouler ma chaise vers l'arrière de la pièce. « Combien a-t-on recensé de réseaux de galeries ?

— Plus d'une vingtaine éparpillés dans le Bassin parisien. On en découvre de nouveaux tous les ans. Votre divisionnaire a déjà lancé une opération de fouilles en coordination avec les différents services de police. Mais il est fort probable que celui-ci soit encore inconnu, car les galeries recensées sont gardées et protégées.

— Bon sang... Ma femme sous terre... »

Je me remémorai les visions de Doudou Camélia, cette humidité, ce lieu pourrissant où il retenait Suzanne. Depuis le début, les pressentiments de la Guyanaise se vérifiaient...

« Commissaire ?

— Oui.

— Je vais continuer, si vous le permettez. L'analyse phonique n'a rien révélé. Aucun son ou bruit nous permettant de localiser l'endroit. Ce qui confirme la profondeur et l'isolation des galeries. »

Il but un verre d'eau et m'en proposa un que je refusai. Il plia ensuite le gobelet et le jeta dans une corbeille. « Chacun des films dure une demi-heure. D'après les dates au bas de l'écran, les prises de vues sont espacées d'environ un mois, ce, à partir d'avril 2002. Normalement, vous auriez dû découvrir six films, votre femme ayant été enlevée voilà plus de six mois. Soit ce Dulac les dissimulait ailleurs, soit, pour une raison ou une autre, les derniers épisodes ne lui sont pas parvenus.

— Nous les retrouverons chez les autres salauds... Ces hommes respectables... aux noms inscrits sur la disquette...

— Heu... En fait, d'autres images indiquent, à en juger par les marques sur les bras de votre femme, qu'il la drogue régulièrement. Sur la plupart des scènes, elle est bâillonnée et attachée, ce qui l'empêche d'émettre le moindre signe. Cependant, nous avons remarqué deux faits particulièrement troublants. Premier point, voyez-vous ce petit crucifix, situé au-dessus du lit ? »

J'acquiesçai. Artemis changea de photo. « Et maintenant, que constatez-vous ?

— On dirait qu'il a été retourné... On ne voit plus la gravure du Christ, contrairement à l'image précédente. La gravure se trouve désormais côté mur.

— Exact. Et ça continue de cette façon sur une bonne partie du premier film. Sur les autres vidéos, cette croix a disparu, ce qui tend à prouver que le tueur s'en est aperçu.

— Qu'est-ce que cela signifie ?

— Nous l'ignorons... C'est pour cette raison que nous comptions sur votre présence. Cherchait-elle, par ces inversions, à représenter un symbole, une certaine dualité ? Nuit et jour ? Lune et soleil ? Noir et blanc ?

— Je ne comprends pas, désolé... Vous aviez dit qu'il y avait un deuxième point ? »

Il se leva et s'empara du premier épisode. « Sur ce CD, le regard de votre femme, de temps en temps, devient fuyant.

— Comment ça ?

— Ses pupilles partent d'un coup sur la gauche e

se remettent en place, un peu comme une maladie des muscles oculaires que l'on appelle nystagmus. »

Je me levai de ma chaise et lui arrachai le CD ROM des mains avant de l'enfoncer dans le lecteur. « Montrez-moi ! »

Il cliqua sur *avance rapide* avec la souris, fit marche arrière et se cala sur une scène où la caméra, posée sur un pied, filmait ma femme en train d'uriner dans un pot métallique. Le tressaillement de l'œil fut très bref, presque imperceptible. L'ingénieur accéléra... *Lecture*... Nouveau mouvement des yeux.

« Nous ne l'avons pas remarqué tout de suite, pensant que votre femme avait effectivement ce handicap. Mais sur le deuxième CD, il se produit une coupure. Sur la prise de vue suivante, on revoit votre femme avec... un hématome sous la pommette gauche... et le mouvement n'existe plus. Il a dû s'en apercevoir, tout comme des retournements de croix. Cette agitation des yeux vous dit-elle quelque chose ? »

Je lui demandai la souris et repassai la scène. Fuite des yeux sur la gauche... Encore et toujours... « Je... ne comprends pas bien... Son frère schizophrène souffre de divergence oculaire, de nystagmus. Ses yeux partent très souvent sur la gauche, de la même façon, avant de se remettre en place d'eux-mêmes. Mais... Pourquoi nous fournirait-elle cette indication ?

— À l'évidence, votre femme voulait vous faire penser à un fait important, peut-être en rapport avec son frère. Possible qu'il ait quelque chose à voir là-dedans ?

— Ça m'étonnerait beaucoup, il est interné depuis plus de six mois... Seigneur, Suzanne, qu'est-ce que tu essaies de me dire ? » Je considérai longuement le plafond, avant de reprendre. « Vous avez découvert d'autres indices ?

— J'ai une équipe sur les CD ROM. C'est un travail de fourmi. Une copie de tous les enregistrements est au centre de police scientifique d'Écully afin qu'ils nous apportent leur aide. Ils planchent dessus jour et nuit. Les informations remonteront jusqu'à votre service en temps réel au fur et à mesure des investigations. S'il a commis la moindre erreur, nous la découvrirons. À présent, vous pouvez visualiser les CD ROM si vous le souhaitez. Ne perdez jamais de vue que votre femme vous fait confiance et qu'elle a très certainement cherché, à l'image des yeux et du crucifix, à nous signaler quelque chose.

— Très bien... J'aimerais rester seul dans la pièce, si cela ne vous dérange pas...

— Je comprends, commissaire. Prenez le temps qu'il faudra... Je serai dans la salle voisine, si vous avez besoin d'un quelconque soutien. »

Et j'engloutis le premier CD ROM dans le lecteur. Et je m'assis sur la chaise. Et je priai Dieu de me pardonner pour ce que j'allais visionner... Et je le suppliai de m'apporter du courage. Beaucoup de courage... Et je sus, dès lors, que jamais, plus jamais, je ne pourrais fermer les yeux sans ma femme à mes côtés.

Parce que si cela devait encore arriver, alors, je préférerais mourir...

* * *

La brusque impulsion des yeux se reliait au frère de Suzanne, mais j'avais beau me griller les neurones, je ne comprenais pas. Dès lors, je me convainquis que le seul moyen de découvrir la vérité était d'aller à la rencontre de Karl, son frère.

Je me lançai sur l'A3 puis l'A1, la pédale plaquée au plancher de ma berline. Mais la vérité m'attendait-elle vraiment à l'autre bout de ces voies d'asphalte ? L'hôpital psychiatrique retenait Karl depuis plus de six mois. Je débarquerais là-bas, et ensuite, quoi ? Je lui montrerais le film ? Je le perturberais plus qu'il ne l'était déjà ?

Après une trentaine de kilomètres, je bifurquai sur la première aire de repos que je croisai et partis me rafraîchir le visage sous un robinet d'eau.

Devant mes yeux, au-delà du ballet de tôle et de métal des camions, se dressait le regard implorant de ma femme, cette expression destinée à me mener quelque part, nulle part.

Quel rapport pouvait bien se nouer entre l'Ange rouge et Karl ? Pourquoi insister sur cette maladie nerveuse des yeux ? Pourquoi cherchait-elle à me rapprocher de la schizophrénie ? Et cette croix retournée, positionnée à l'envers, puis à l'endroit ? Cette dualité... Envers, endroit... Pile, face... Rouge, noir... Zéro, un... Zéro... Un... Zéro... Un... Des zéros et des uns...

Souvent, pour passer d'un problème à une solution, il suffit d'inverser quelques zéros et quelques uns...

L'idée me fulgura l'esprit comme un déchirement du ciel. La solution se décocha du fond de mon âme en lettres de feu. Dire qu'elle se cachait en moi depuis le début...

Je regagnai l'autoroute à toute allure, la quittai à la sortie suivante pour m'y réengager sur la voie opposée, explosant la limite de vitesse autorisée.

Chapitre seize

En route, un scénario se dressa dans ma tête, net, précis, un incroyable enchaînement de circonstances faisant qu'à chaque fois, il se trouvait là, au bon moment. J'essayai de réorganiser mes pensées jusqu'à l'ultime commencement.

Et les propos d'Élisabeth Williams tintèrent dans ma tête. *Ce type de tueur va tout faire pour se trouver au cœur de l'enquête.*

Serpetti et son frère schizophrène...

Serpetti, avec ses zéros et ses uns...

Serpetti, si proche de moi que je ne voyais pas son visage...

La première fois... La première fois, je l'avais appelé de moi-même pour qu'il retrouve l'origine de l'e-mail. Je lui avais ouvert les portes de la bergerie et il s'était déployé dans le cœur de notre enquête comme un virus informatique s'empare du contrôle d'un ordinateur !

Il m'avait apporté son aide pour noyer le poisson. Il avait orienté les forces de police dans les puissantes mâchoires de BDSM4Y, avait transformé nos investigations en un fantastique gaspillage d'énergie. Puis, le coup de téléphone au moment précis où je me trouvais chez lui ! Facile de déclencher un appel à retardement. Il avait prévu que je lancerais des hommes pour surveiller les victimes potentielles ! Doudou Camélia, puis Élisabeth Williams !

Et sa Yennia, que je n'avais jamais vue, qui n'existait pas... Toute cette organisation autour de mon enquête pour se disculper, pour se trouver au foyer même du brasier, se tenir au courant des dernières découvertes ! Comment ? Comment avais-je pu être aveugle à ce point sur ce parieur, cet homme qui ne vivait qu'au travers du jeu et de l'argent, qui contrôlait les destinées de ses victimes de la même façon qu'il manipulait ses trains ?

Il jouait, depuis le début il jouait ! Je l'imaginais encore à mes côtés lorsque je me confiais quant à Suzanne, lorsque je lui livrais mes sentiments sur l'assassin, sur cet Homme sans visage ; à chaque fois, je lui racontais à quel point j'allais mal et il me consolait, me rassurait...

Seigneur ! J'avais serré moi-même le nœud coulant autour du cou de mon épouse et de toutes ces filles...

Aucune réponse de la voiture de faction, postée devant chez Serpetti. J'ordonnai, depuis mon cellulaire, à l'ensemble des équipes de se rendre à sa ferme et me lançai le premier en direction de Boissy-le-Sec.

En route, je passai un coup de téléphone sur le portable d'Élisabeth, mais tombai sur le répondeur. J'appelai alors le policier chargé de la surveillance de la psychologue. Je n'obtins, là encore, que le silence radio. Quelque chose clochait ! Un élan foudroyant d'angoisse me pressa la gorge.

En voulant doubler une voiture par la droite sur la bande d'arrêt d'urgence du périphérique, je percutai des cônes de travaux, me rabattis en catastrophe et raclai l'aile gauche d'un véhicule qui croisait ma trajectoire houleuse.

Je sortis enfin du réseau urbain et pénétrai la campagne comme une boule de feu dans le firmament... À plusieurs reprises, je faillis filer dans un fossé, écraser des passants ou même éjecter des vélos...

Et je déboulai devant la ferme, l'arme sur mes cuisses... Les deux plantons, dans leur voiture, avaient la gorge tranchée.

Je me précipitai dans l'entrée, chassai la porte et me jetai à l'intérieur. Personne...

Prudemment, je grimpai à l'étage, parcourus les pièces d'un bref coup d'œil avant de redescendre et fouiller du regard le rez-de-chaussée. Dans la pièce derrière la salle à manger, les transformateurs bouillaient, les trains tournaient à pleine puissance dans un hurlement métallique, un tumulte de rage. La majeure partie d'entre eux avait déraillé et s'était écrasée contre les murs. Thunder, le grand train noir, dominait le réseau de sa puissance de fonte, doublant, grillant feux et signaux, à la recherche des prochaines victimes à broyer de ses mâchoires de fer...

Arme au poing, je me lançai dans la cour intérieure, défonçai d'un violent coup de pied la porte pourrie de la grange aux pailles. Je me frayai un passage dans l'encombrement de vieilles pièces de métal, de volets cassés, de bois mort où jouaient des aplats de lumière et courus jusqu'au mur du fond. Rien d'anormal, aucune chaleur humaine.

Je me dirigeai alors vers le vieux château d'eau en brique. Un cadenas neuf en interdisait l'entrée et du neuf n'avait pas sa place sur une ruine branlante ! Je le fis sauter d'un coup de feu en me protégeant le visage et pénétrai dans l'obscurité, sans oublier d'allumer une petite torche ramassée dans la grange. Ma semelle percuta un autre cadenas. Les galeries souterraines se déployaient sous mes pieds, sous la ferme...

Je dévalai les escaliers en pierre, tout en prenant garde de ne pas me rompre le cou dans une mauvaise chute. Les ténèbres s'abattirent sur moi comme une lame de guillotine. Ma torche devenait dérisoire.

Je devais récupérer la Maglite dans le coffre de ma voiture...

Sous le trait du puissant faisceau, j'avançai sous les voûtes d'où perlaient parfois des gouttes d'humidité qui mouraient sur la pierre dans un flop percutant. Devant moi, un trou plongea dans le noir saisissant et la galerie se scinda en deux autres branches, en Y. J'avais l'impression d'évoluer dans la panse d'un gigantesque monstre de pierre. La lumière naturelle disparaissait au rythme de ma progression, comme digérée par cette noirceur affamée. Je décidai de suivre avec méthode le mur de droite, afin de reconstituer aisément mon chemin au cas où cet entrelacs d'intestins souterrains me désorienterait. Une petite entrée dans la roche me conduisit dans une sorte de salle et, dans l'éclat jaune des rayons, se découpèrent des ossements humains. Des côtes repliées telles des griffes de chats, des fémurs, des tibias et des crânes, des dizaines de crânes. Je m'approchai du monceau calcifié et compris, à constater les fissures sur les os, que ces squelettes ne dataient pas d'hier. J'éclairai l'arche basse du plafond, les murs suintants, me demandant quels horribles secrets renfermait l'histoire de cet enfer chtonien. Je m'éclipsai, l'arme toujours serrée avec force. J'eus l'impression que l'obscurité me piquait les joues et s'intensifiait autour de moi. Les cinq piles emboîtées dans le manche de ma Maglite commençaient à présenter des signes de faiblesse. J'en avais encore, grand maximum, pour une demi-heure de lumière avant l'extinction complète des feux.

Plus en profondeur, je tombai sur une autre cavité.

un nouvel ossuaire, puis me retrouvai pris au piège dans un cul-de-sac.

Je rebroussai chemin, la main ne quittant pas le mur de gauche. Une galerie plus large s'engouffra dans une ouverture béante de la paroi et je m'y enfonçai d'un pas très vif. Les soubresauts d'intensité lumineuse du faisceau démontraient clairement que les ténèbres ne tarderaient pas à reprendre leurs droits.

Le lacis souterrain devait s'étendre sur plusieurs centaines de mètres, voire des kilomètres ; sans cesse, s'ouvraient dans l'inconnu de nouvelles bouches et des tunnels sans fin. Je suivais toutes les voies qui se présentaient à moi, prenant soin, à chaque fois, de noter mentalement l'itinéraire emprunté. J'étais devenu, moi aussi, un jouet de Serpetti, une marionnette, un train électrique piégé dans un réseau grandeur nature...

Au creux de nulle part, j'osai un appel. « Suzanne ! Suzanne ! » Ma voix buta sur de multiples murs avant de disparaître, comme avalée par le néant. Aucune réponse. Juste des échos glaciaux. La Maglite s'éteignit et se ralluma lorsque je tapotai sèchement sur l'arrière. J'avais surestimé la durée de vie des piles. Il me fallait remonter et attendre des renforts censés arriver d'un instant à l'autre. La pulpe des doigts cette fois en contact avec le mur situé à ma gauche, je revins sur mes pas jusqu'à, enfin, atteindre l'escalier, au moment où ma torche s'éteignait définitivement. Des voix extérieures parvinrent jusqu'à mes oreilles. « Ici ! » hurlai-je. J'entendis des haussements de ton puis une cavalerie de pas.

« C'est moi, Sharko ! » J'accourus jusqu'à l'entrée du château d'eau. « Combien êtes-vous ? »

Sibersky répondit. « Nous sommes huit, venus avec quatre voitures. Une voiture est partie chez la criminologue. D'autres équipes vont arriver ! »

— Allez me chercher des torches ! Des projecteurs, vite ! Et amenez-vous ! Il faut fouiller ces souterrains !

— Vous pensez qu'il tient Williams ?

— Je crois ! Vite !

— Et votre femme ?

— Elle est enfermée là-dedans, j'en ai la certitude ! Des centaines et des centaines de mètres de galeries se déploient sous nos pieds. Appelez d'autres renforts, encore et encore. Je veux le plus de monde possible sur les fouilles ! Contactez tous les commissariats du coin ! Qu'ils rappliquent ! Et surtout, il me le faut vivant ! Vivant ! Cet enfoiré, je le veux vivant !!!

— À vos ordres ! »

Je pris sous le bras l'un des projecteurs à batterie et me lançai dans les boyaux, longeant cette fois la patte gauche du réseau souterrain. « Suivez-moi ! À chaque fois que les tunnels se sépareront, nous nous séparerons de la même façon de sorte à couvrir le maximum de surface. Si vous découvrez quelque chose, criez ! »

Très rapidement, le labyrinthe nous éloigna les uns des autres. Seul Sibersky m'accompagnait encore. Le puissant projecteur nous offrait un spectacle digne d'une série d'angoisse. Des zones d'ombres dues au relief irrégulier se dessinaient au-dessus de nos têtes comme les mains décharnées de spectres. L'eau ruisselait plus fort dans certaines cavités, nous eûmes à traverser de larges flaques qui croupissaient sur le sol très certainement depuis des années. Un nouveau boyau contraignit Sibersky à poursuivre sur la gauche.

Quant à moi, je me fiai à mon intuition et me dirigeai au hasard de mes pas. Les voix des collègues rampaient le long des voûtes, bondissaient dans toutes les directions jusqu'à se perdre. Le boyau se rétrécit soudain à un point tel que je dus me glisser de profil en serrant le ventre. Et j'avançais, j'avançais, j'avançais...

Sans pouvoir expliquer pourquoi, une crise d'angoisse s'empara de moi. Mes membres se mirent à trembler de façon incontrôlable et mes jambes ne purent soutenir plus longtemps la masse de mon corps. De la sueur me piqua les yeux. Je fus contraint de m'asseoir. Ma tête partit à la renverse une première fois, puis une seconde, je frôlai l'évanouissement. La voix de Sibersky me parvint par à-coups, comme si elle s'était brisée en éclats de cristal au contact de la roche. « ... missaire... ouvé... enez... vite... »

Je secouai la tête, me demandant si je ne rêvais pas. Du givre s'accrochait à mes lèvres. J'étais frigorifié. Je dus faire preuve de toute la volonté du monde pour m'arracher du sol et retrouver des sensations dans mes jambes.

« ... missaire... êtes... ort... echez...

— J'arrive... J'arrive ! » Je ne réussissais plus à retrouver mon chemin. J'avais perdu mes repères, la notion de l'espace et du temps. Je criai : « Parle ! Parle pour que je me guide au son de ta voix !

— ... iams... gneur... missaire... »

Je me ruai vers où semblaient jaillir les sons. « ... mmissaire... ommissaire... »

Puis, alors que je m'engageais dans un boyau perpendiculaire, les émissions sonores se clarifièrent.

« Commissaire ! Commissaire ! Seigneur ! Dépêchez-vous ! »

Je courais à présent, dos courbé à cause de la voûte de plus en plus basse. Une lueur vive éclaboussa l'obscurité à une dizaine de mètres devant moi. Mais avant d'y parvenir, je dus traverser un passage si serré qu'il me fallut m'accroupir pour le franchir.

Une lourde odeur de chairs brûlées s'agrippa soudain à mes narines. Sibersky éclairait un corps nu couché sur le côté, les genoux repliés sur la poitrine et le visage tourné vers l'arrière de la niche, de sorte que je ne le vis pas en arrivant. La chevelure reposait sur la roche, les cheveux précautionneusement étalés de manière à couvrir un maximum de surface.

Sibersky orienta la torche dans ma direction, puis se cacha le visage parce que je lui envoyais le faisceau du projecteur dans la figure. Je posai l'engin sur le sol, m'avançai lentement vers le corps recroquevillé. Lorsque je l'atteignis, un relent me plia en deux, et je partis vomir dans un coin.

« *Racontez-moi pourquoi vous exercez ce métier...*

— C'est très bête. J'avais treize ans et, par un matin d'automne, je suis allée donner à manger à des canards, au bord du lac Scale, en Floride. S'y aventurer était interdit à cette période de l'année, parce que la chasse battait son plein, mais je m'en fichais. Les pauvres bêtes venaient chercher le pain jusque dans ma main. Elles étaient affamées. Puis un coup de feu les a fait s'envoler. Les canards ont décollé. Je les ai vus se faire abattre les uns après les autres, en plein ciel. J'assistais à une série de meurtres... Ça m'a tellement déchiré le cœur que je me suis dit que je ne pouvais pas laisser ce genre de tueries impunies, qu'il fallait faire quelque chose pour stopper le massacre. C'est ce qui, plus tard, m'a orientée vers mon métier... C'est drôle, non ? »

Des petits-laits, des sérosités rosâtres, des eaux semblables aux vins gris du Maroc, suintaient des deux seins brûlés d'Élisabeth Williams. À proximité du bassin, des pavés de chair avaient disparu, sans doute prélevés à l'aide d'un instrument tranchant et le sang avait durci en caillots accrochés aux franges de peau.

« *Et vous n'avez jamais pensé à vous marier ?*

— Non. Les hommes ne comprennent pas ce que je fais. Ça n'a jamais véritablement collé avec ceux que

j'ai rencontrés. Ils me rendaient malheureuse, mieux valait la compagnie des femmes. Eh oui, Franck, je suis homosexuelle ! Mais je pense que vous vous en doutiez. Je me trompe ? »

Les parties génitales avaient aussi été brûlées. Une petite poire remplie d'essence avait été déposée au fond du vagin, puis allumée à l'aide d'une mèche de coton et d'un briquet...

« Vous savez ce qui me plairait le plus au monde, commissaire ? Ce serait de retourner au bord de ce lac, de voir à nouveau ces canards nager devant moi et de leur donner de la mie de pain. Je retournerai là-bas un jour, je me le suis juré... »

Sibersky orienta sa torche sur la gauche de l'entrée. « Il a utilisé... ce briquet et cette bombe aérosol pour lui brûler les seins... Et... Il a écrit ça... » Il pointa le faisceau vers le plafond. Je lus : *Salut, Franck !*, marqué à la craie.

Je m'essuyai la bouche d'un mouchoir, sortis le portable de ma poche mais l'absence de réseau le rendait inutilisable. Je m'élançai dans l'étranglement, m'arrachant au passage l'arrière de la veste, courus dans le boyau, en longeai un autre, à droite, puis encore à droite jusqu'à ce que la lumière du jour illuminât mon visage.

D'un doigt tremblant, l'estomac au bord des lèvres, je composai le numéro de Serpetti. Il parla avant que j'eusse le temps d'ouvrir la bouche.

« Salut, mon ami ! Alors, ma petite surprise t'a plu ?

— Fils de pute ! Rends-moi ma femme !

— Elle n'est pas très loin de moi, tu sais. Mais je m'inquiète un peu parce que ces derniers temps, elle a eu un nombre impressionnant de contractions. On dirait que le bébé veut sortir.

— Arrête, Thomas, je t'en supplie ! Arrête le massacre !

— Il ne doit pas sortir ! Pas maintenant ! Ta femme doit aller au bout. Je suis en train de rassembler un peu de matériel. Il faut que j'arrange tout ça. Après, ça ira mieux, beaucoup mieux... En fait, ce n'est pas que tu me déranges, mais, vois-tu, j'ai à faire, comme d'habitude... Au fait, il faudra bien prendre soin de Reine de Romance, parce que je crois que je ne la reverrai pas de si tôt... »

Il raccrocha. « Noooooon ! Ne raccroche pas ! Noooon ! » Je recomposai le numéro, sans réponse. Je m'effondrai, les deux genoux sur le sol, les mains dans la terre humide de la cour intérieure. D'autres voitures, gyrophares en action, s'accumulaient à l'entrée.

Subitement, je me relevai et pénétrai à l'intérieur du logis où les fouilles avaient déjà commencé. J'avalai les volées de marches qui conduisaient à l'étage. Dans le bureau où ronflaient à n'en plus finir les ordinateurs, le poster se trouvait toujours là, accroché sur le mur frontal... Les marécages du Tertre Blanc. Et le chalet, au fond...

Crombez, qui venait d'arriver, m'interpella au moment où je m'apprêtais à prendre la route. « Commissaire ? Où allez-vous ?

— Pousse-toi de là ! Je dois vérifier quelque chose ! »

Je claquai la portière devant son nez et fis crisser les pneus en démarrant dans les gravillons.

La tension nerveuse rendait mes muscles raides comme des barres de fer. Une douleur aiguë me dévorait l'épaule et le dos et mes articulations fatiguées commençaient à me lanciner. Mais il fallait que je le tue. Que je le tue de mes propres mains, sans personne

418

pour m'en empêcher. Je devais voir ses yeux lorsque le projectile attaquerait sa chair. *Tiens bon, Suzanne, tiens bon, je t'en supplie !*

Une partie de mes pensées se portait vers Élisabeth Williams, vers la terrible mort qu'il lui avait infligée. J'aurais dû y songer ! J'aurais dû prévoir qu'il en arriverait là ! Seigneur ! Combien de personnes étaient mortes par ma faute ? Combien en avais-je sauvées des griffes de Thomas Serpetti, de l'Homme sans visage, ce visage si familier que je ne réussissais pas à le voir ? Aucune...

Je roulais pour affronter l'Ange rouge dans un ultime combat, un duel que j'attendais depuis plus de six mois. Je roulais vers la coupole brasillant du soleil couchant, je roulais vers l'endroit où m'attendait mon destin...

Chapitre dix-sept

L'odeur d'eaux croupissantes pénétra en moi et se matérialisa enfin, comme si elle s'exhalait de la substance même de mes rêves. Le chemin fangeux qui éventrait les marais depuis plusieurs kilomètres, se referma sur les roues de mon véhicule comme une mâchoire de fer. Je donnai un coup d'accélérateur, mais la gomme patina. Je fus contraint de continuer à pied.

Les derniers moustiques avant les rudesses hivernales dansaient à la surface, effleurant parfois l'onde du bout de la patte avant de s'effacer derrière les chaumes tendus des roseaux. Plus j'avançais, plus le marais s'épaississait. Le lugubre décor autour de moi n'avait plus rien à voir avec le poster de Serpetti et je recherchai désespérément une île, un îlot ou une étendue herbeuse sur laquelle devait se dresser le chalet. Les rayons obliques du soleil pailletaient d'une sale clarté les rares aplats où l'eau parvenait à percer la couche épaisse des nénuphars et j'eus l'impression de pouvoir marcher à la surface du marais, tellement la flore s'y déployait avec générosité. Des roseaux géants de plus de deux mètres, dressés comme des lances de guerriers, m'empêchaient de distinguer autre chose que l'univers restreint de ce cachot de verdure dans lequel j'évoluais.

Je continuai à me hasarder sur le mince chemin naviguant entre les marécages, me demandant si la voie n'allait pas finir par s'arrêter net ou si des sables mouvants n'allaient pas m'entraîner vers le fond. Je m'agrippais aux branches arquées par l'humidité et presque nues des aunes, chevauchant leurs racines qui s'enfonçaient dans les profondeurs de l'eau tels de gigantesques anacondas.

Au détour d'un tronc à l'écorce pourrissante, j'aperçus enfin la cabane, perchée sur une île envahie d'arbres et de fougères, en plein milieu du manteau kaki de l'eau. Une barque était amarrée sur l'un des flancs de l'île et une petite lumière effrayante émanait d'entre les volets fermés. Je me baissai, m'approchai du bord du marais et envoyai de désespérés regards circulaires à la recherche d'une embarcation, ou d'un moyen de me rendre sur l'île, perdue à une cinquante de mètres dans la soupe des nénuphars.

Je me résolus à ôter ma veste, mes chaussures et me glissai le long de la berge, serrant les dents. L'eau monta jusqu'à mes mollets, puis s'attaqua à mes cuisses et mon bassin. Les lentilles, les joncs, tout ce qu'il y avait de pourri, s'accrochait à mes membres. L'eau était glaciale. Peut-être sept ou huit degrés, pas plus. J'avais intérêt à avancer très vite, si je ne voulais pas sombrer au fond, foudroyé par une hypothermie. Je levai les bras, mon arme au-dessus de ma tête. D'un coup, alors que la surface de l'onde s'enroulait autour de mon torse, je chutai dans un trou de vase. Le réflexe de la respiration me fit avaler une gorgée d'eau et je remontai à l'air libre en suffoquant, des lentilles dans les narines, la bouche et les yeux. Sous l'effet de surprise, j'avais lâché mon arme ; je tentai en vain de la récupérer, en tâtonnant du bout des orteils, me laissant couler volontairement, mais je palpai juste ce mélange en décomposition stagnant au fond de l'eau.

Je me mis à nager la brasse, freiné par les tiges des nénuphars qui se mêlaient à mes mouvements. Le froid commençait ses dégâts. Mes lèvres, mes mollets, mes biceps, mes pectoraux, durcirent comme du bois. Mes doigts et mes orteils me piquèrent, me donnant l'impression qu'ils allaient se briser. Et mon épaule, comme blessée par une seconde balle, hurlait de douleur...

Je parvins enfin sur la berge, exténué, frigorifié, sans arme, alourdi par le poids de l'eau, de la vase et de la végétation cramponnées à mes vêtements. L'obscurité dévalait de la voûte du ciel à une vitesse ahurissante et des coassements de crapauds perforaient le silence aquatique. Je ramassai l'un des gros bâtons qui jonchaient le sol. J'en choisis un solide mais suffisamment léger pour me permettre de le manipuler avec aisance. Des racines et des branches pourries me torturèrent la plante des pieds. Un branchage pointu cassa net dans la pointe de mon orteil. Je criai intérieurement, retournai mon pied et arrachai l'intrus en serrant les dents. Mes muscles raidis par le froid semblèrent recouvrer une légère élasticité, dans des proportions toutes relatives. Je gagnai enfin les abords de la cabane. L'herbe haute relayait le sol marécageux et rendait, Dieu merci, ma progression plus discrète...

Volets clos. J'effectuai un tour du chalet, plaquai mon oreille contre la paroi et m'immobilisai. Le roucoulement d'une radio monta jusqu'à moi, cependant je ne perçus aucun autre bruit. Je risquai un œil, mais les lattes inclinées m'empêchaient de voir à l'intérieur. Un vent frais se leva avec le crépuscule, pénétrant au point de me tétaniser les articulations.

Je m'interrogeai sur la façon de m'introduire à l'intérieur. Le regard que je jetai par le trou de la serrure, ne me renvoya que du néant ; la clé reposait dans son emplacement. Je saisis avec la plus grande attention la poignée, émis une poussée et, à ma grande surprise, la porte s'ouvrit sans aucune résistance. Je bondis dans la gueule du loup, le bâton brandi au-dessus de ma tête...

Et je découvris ma femme, les yeux bandés, attachée en croix sur une table, la poitrine offerte à une nudité outrageante. Je devinai à l'intérieur de son ventre rond la présence du petit être et ne pus empêcher mes larmes de jaillir et m'inonder de chagrin. Une impulsion intérieure, un flux imprévu de sensations les plus pures, me paralysa, puis me fit chanceler et chuter sur le sol. Je me relevai, difficilement, m'écroulai à nouveau lorsque le visage de Suzanne s'orienta dans ma direction. Des mots de détresse s'accrochèrent au bord de ma gorge et, dans un instant qui me parut une éternité, je perdis le réflexe de la respiration.

Je ne songeai qu'à ôter son bandeau, la serrer dans mes bras, l'embrasser, la couvrir d'amour, toucher ses cheveux, son ventre, ne fût-ce que l'espace de quelques secondes. Mais, auparavant, mes dernières pulsions de flic me forcèrent à scruter la kitchenette et les toilettes. Pas de Serpetti. Sans chercher à réfléchir, je me lançai sur la porte d'entrée et tournai la clé de manière à verrouiller l'issue. Je m'approchai de mon amour, de mon futur bébé que j'aimais déjà plus que tout au monde et, sans même les toucher, je sentis que la chaleur de leurs corps, le battement de leurs cœurs m'embrasaient l'âme.

Suzanne ne parlait pas. Les cordes lui enserrant les poignets blanchissaient ses mains. Le haut de son corps, salpêtré, crevassé de stries profondes et d'auréoles plus ou moins prononcées, s'érigeait en témoin hurlant de son supplice. Je me penchai enfin vers elle, écrasé de larmes. Mes doigts, mes mains, mes jambes frémirent, tremblèrent, de froid, de peur, d'une émotion à l'intensité solaire. Je m'agrippai au coin de la table et, rassemblant mon énergie, chassant les douleurs qui m'assaillaient de partout, lui retirai le bandeau. Que ce geste, cet instant, se figent à jamais dans ma mémoire, jusqu'à la mort...

Sa lèvre inférieure s'écarta et un cri blanc jaillit du fond de sa gorge. Elle se mit à hurler de façon incontrôlable, infligeant de tels mouvements de torsion à ses poignets et chevilles que la corde cisailla la peau. Les muscles fuselés de ses jambes tressaillirent, son corps tout entier ondulait comme sous le coup d'un choc électrique. Et ses hurlements s'élevèrent haut, très haut dans les profondeurs de la nuit tombante. « Chérie ! Oh ma chérie ! Suzanne ! »

Quelque chose lui imposa un calme soudain. Ma voix. Elle avait reconnu ma voix, celle de son mari, d'un être venu lui apporter de l'amour, du réconfort, autre chose que des insultes et des coups. Le temps d'un souffle, son regard croisa le mien. J'y déchiffrai notre rencontre, nos jours heureux, le combat de nos deux vies. J'y discernai la sensibilité incroyable d'une mère pour son bébé...

« Chérie ! Chérie ! Je t'aime ! Je t'aime ! »

Je répétai à m'écorcher la gorge ces mêmes mots, m'approchai de son oreille, lui passai une main dans les cheveux, sur le ventre. Oh, ce ventre ! Mon bébé, notre bébé ! Et je la serrai contre moi, tellement...

Une mousse fine coula de ses lèvres, ses pupilles dilatées fixèrent l'une des poutres du plafond.

« Suzanne ! Reste avec moi, Suzanne, je t'en prie ! Suzanne ! Ne me laisse pas ! »

Avec la plus grande peine, je parvins à lui détacher les mains. Je défis finalement les entraves des chevilles et ma propre femme se roula en boule dans un coin, les cheveux dans la bouche, les cheveux dans les yeux, les cheveux lui couvrant la totalité du visage. L'air humide charria une écœurante odeur d'urine, une petite flaque s'auréola sous ses pieds. Le balancement de son ventre, de son fessier, de ses jambes repliées contre sa poitrine, s'accéléra. Et elle oscillait, oscillait, oscillait...

Je savais qu'elle pouvait revenir à moi, que, dans la mécanique intransigeante de la conscience, quelque part, une petite porte était restée ouverte sur la lumière.

Alors que mes bras se tendaient vers elle, une voix m'interpella. Une voix truquée. L'une de celles déjà entendues au téléphone.

« Bienvenue, Franck ! » Thomas Serpetti pointait une arme dans ma direction, un vieux Colt qui semblait encore en parfait état de marche. L'homme sortit par une petite trappe dissimulée sous un tapis et monta les dernières marches d'une échelle. Il posa le truqueur de voix sur le sol avant de m'envoyer un sourire d'une incroyable méchanceté.

« Il fallait que je voie ça, Franck ! Les retrouvailles avec ta femme, après plus de six mois d'attente. Tu as vu comme j'en ai bien pris soin ? »

Il effectua des mouvements avec son Colt m'incitant à lâcher le bâton tout juste ramassé. Je m'exécutai et levai les mains. Suzanne sursauta, coula un regard vide et se remit à se balancer comme un cheval de bois, la tête enfoncée entre les genoux, contre son ventre.

« Mon Dieu, Thomas. Qu'est-ce que tu lui as fait ?

— Ta femme est devenue marteau, Franck. Aprè*

426

quatre mois, comme ça, sans raison. Du jour au lendemain ! J'aurais pu m'en débarrasser, ça m'aurait tellement facilité les choses. Mais j'ai préféré aller au
bout, pour le jeu... Pour la célébrité, pour le fric.
Comme un challenge... envers toi...

— Pour le jeu ! Mais... Mais comment oses-tu ? »

Ses yeux rayonnèrent de noir, ses pupilles grossirent
comme celles d'une bête sauvage acculée, prête à tuer
pour préserver sa vie... « Tu imagines, Franck ? Tu en
connais, toi, des êtres de mon intelligence ? Tu as vu à
quel point je vous ai bluffés ? La vie, la mort, tout cela
n'est qu'un immense jeu. Si tu pouvais savoir le pied
que j'ai pris ! Oh ! Mon cher ! Personne, absolument
personne ne pourra surpasser l'œuvre que j'ai menée !
J'ai tout contrôlé, Franck, depuis le début. La croisée
des destinées, l'arrêt définitif de leurs vies... Comme
des trains miniatures ! »

Je baissai les bras, mais il tendit l'arme et je les
levai à nouveau. Des flaques d'eau de marais se for-
maient à mes pieds et les muscles fatigués, blessés de
mes épaules me brûlaient.

« Explique-moi. J'ai besoin de savoir pour Suzanne.
Comment tu as su qu'elle était enceinte ? »

Il la considéra longuement. « Elle me l'a dit après
l'enlèvement, dans un dernier sursaut d'espoir, espérant peut-être que j'allais la relâcher. Dire qu'elle voulait te faire la surprise ! N'est-ce pas charmant ? » Il
s'assit sur le bord de la table. « J'avais en tête l'idée
du film à épisodes. J'ai envoyé un premier fichier par
Internet à ce requin de Torpinelli. Je savais qu'il prendrait, que ce genre de film se vendrait à prix d'or sur
les marchés parallèles, des milieux que je t'ai fait
découvrir au fur et à mesure... Puis, les demandes se
sont renouvelées, de plus en plus nombreuses, avec
les souhaits très, très particuliers. Et je me suis aperçu

que j'adorais ! Ça m'excitait à un point tel que tu ne peux imaginer. J'étais le maître absolu de mes victimes, mais aussi de ces hommes qui se branlaient par dizaine devant mes chefs-d'œuvre !

— Tu es... Tu es...

— Mais, avant d'attaquer mon parcours, il me fallait un scénario, de quoi vous faire plancher, vous, les psychologues, les policiers, les scientifiques. De ce côté, Internet est une mine d'or. On y déniche des rapports d'autopsie, les guides complets utilisés par la police scientifique, les appareils, les moyens déployés pour traquer les assassins... Toute la batterie nécessaire pour analyser vos failles, vos manières de travailler, de progresser, le jus même de vos tripes... Je suis retourné en Bretagne pour y prélever cette eau particulière, afin de l'abandonner dans l'estomac de Prieur. Pas mal, non ? Et ces psycho-criminologues ! Je me suis amusé comme un fou ! J'ai joué avec vous comme un marionnettiste avec ses poupées de bois. Je vous ai orientés, avec succès, dans les mâchoires aiguisées de BDSM4Y. Vous y avez laissé des plumes, si je ne me trompe ? » Il s'installa sur une chaise. « Au départ, je suis tombé sur des documents qui parlaient de ce père Michaélis. Sa carrière me parut... intéressante... D'autant plus que tout cela cadrait, comme par enchantement, avec la naissance de ton enfant et le nom de ta femme. On aurait dit, je ne sais pas, que tout cela était écrit... »

Il agita les doigts en l'air, tel l'enchanteur jetant de la poudre de perlimpinpin. Je cherchai un moyen pour me rapprocher de lui. Je lui demandai, en exécutant un pas vers l'avant : « Et Gad ? Pourquoi l'avoir tuée ?

— Je ne l'ai jamais tuée, Franck ! Cette crétine de Bretonne a bel et bien eu un accident ! Grâce à elle j'ai tourné mes premiers films. Oh ! Elle était plus que

consentante ! Et tu aurais dû voir comment ça se bous-
culait aux portes de mes sites pirates, pour mater ces
vidéos ! En fait, je crois que c'est de là que m'est
venue l'idée de pousser l'expérience plus loin.

— Et ces filles que tu as assassinées ? Tu les
contactais par Internet ?

— Tu te rends compte que cette pute de Prieur
s'était vantée d'avoir mutilé des cadavres à la fac ?
Elle exposait ça comme un trophée, une gloire personnelle, à un tas d'abrutis qui jubilaient devant ses
confessions ! Et Marival ? Cette salope de Marival
bien planquée au fond de sa forêt ? Elle croyait pouvoir montrer sa chatte, faire des trucs à ces animaux
sans avoir un retour de bâton ? Je lui ai bien fait
comprendre qu'Internet pouvait être très dangereux.
Qu'il ne fallait pas provoquer les gens en se masturb-
ant devant des caméras. Que l'on ne se trouve jamais
à l'abri, où que l'on soit... Je pense qu'après plus d'un
mois et demi à végéter au fond d'un abattoir, elle a
bien... dìgéré la leçon. Ces femmes méritaient ce qui
leur est arrivé ! Je n'ai pas tué des innocentes !

— Tout se déroulait parfaitement pour toi jusqu'à
Manchini, n'est-ce pas ? »

Un rictus lui chiffonna le visage. « Cet idiot de Torpinelli n'a pas été assez prudent. Je suppose que son
crétin de cousin a fourré le nez dans ses affaires, plus
particulièrement dans les données de son ordinateur.
Un beau petit frustré sexuel, ce Manchini... Il a fallu
qu'il expérimente de lui-même... Ces films ne sont pas
faits pour les amateurs dans son genre. J'aurais dû
m'en occuper personnellement. Ça t'aurait évité de
foutre une merde pas possible du côté du Touquet.

— Ton frère schizophrène, Yennia, ton voyage en
Italie durant le premier meurtre... Tout cela est faux ?

— Il a été si facile de manipuler ta femme ! Le

pauvre Thomas avec un frère schizophrène d'un côté et, de l'autre, une épouse délaissée, venue déverser ses malheurs sur des forums Internet. Pfff... Si facile, tellement facile... Tu es flic, non ? On ne t'a jamais appris à faire preuve de méfiance envers des gens que tu ne connais pas ? Il est si aisé de s'inventer une vie grâce à Internet, de s'immiscer dans l'intimité des couples, des célibataires, des enfants, avant même qu'ils s'en aperçoivent ! Nous sommes à l'ère du cybercrime, Franck, et ça, il aurait fallu le faire entrer dans ta petite cervelle de moineau ! »

Serpetti gardait un œil sur Suzanne qui divaguait, déversant un flot d'écume entre ses jambes écartées. Je le questionnai en ouvrant mes paumes au ciel : « Que comptes-tu faire maintenant ? Tu vas nous exécuter ? Combien d'innocents comptes-tu encore tuer ?

— J'ai presque fini mon œuvre, Franck. Après, je verrai. Il y a un petit nouveau que je dois finir de former. Il apprécie beaucoup mes vidéos et je suis persuadé qu'il sera un jour capable d'en faire autant. »

Il agita le revolver latéralement. « Va te plaquer contre le mur ! Là, derrière ! Et tu t'assieds dans le coin ! »

J'osai encore un pas dans sa direction, mais mon zèle lui fit orienter le canon vers ma femme. « Je compte jusqu'à trois. Un, deux...

— C'est bon ! Ne tire pas. Je vais faire ce que tu me demandes... »

Je me déplaçai à reculons et me laissai glisser dans l'angle, les mains au-dessus de la tête.

« Bien, très bien », sourit-il. « Tu es une nouvelle fois aux premières loges pour assister au spectacle, à l'identique de la femme de l'abattoir ! Sauf que cette fois, je t'autoriserai à regarder. »

Toujours en me braquant, il sortit d'un sac un kit

430

chirurgical stérile contenant le matériel nécessaire à une intervention d'urgence, scalpels, compresses, lames, aiguilles courbes et fil de soie.

Il redressa la table et disposa l'attirail sur le rebord.

« Tout est prêt pour la naissance de ton enfant... Il ne manque plus que... » – il piocha l'appareil dans le même sac – « ... la caméra. »

Je plaquai mes mains au sol pour me relever, mais il tira une balle à deux centimètres de mes pieds. Suzanne hurla.

« Encore un geste et je te flingue ! Bouge ! Essaie seulement de bouger ! Lève les mains, lève bien les mains ! »

Il s'approcha de moi avec la prudence d'un lapin pointant hors de son terrier, me colla l'arme fumante sous les narines. L'odeur de la poudre à canon me monta à la tête. « Ferme les yeux, enculé !

— Tire ! Tire ! Qu'est-ce que t'attends ? »

Je sentis une chaleur intense grimper le long de mon cou. Lorsque j'ouvris les yeux, il m'exposait une seringue vide.

« Kétamine... Je crois que tu connais ? Ça va te calmer un peu. J'ai dosé pour que tu puisses assister au son et lumière en toute sérénité, sans crainte de te... blesser... »

Il s'avança vers Suzanne, lui administra une dose de produit et la tira jusqu'à la table improvisée en champ opératoire.

« Voilà... Juste pour que tu te tiennes un peu tranquille, Suzanne. »

Il se tourna vers moi. « Ta femme n'est plus que le fantôme de ce qu'elle était. Elle est déjà morte, Franck. Tu ne t'en rends pas compte ? Regarde-la ! Regarde ses yeux ! »

La mâchoire inférieure de Suzanne récoltait des

bouillons de salive qui, ensuite, roulaient le long de son menton. Elle était repartie ailleurs, sur une autre planète. Pourtant, nous nous étions retrouvés, le temps d'une fraction de seconde. Si peu... Tellement peu...

Comme la première fois, mais de façon moins intense, mes membres s'alourdirent et mon corps tout entier sembla se couler dans le béton. Mes doigts se décrochèrent de mes mains, mes mains de mes bras et mes bras de mon corps. Mon enveloppe corporelle se figea en glace.

Serpetti allongea Suzanne sur la table. Elle obtempéra sans formuler une quelconque plainte. Ses pupilles éclipsaient le blanc de ses yeux, sa bouche continuait à clamer comme si elle s'apprêtait à lancer une prière au ciel.

Je balbutiai : « Suzanne... Suzanne... Je... t'aime... » et lorsque Thomas Serpetti se baissa pour ramasser les liens enroulés sur le sol, elle se cambra, s'arqua comme si un courant électrique d'une intensité faramineuse la traversait, et lui planta un scalpel au travers du cou dans un hurlement atroce, en un sursaut de haine qui fermentait depuis des mois et des mois. La lame pénétra par la droite de la trachée et en ressortit de l'autre côté. Le Colt glissa jusqu'à mes pieds.

Serpetti écarta les lèvres, émit un cri étouffé tout en portant ses deux mains à la gorge d'où s'échappait un petit geyser de sang. Ses genoux percutèrent le sol, il s'écroula et se redressa, les yeux fixés sur l'arme, animé par la rage, l'envie de tuer encore et encore. Sa langue, ses dents, ses gencives se couvrirent de sang et d'un mélange absolu de hargne qui jaillissait droit de ses tripes. Il allait atteindre le revolver. Il allait l'atteindre et tirer avant de mourir ! Suzanne gisait sur le sol, pétrifiée elle aussi par l'afflux de kétamine dans ses artères. Serpetti progressa, rampa, s'arracha les ongles contre le plancher, s'étirant dans un ultime effort avant de s'immobiliser, la main à quelques centimètres de l'arme. Ses yeux restèrent ouverts un instant, le temps de remuer mes lèvres pour murmurer : « Tu... as... perdu. Mon enfant naîtra... pendant que toi... tu croupiras en enfer. »

Il lâcha ses dix derniers pour cent d'air dans une bulle de sang, le regard fulminant d'une colère inhumaine.

Quand son âme noire s'envola, les cheveux de Suzanne s'écartèrent les uns des autres, comme électrifiés... Alors je sus qu'Élisabeth Williams et Doudou Camélia flottaient dans l'éther, pas très loin d'ici...

Épilogue

L'air est extrêmement chaud pour un mois de mai. Un vent venu du Sahara, affirment-ils à la radio. Ma fille s'élance devant moi d'une démarche peu assurée, bringuebalante, et ses petites mains s'enfoncent dans le sable lorsqu'elle se prend le pied dans un château abattu par la marée montante. Ses éclats de rire font fuir une colonie de mouettes qui se repaît dans de l'eau tiédie par le soleil de printemps et les oiseaux, dans un ballet aérien grandiose, chantent et dansent au-dessus de nos têtes.

Suzanne se tient à mes côtés.

Elle fixe l'œil bleu de la mer, indifférente à tout ce qui se produit autour d'elle, comme si quelqu'un, à l'intérieur de sa tête, avait construit un mur qui lui voile les choses belles de la vie. À son regard, s'accrochent encore les blessures du passé et je crois qu'elles s'y agripperont jusqu'à la fin de nos vies.

Avant notre grande aventure au bord de la mer du Nord, je lui ai donné ses gélules ainsi que son sirop. Les médecins affirment qu'il n'existe pas d'autre moyen pour taire les longues plaintes qui gémissent en elle de jour comme de nuit. Les médicaments la portent loin de nous, mais je sais que lorsque notre petite fille se glisse dans le creux de ses bras, elle se sent bien, réchauffée quelque part au fond de son cœur. Parfois, je la surprends à tendre un sourire à notre bout de chou et, alors, je sens que tout n'est pas perdu, qu'un jour, je redécouvrirai ma Suzanne d'autrefois.

J'ai tout plaqué. Paris, mon métier, mon cercle restreint d'amis et cette vie de dingue. Nous résidons tous trois au bord de la mer dans les embruns froids du nord de la France, loin de ces territoires de sang. J'ai retapé un vieux commerce. Je vends des jouets à une cinquantaine de mètres d'où nous habitons. La pension d'invalidité de Suzanne me permet de payer les services d'une infirmière à domicile et une nourrice pour notre bébé. Quant à Poupette, ma petite locomotive magique, je n'ai pas eu le courage de la garder avec moi. Elle fait partie désormais des choses mortes, d'un passé trop douloureux à supporter.

Je ne suis jamais bien loin de mes chéries. À chaque fois que j'en ai l'occasion, je cours les rejoindre, pose la tête de ma femme sur mes cuisses et caresse ma fille de l'autre main. Je ne suis plus commissaire de police à la Criminelle. Je suis redevenu un homme comme les autres...

Hier soir, ils ont découvert deux cadavres nus, allongés dans une barque au bord d'un lac. Un garçon et une fille, avec chacun une pièce dans la bouche. Je l'ai vu à la télévision... J'ai éteint et suis monté me coucher.

J'ai rêvé d'un immense champ de blé où dansaient deux femmes que j'avais jadis connues...

POCKET N° 16946

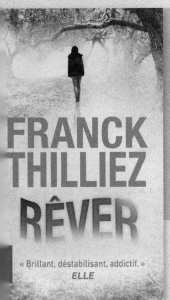

« Thilliez ou l'art de filer la chair de poule tout en caressant dans le sens du poil. Le baume du tigre. »

Libération

« Brillant, déstabilisant, addictif. »
ELLE

Franck THILLIEZ
RÊVER

Psychologue réputée pour son expertise dans les affaires criminelles, Abigaël souffre d'une narcolepsie sévère qui lui fait confondre le rêve avec la réalité. De nombreux mystères planent autour de la jeune femme, notamment concernant l'accident qui a coûté la vie à son père et à sa fille, et dont elle est miraculeusement sortie indemne.

L'affaire de disparition d'enfants sur laquelle elle travaille brouille ses derniers repères et fait bientôt basculer sa vie dans un cauchemar éveillé... Dans cette enquête, il y a une proie et un prédateur : elle-même.

Retrouvez toute l'actualité de Pocket :
www.pocket.fr

POCKET N° 17274

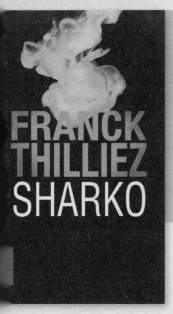

« *Franck Thilliez joue avec brio n'épargnant ni ses personnages ni ses lecteurs.* »

ELLE

Franck THILLIEZ
SHARKO

Lucie Henebelle et Franck Sharko sont flics au 36 quai des Orfèvres, unis à la ville comme à la scène. Un jour, Lucie n'a pas eu le choix : en dehors de toute procédure légale, elle a tué un homme. Pour protéger Lucie, Franck a maquillé la scène de crime. Une scène désormais digne d'être confiée au 36, car l'homme abattu n'avait rien d'un citoyen ordinaire, et il a fallu lui inventer une mort à sa mesure. Lucie, Franck et leur équipe vont donc récupérer l'enquête et s'enfoncer dans les brumes de plus en plus épaisses de la noirceur humaine...

Retrouvez toute l'actualité de Pocket :
www.pocket.fr

Faites de nouvelles rencontres sur pocket.fr

- Toute l'actualité des auteurs : rencontres, dédicaces, conférences...
- Les dernières parutions
- Des 1ers chapitres à télécharger
- Des jeux-concours sur les différentes collections du catalogue pour gagner des livres et des places de cinéma

Composition et mise en page

NORD COMPO
m u l t i m é d i a

Imprimé en Espagne par:
BLACK PRINT
en octobre 2020

Pocket - 92 avenue de France, 75013 Paris

Dépôt légal : mai 2007

S20499/14